Min bror Michael

Mary Stewart

Min bror Michael

SAGA

Min bror Michael
är översatt från engelska efter
My Brother Michael

ISBN: 9788726040432

1. L&R-utgåva

Lindhardtogringhof.dk

Saga är et förlag i Lindhardt og Ringhof, ett företag inom Egmont-koncernen

I

O, kvinna, vad väntar du på?

SOFOKLES: Elektra

Det händer mig aldrig någonting.

Jag skrev orden långsamt, tittade på dem ett ögonblick med en liten suck, lade sedan ifrån mig kulspetspennan på kafebordet och rotade i handväskan efter en cigarrett.

Medan jag andades in röken såg jag mig omkring. När jag tänkte på den där sista dystra meningen i mitt brev till Elizabeth slog det mig att det just då hände tillräckligt mycket för att tillfredsställa de flesta, om också inte de allra mest äventyrslystna. Det är det intryck man får av Aten. Alla är i rörelse, talar, gestikulerar - men talar framför allt. Det ljud som man minns av Aten är inte trafikstockningens otåliga buller eller det ständiga knattret av tryckluftsborrar eller ens det uråldriga ljudet av mejslar som bearbetar den penteliska marmorn, som alltjämt är den billigaste byggnadsstenen. Det man minns av Aten är bruset av röster.

Det stiger upp till ens hotellfönster högt uppe, höjer sig över dammlukten och trafiklarmet, svallar som havet nedanför Sunions tempel – ljudet av atenska röster som argumenterar, skrattar, prat-prat-pratar, liksom de en gång formade världen med sitt tal i myllret mellan Agoras kolonnader, inte så långt från den plats där jag satt.

Det var ett populärt och frekventerat kafé. Jag hade hittat ett bord längst in nära baren. Stora glasdörrar vette ut mot trottoaren utanför, och de stod öppna mot bullret och dammet på Omoniatorget, som i själva verket är Atens affärscentrum. Och det är sannerligen centrum för allt jäkt och larm i staden. Trafiken kröp eller forsade förbi i ändlös oordning. Folkhopar – lika tätt packade som trafiken – kretsade omkring på de breda trottoarerna. Grupper av män, de flesta oklanderligt klädda i mörk citydress, diskuterade vad det nu är män diskuterar mitt på förmiddagen i Aten; de såg livliga och uppmärksamma ut och deras händer plockade oupphörligen nervöst med de små kedjor av bärnsten, "nervlugnande radband", som männen i de östra medelhavsländerna bär. Kvinnor, några elegant klädda, andra med bondkvinnans vida svarta kjol och svarta huvudduk, gick omkring och handlade. En åsna passerade långsamt, så lastad med mängder av blommor att den såg ut som en vandrande trädgård, och dess ägare skrek förgäves ut sina varor mot de heta förmiddagsgatornas oväsen.

Jag sköt kaffekoppen åt sidan, drog åter ett bloss på cigarretten och tog upp brevet. Jag började läsa det jag skrivit.

"Vid det här laget bör du ha fått mina andra brev om Mykonos och Delos, och det som jag skrev för några dagar sedan från Kreta. Det är svårt att veta hur man skall skriva – jag vill så gärna berätta för dig vilket underbart land det här är, och samtidigt känner jag att jag inte får bre på för tjockt för att du inte skall finna det ännu mer tragiskt än förut, det där eländet med det brutna benet som hindrade dig från att följa med! Nå ja, jag skall inte heller tjata om den saken ... Jag sitter på ett kafé vid Omoniatorget – det är nog den livligaste platsen i denna ständigt livliga stad – och funderar på vad jag skall göra härnäst. Jag har just kommit med båt från Kreta. Jag kan inte tanka mig att det finns någon vackrare plats på jorden än de grekiska öarna, och Kreta står i en klass för sig, praktfullt och spännande och en smula bistert kargt också – men det berättade jag för dig i mitt senaste brev. Nu återstår i alla fall Delfi, och alla har med en mun försäkrat mig att det kommer att bli resans clou. Jag hoppas att de har rätt; en del av platserna, till exempel Eleusis och Argos och till och med Korint, har varit något av en besvikelse. Man gör sig själv tillgänglig för gengångarna, så att säga, men myterna och trollkraften är borta. Jag har i alla fall fått veta att Delfi är en verklig sevärdhet. Och därför har jag lämnat det till sist. Det enda tråkiga är att jag börjar bli lite orolig för min kassa. Jag är nog lite tosig när det gäller pengar. Philip skötte den saken och han hade verkligen rätt ...”

En kafégäst som banade sig väg mellan borden på väg mot bardisken stötte till min stol och jag tittade upp, tillfälligt störd i mina tankar.

En skara gäster – enbart män – samlades kring baren för att tydligen få sig något som såg ut som ett rejält förmiddagsmål. Det verkade som om de atenska affärsmännen måste överbrygga klyftan mellan frukost och lunch med något mer stärkande än bara kaffe. Jag såg en tallrik med ett lass av rysk sallad och tjock sås, en annan full med aptitretande köttbullar och gröna bönor simmande i olja, samt otaliga små fat överhopade med stekt potatis och smålök och fisk och pimiento och ett halvt dussin andra saker som jag inte kände igen. Bakom disken stod en rad lerkrus, och i skuggan av deras smala halsar såg jag oliver, färska från de svala bondgårdsmagasinen på Egina och Salamis. Vinflaskorna på hyllan ovanför bar namn som Samos och Nemea och Chios och Mavrodaphne.

Jag log och tittade åter ner på arket.

"... men på sätt och vis tycker jag det är underbart att vara här ensam. Missförstå mig inte, jag menar inte dig! Jag önskar innerligt att du var här, både för din egen skull och för min. Men du vet vad jag menar, inte sant? Det här är första gången på många år som jag har varit ute på egen hand - jag höll nästan på att säga 'utan ledband' - och jag njuter verkligen på ett sätt som jag förut inte hade trott vara möjligt. Jag tror nämligen inte att han över huvud taget någonsin skulle ha rest hit; jag kan inte föreställa mig Philip ströva omkring i Mykene eller Knossos eller på Delos. Kan du? Eller ens låta mig göra det. Han skulle bara ha varit intresserad av att hastigt komma i väg till Istanbul eller Beirut eller till och med Cypern - kort sagt vilken plats som helst där det *händer* något, inte för flera århundraden sedan utan *nu* - och även om det inte hände något skulle han se till att det gjorde det.

Roligt, ja, det var alltid roligt men - å, jag vill inte skriva om det heller, Elizabeth, men jag hade rätt, absolut rätt. Det är jag säker på nu. Det skulle aldrig ha gått, aldrig någonsin. Den här resan på egen hand har visat mig det tydligare än någonsin. Jag känner ingen saknad, bara lättnad över att jag nu kanske får tid att vara mig själv. Så ja, nu har jag erkänt det och vi kan lämna det ämnet. Trots att jag är rent skrämmande tafatt när jag är för mig själv så är det roligt, och jag hankar mig i alla fall fram. Men jag måste erkänna ..."

Jag vände på arket och sträckte tankspritt fram vänstra handen för att slå askan av cigarretten. En svagt ljus cirkel syntes fortfarande mot solbrännan längst ner på ringfingret, där Philips ring hade suttit. Efter tio dagars egeiskt solsken hade den börjat försvinna ... Sex långa år höll på att försvinna nu utan saknad, efterlämnande ett knippe glada minnen som också skulle försvinna och en hemlig nyfikenhet att få veta om tiggarflickan verkligen hade varit lycklig någon gång då hon var gift med kung Cophetua ...

”Men jag måste erkänna att det finns en annan sida av den här Stora Emancipationen. Det blir liksom en aning tråkigt ibland efter att i alla dessa år ha sugits med i Philips – det måste man erkänna – magnifika kölvatten. Jag känner mig en liten smula ur leken. Man skulle ju ha trott att någonting – en tillstymmelse till ett äventyr – skulle ha hänt en ung kvinna (är man fortfarande ung vid tjugofem?) som har strövat omkring ensam i Hellas' obygder, men nej ... Jag går fogligt från tempel till tempel med resehandboken i handen och tillbringar de ganska långa kvällarna med att göra anteckningar till den där underbara boken som jag alltid skulle skriva och övertyga mig själv om att jag njuter av friden och lugnet ... Det är antagligen bildens avigsida och jag skall nog anpassa mig med tiden. Och om det verkligen hände något spännande så undrar jag hur jag egentligen skulle bete mig – jag har väl i alla fall *någon* levnadsförmåga i mig, även om den såg futtig ut bredvid *hans* överflöd? Men livet tycks aldrig överlämna sig i kvinnohänder, eller hur? Jag kommer bara att hamna på mitt hotellrum som vanligt och göra anteckningar till den där boken som aldrig blir skriven. Det händer mig aldrig någonting.”

Jag lade ifrån mig cigarretten och tog upp pennan igen. Det var bäst att jag avslutade brevet och även ändrade tonen en aning, annars skulle Elizabeth undra om jag inte trots allt ångrade min så kallade emancipation.

Jag skrev glatt: ”På det hela taget klarar jag mig fint. Språket vållade faktiskt inte så stora svårigheter. De flesta tycks tala lite franska eller engelska och jag har lyckats lägga mig till med sex grekiska ord – men det har varit en del kinkiga situationer! Jag har inte klarat ekonomin fullt så bra. Jag vill inte påstå att jag är direkt pank ännu, men på Kreta släppte jag mig faktiskt lös – det var det värt, det skall gudarna veta, men om det betyder att jag måste avstå från Delfi så kommer jag att ångra det. Inte för att jag *kan* gå miste om Delfi. Det är otänkbart. Jag måste komma dit på något sätt, men tyvärr blir jag nog tvungen att forcera det på en dag, jag har inte råd med mer. Det går en turistbuss på torsdag och jag tror jag får hålla till godo med den. Om jag ändå hade råd med en bil! Tror du att om jag bad till alla gudarna på en gång ...”

Någon harklade sig alldeles ovanför mig. En skugga gled halvt ursäktande över arket.

Jag tittade upp.

Det var inte kyparen som försökte lirka i väg mig från mitt hörnbord. Det var en liten svartmuskig man med lappade och slitna blåbyxor, oljefläckig blå skjorta och ett osäkert småleende bakom den oundvikliga mustaschen. Hans byxor hölls uppe med ett snöre, som han tydligen inte litade på, för han höll ett stadigt grepp om dem med en smutsig hand.

Jag måste ha tittat på honom med kylig förvåning, för den ursäktande blicken djupnade, men i stället för att försvinna tilltalade han mig.

Han sade på mycket dålig franska: ”Det gäller bilen till Delfi ”

Jag tittade ner på brevet under min hand och sade enfaldigt: ”Bilen till Delfi?”

”Ni ville ha en bil till Delfi, *non?*”

Solen hade nu trängt ända in i det här hörnet av kaféet. Jag kikade på honom med ljuset i ögonen. ”Jaså, jo, det ville jag. Men jag förstår verkligen inte hur –”

”Jag har den med mig.” En smutsig hand – den som inte höll upp byxorna – viftade bort mot den skarpt solbelysta dörröppningen.

Jag tittade förvirrat åt det håll han pekade. Det stod verkligen en bil parkerad vid trottoarkanten, en stor och illa medfaren svart sak.

”Hör nu”, sade jag, ”jag förstår inte –”

”*Voilà!*” Med ett flin fiskade han ur fickan upp något som tydligen var en bilnyckel och lät den dingla ovanför bordet. ”Här är den. Det gäller ju liv och död. Jag förstår att – å, perfekt. Så jag kom så fort jag kunde –”

Jag sade lätt förbittrad: ”Jag har inte den blekaste aning om vad ni talar om.”

Flinet försvann och ersattes av ett uttryck av djup ängslan. ”Jag är sen. Det vet jag. Jag beklagar. Mademoiselle förlåter mig? Hon ska nog hinna. Bilen – hon är inte vacker men hon är bra, å, en mycket bra bil. Om mademoiselle –”

”Hör nu”, sade jag otåligt, ”jag vill inte ha någon bil. Jag är ledsen om jag har vilselett er, men jag kan inte hyra någon. Det är nämligen –”

”Men mademoiselle sa att mademoiselle önskade en bil.”

”Jag vet att jag gjorde det. Jag beklagar. Men nu är det så …”

”Och mademoiselle sa att det gäller liv och död.”

”Madem – det gjorde jag inte. Det var ni som sa det. Tyvärr vill jag inte ha er bil, monsieur. Jag beklagar. Men jag vill inte ha den.”

”Men mademoiselle –”

Jag sade tonlöst: ”Jag har inte råd.”

Hans ansikte lystes genast upp av ett besynnerligt tilldragande leende som blottade hans kritvita tänder. ”Pengar!” Ordet uttalades föraktfullt. ”Vi talar inte om pengar! Dessutom”, tillade han högst okonstlat, ”är handpengarna redan betalade.”

Jag sade häpet: ”Handpengarna? Betalade?”

”Ja visst. Mademoiselle betalade tidigare.”

Jag drog en suck av tre delar lättnad. Det var alltså ändå inte något trolltyg med i spelet eller ett ingripande av Greklands ironiska gudar. Det var ett enkelt fall av förväxling.

Jag sade i bestämd ton: ”Jag beklagar. Det måste vara ett missförstånd. Det där är inte min bil. Jag har tyvärr inte alls hyrt den.”

Den dinglande nyckeln stannade upp ett ögonblick, sedan började den svänga framför mig igen med oförminskad kraft. ”Det är inte den bilen mademoiselle såg, nej, nej, den var dålig, dålig. Det var en – vad säger man nu? – en spricka i den som det rann vatten ur.”

”En läcka. Men –”

”En läcka. Det är därför jag är så sen, förstår ni, men vi skaffade den här bilen – å, så bra – eftersom mademoiselle säger det är så viktigt att monsieur Simon får bilen i Delfi med detsamma. Om ni ger er i väg genast kan ni vara i Delfi om tre timmar – fyra timmar …” Han kastade en hastig, värderande blick på mig. ”Fem timmar kanske? Och sen kanske allting är bra med monsieur Simon och det här som gäller –”

”Liv och död”, sade jag. ”Ja, jag vet. Men faktum kvarstår, monsieur, att jag inte vet vad ni talar om! Det här måste tyvärr vara något misstag. Det var inte jag som bad om bilen. Jag gissar att den här, hm, monsieur Simons flicka skulle ha suttit här på kaféet och väntat på bilen ...? Tja, jag kan inte se någon här just nu som skulle kunna passa in i sammanhanget ..."

Sedan talade han fort, så fort att jag efteråt förstod att han bara hade uppfattat brottstycken av min snabba franska och att han tog fasta på en mening som han förstod – den mening som han ville höra. Han svängde fortfarande med nyckeln på fingerspetsen som om den var varm och han ville släppa den. Han sade: "Just det. Det här kaféet. En ung ensam dam. Halv elva. Men jag är sen. Ni är Simons flicka, ja?"

Han tittade så ivrigt på mig med den där bruna, oförstående blicken, exakt lik en orolig apa, att min irritation försvann och jag log mot honom medan jag skakade på huvudet och tillgrep ett av mina sex mödosamt tillägnade grekiska ord. "*Ne*", sade jag så eftertryckligt jag kunde. "*Ne, ne, ne*" Jag skrattade och sträckte fram mitt cigarrettetui. "Det var tråkigt att ni skulle ha det här besväret i onödan. Ta en cigarrett."

Cigarretten tycktes vara ett enastående botemedel mot hans bekymmer. Som genom ett trollslag försvann rynkorna i hans ansikte. Det livfulla leendet bröt fram. Nyckeln föll klirrande ner framför mig medan handen som inte höll upp byxorna sträckte sig mot cigarrettetuiet. "Tack, mademoiselle. Det är en bra bil, mademoiselle. Trevlig resa."

Jag letade efter tändstickor i väskan och inte förrän jag tittade upp igen fattade jag helt vad han hade sagt. Och då var det för sent. Han hade gått. Jag uppfångade en skymt av honom när han ilade genom folkskaran vid kafédörren som en lössläppt vinthund. Så var han försvunnen. Tre av mina cigarretter var också försvunna. Men bilnyckeln låg på bordet framför mig och den svarta bilen stod fortfarande utanför i det skarpa solskenet.

Det var först då, medan jag satt och glodde som en idiot på

nyckeln, bilen och solstrålarna på duken, där den lille mannens skugga hade fallit för en liten stund sedan, som jag insåg att mitt hastiga infall att briljera med mina grekiska språkkunskaper antagligen skulle komma att stå mig dyrt. Med en lätt obehaglig känsla kom jag ihåg att det grekiska ordet ”*ne*” betyder ”ja”.

Naturligtvis sprang jag efter honom. Men strömmen av människor vällde likgiltigt förbi på trottoaren och ingenstans syntes det en skymt av gudarnas sluskige budbärare. Min kypare följde ängsligt efter mig ut på trottoaren, antagligen redo att gripa tag i mig om jag visade tecken till att smita utan att ha betalat mitt kaffe. Jag låtsades inte om honom utan kikade bara ivrigt åt alla håll. Men när det tydde på att han tänkte dra sig tillbaka i avsikt att hämta förstärkning för att handgripligen eskortera mig tillbaka till mitt bord och notan fann jag det säkrast att uppge efterspaningen. Jag gick tillbaka till mitt hörn, tog upp nyckeln, log ett hastigt leende mot den alltjämt förföljande kyparen, som inte talade engelska, och banade mig väg mot bardisken för att söka upp ägaren, som gjorde det.

Jag armbågade mig fram genom hopen av män, nervöst upprepande ”*Parakalo*”, som tydligen var den rätta motsvarigheten till ”Förlåt”. I alla händelser steg männen åt sidan och jag lutade mig ivrigt över disken.

”*Parakalo, kyrie* –”

Den svettige kaféinnehavaren gav mig en plågad blick över en hög stekt potatis och placerade mig ofelbart. ”Miss?”

”*Kyrie*, jag är i knipa. Det har just hänt något underligt. Det var en man som kom med den där bilen där borta – den står där utanför de blå borden – och han skulle lämna den till någon här på kaféet. Av misstag tycktes han tro att det var jag som hade hyrt den. Han trodde att jag skulle köra den till Delfi för någons räkning. Men jag vet ingenting om det här, *kyrie*; det är ett misstag det hela och jag vet inte vad jag ska göra!"

Han slängde en stor klick salladssås över några tomater, sköt över tallriken till en stor karl som satt uppflugen på en liten stol vid disken och torkade sig i pannan med ena handen. "Vill ni att jag ska förklara det för honom? Var är han?"

"Det är just det som är det besvärliga, *kyrie*. Han har gått. Han lämnade mig nyckeln bara – här är den – och sen gick han. Jag försökte hinna ifatt honom men han är försvunnen. Nu undrar jag om ni vet vem det var här som skulle ha bilen?"

"Nej. Jag vet ingenting." Han tog upp en stor slev, rörde runt i någonting under disken och kastade ännu en blick på bilen utanför. "Ingenting. Vem skulle ha bilen?"

"Monsieur, som jag sa vet jag inte vem –"

"Ni sa att den skulle köras någonstans – till Delfi, inte sant? Sa den där mannen inte vem som skulle ha den?"

"Jo. Jo visst. En – en mr Simon."

Han öste upp en del av blandningen – det verkade vara någon sorts bouillabaisse – i en tallrik, lämnade den till en väntande kypare och sade sedan med en axelryckning: "I Delfi? Jag har inte hört talas om någon med det namnet där. Men det är ju möjligt att någon här såg karln eller känner till bilen. Om ni väntar ett ögonblick ska jag fråga."

Sedan sade han något på grekiska till männen vid disken och blev genast mittpunkten för en livlig, till och med hetsig diskussion, som varade ungefär fyra eller fem minuter och till slut kom att omfatta alla manliga gäster på kaféet och som till sist med all världens goodwill frambragte upplysningen att ingen hade lagt märke till den lille mannen med nyckeln, att ingen kände till bilen, ingen någonsin hade hört talas om någon monsieur Simon i Delfi (och det trots att en av männen var infödd i Krissa, bara några kilometer från Delfi), ingen trodde det var det minsta sannolikt att någon från Delfi skulle hyra en bil i Aten och (slutligen) att ingen vid sina sinnens fulla bruk över huvud taget skulle köra den dit upp.

"Men", sade mannen från Krissa, som talade med munnen full, "det är ju möjligt att den här Simon är en engelsk turist som bor i Delfi. Det skulle förklara allting." Han sade inte varför utan log bara med stor vänlighet och charm genom en munfull räkor, men jag förstod vad han menade.

Jag sade ursäktande: "Jag vet att det verkar vansinnigt, *kyrie*, men jag kan inte hjälpa att jag har en känsla av att man borde göra något åt det. Han som kom med nyckeln sa att det" - jag tvekade -"tja, att det gällde liv och död."

Greken höjde på ögonbrynen; sedan ryckte han på axlarna. Jag fick det intrycket att sådant som gäller liv och död var vardagsmat i Aten. Han sade med ett nytt charmerande leende: "Ett riktigt äventyr, mademoiselle", och återgick till sin tallrik.

Jag tittade tankfullt på honom ett ögonblick. "Ja", sade jag långsamt, "ja." Jag vände mig till kaféinnehavaren igen, som kämpade med att ösa upp oliver ur ett av de vackra lerkrusen. Det var tydligt att rusningstiden och hettan började tära till och med på hans atenska artighet och tålamod, så jag log bara mot honom och sade: "Tack för er vänlighet, *kyrie*. Och förlåt att jag har besvärat er. Om det här verkligen är något angeläget kan jag inte förstå annat än att den som vill ha bilen måste komma och hämta den som det är avtalat."

"Vill ni kanske lämna nyckeln till mig? Jag kan ta den, så slipper ni ha mer bekymmer med den. Det gör jag med nöje, det försäkrar jag."

"Tack, jag ska inte besvära er med det ännu. Jag måste erkänna" – jag skrattade – "att jag är lite nyfiken. Jag väntar här en stund, och om den här flickan kommer ska jag själv lämna henne nyckeln och förklara det hela."

Och till den stackars mannens lättnad slingrade jag mig ut ur trängseln och återvände till mitt bord. Jag satte mig och beställde en kaffe till, tände en ny cigarrett och låtsades vilja avsluta mitt brev, medan jag i själva verket höll ett vakande öga på dörren och ett på den gamla svarta bilen, som vid det här laget väl borde susa fram längs vägen till Delfi i det ärendet som gällde liv och död ...

Jag väntade en timme. Kyparen hade börjat snegla misstänksamt igen, så jag sköt mitt oavslutade brev åt sidan och gjorde en beställning. Sedan satt jag och lekte med en tallrik full med bönor och lite ljusröd fisk, allt under det att jag med en förväntan som gradvis gav vika för olust höll ögonen på kafédörren och strömmen av människor som kom och gick.

Mitt motiv för att vänta hade inte varit fullt så enkelt som jag hade antytt för kaféinnehavaren. Jag hade kommit att tänka på att eftersom jag hade dragits in i det här utan egen förskyllan så skulle jag kunna dra lite nytta av situationen. När "Simons flicka" kom och ville ha bilen skulle det väl inte vara omöjligt att ge en antydan om – ja, varför inte fråga rentut om jag fick följa med henne till Delfi? Och möjligheten att få lifta till Delfi var inte den enda som hade föresvävat mig ...

Minuterna släpade sig fram men fortfarande syntes ingen, och ju längre jag väntade, dess omöjligare föreföll det mig faktiskt att lämna kaféet och låta saken ha sin gång utan mig, och dess lömskare började den där andra möjligheten ge sig till känna. Jag försökte skjuta den åt sidan men den fanns kvar där – ett trots, en gåva, en utmaning från gudarna ...

När klockan blev tolv och ingen hade kommit och gjort anspråk på bilen sköt jag undan tallriken och satte mig att överväga den där andra möjligheten så kallsinnigt som möjligt.

Det var helt enkelt att själv köra bilen till Delfi.

Det var uppenbart att flickan inte skulle komma, vad det nu kunde bero på. Hon måste ha fått något förhinder, annars skulle hon ju ha telefonerat till garaget och avbeställt bilen. Men bilen – som det var så angeläget att få i väg – stod fortfarande där, redan en och en halv timme försenad. Jag å andra sidan var mycket ivrig att få komma till Delfi och kunde starta med detsamma. Jag hade kommit direkt från Kretabåten i Pireus' hamn och hade allting med mig som jag behövde för en kort vistelse i Delfi. Jag kunde köra dit med detsamma, avlämna bilen, tillbringa två dagar där på de pengar jag hade sparat in på bussresan och åka tillbaka med turistbussen på torsdag. Det hela var mycket enkelt, självklart, och en försynens skickelse.

Jag tog upp nyckeln med fingrar som kändes som om de inte tillhörde mig och sträckte mig långsamt efter mitt enda bagage – den stora färgglada resesäcken av Mykonosväv – som hängde bakom stolsryggen.

Jag tvekade när jag rörde vid den med handen. Så lät jag handen sjunka och började svänga runt nyckeln och iakttog med frånvarande blick hur solen blänkte på den när den snurrade.

Det lät sig inte göra. Det var helt enkelt en sådan sak som man inte kunde göra. Det var vansinnigt av mig att över huvud taget tänka på att göra det. Det enda som hade hänt var att Simons flicka hade glömt att avbeställa bilen och återkräva handpengarna. Det var ingenting som angick mig. Ingen skulle tacka mig för att jag hade lagt mig i en sak som trots mitt fåniga misstag inte angick mig det minsta. Den där frasen "det gäller liv och död" – en så lättvindig refräng, en mycket övertygande ursäkt för att ingripa – var i alla fall bara en fras, en fras på vilken jag hade byggt upp denna känsla av ett svårt dilemma som gav mig (låtsades jag) en förevändning för att handla. *I alla händelser var det här ingenting som angick mig.* Det som låg närmast till hands – ja, det enda möjliga faktiskt – var att låta bilen stå där, överlämna nyckeln och försvinna.

Beslutet förde med sig en känsla av lättnad som var så stark, så rent fysisk nästan, att jag blev alldeles häpen. Driven av den reste jag mig upp, tog bilnyckeln och svängde resesäcken över axeln. Det oavslutade brevet till Elizabeth låg på bordet. Jag sträckte ut handen efter det och när jag vek ihop det för att stoppa ner det i väskan fångades min blick åter av den där meningen. *Det händer mig aldrig någonting.*

Papperet prasslade plötsligt när mina fingrar stelnade. Ögonblick av självkännedom kommer förmodligen på de mest besynnerliga tider. Jag har ofta undrat om de någonsin är angenäma. Jag upplevde ett sådant ögonblick nu.

Det varade inte länge. Jag lät det inte göra det. Det var med en sorts resignerad förvåning som jag åter fann mig stående vid bardisken, där jag lämnade fram en papperslapp till kaféinnehavaren.

"Mitt namn och min adress", sade jag lätt andfådd, "ifall det kommer någon för att hämta bilen senare. Miss Camilla Haven, Olympias Hotel, Rue Marnis … Säg att jag – att jag tog hand om bilen. Säg att jag gjorde det i bästa avsikt."

Jag var ute på gatan och på väg in i bilen innan det slog mig att mina sista ord hade låtit ovanligt likt ett epitafium.

II

Det är lång väg till Delfi.

EURIPIDES: Ion

Även om det inte var Hermes själv som hade kommit till mig med nyckeln måste i alla fall varenda gud i Hellas ha hållit sin hand över mig den dagen, för jag kom levande ut ur Aten. Oskadd dessutom.

Det var en del kinkiga situationer. Det var skoputsaren som var så ivrig att borsta mina skor att han följde efter mig till bilen och klamrade sig fast vid sidan, och han skulle med all säkerhet ha skadat sig när jag startade, om jag bara hade kommit ihåg att lägga in växeln. Det var den situation då jag med försiktiga femton kilometer och strykande tätt intill vänstra trottoaren vek av från Omoniatorget och in på S:t Konstantingatan och mötte en taxi nästan mitt framför mig på det som jag trodde var hans felaktiga sida, tills tonstyrkan och intensiteten i hans skymford skrämde mig tillbaka till min egen högra. Sedan var det mötet på den smala bakgatan med två ursinniga fotgängare, som steg ner från trottoaren utan att kasta en blick åt mitt håll. Hur kunde jag veta att gatan var enkelriktad? Jag hade tur med bromsarna den gången. Däremot hade jag inte fullt så stor tur med blomsteråsnan, men det var bara blommorna som jag kom åt, och åsnedrivaren tog det hela mycket charmfullt. Han ville inte ta emot den sedel som jag hastigt sträckte fram mot honom, utan i stället gav han mig de blommor som jag hade rivit ner från klövjekorgen på åsnan.

Efter omständigheterna var folk mycket överseende. Den enda verkligt obehagliga personen var mannen som spottade på motorhuven när jag tveksamt skulle köra om en stillastående buss. Det fanns ingen anledning att visa humör på det sättet. Jag nuddade knappt vid honom.

När jag väl hade hunnit ut på huvudgatan som leder ut ur Aten längs Heliga vägen hade jag kommit på två saker. Det ena var att några veckors kringkuskande på de engelska landsvägarna i Elizabeths gamla Hillman (Philip hade begripligt nog aldrig låtit mig röra hans bil) inte på något sätt var en tillräcklig förövning för att köra genom Aten i en främmande, vänsterstyrd bil. Det andra var att den förfallna svarta bilen hade en oväntat kraftig motor. Om den hade sett mindre förfallen och ålderstigen ut – om det hade varit ett av de blänkande transatlantiska vidunder som vanligtvis används som taxibilar i Aten – skulle jag aldrig ha vågat köra den, men dess sjabbiga utseende hade ingivit mig trygghetskänslor. Den kunde nästan ha varit den gamla Hillman som jag hade övat mig på. Nästan. Jag hade inte suttit i den tre minuter förrän jag upptäckte att den accelererade som ett reaplan, och när jag väl hade konstaterat dess obegränsade möjligheter som livsfarligt vapen var det för sent. Jag var ute i trafiken och det föreföll säkrare att stanna kvar där. Så jag klamrade mig beslutsamt fast vid ratten, bytte hand då och då när jag kom ihåg att växelspaken satt till höger och bad en stilla bön till hela den olympiska hierarkin när vi skuttade och knuffade oss fram, skräckslagna och ångerfulla, genom förstäderna och sent omsider vek in på den stora autostradan längs kusten mot Eleusis och Korint.

Efter de fullpackade och brusande gatorna verkade landsvägen fri och relativt tom. Detta var Heliga vägen – den breda väg vid havet nerför vilken de gamla pilgrimerna hade gått under sång och med facklor för att fira de eleusinska mysterierna. Den sjö som nu ligger till höger var Demeters heliga sjö. Tvärsöver bukten till vänster låg ön Salamis som en drunknad drake, och där – *där* – hade Themistokles krossat den persiska flottan …

Men jag tittade varken åt höger eller vänster medan jag körde. Jag hade åkt den där vägen förut och hade undanstökat den första svåra desillusionen. Här behövde man inte göra sig tillgänglig för gengångarna; de hade försvunnit för länge sedan. Nu gick Heliga vägen rak och bred (asfalten svettades lite i solen) mellan cementfabrikerna och järnverken; den heliga sjön var igenslammad av sjögräs och slagg; i Salamisbukten låg gamla rostiga tankfartyg och det mörkt vinfärgade vattnet återspeglade raffinaderiets aluminiumtorn. På andra sidan bukten rapade Mégaras skorstenar, och ovanför dem kretsade en trio tjutande Vampireplan mot den obeskrivliga grekiska himlen. Och detta var själva Eleusis, denna lilla smutsiga ort som nästan ligger dold i de kvävande molnen av ockrafärgad rök från cementfabrikerna.

Jag höll ögonen på vägen och uppmärksamheten på bilen och körde så fort jag vågade. Snart hade vi industriområdet bakom oss och vägen, som var smalare nu och började vitna av damm under den obarmhärtiga septembersolen, höjde sig bort från stranden och slingrade sig upp mellan åkrar av röd jord med olivplanteringar, där små lådliknande hus kurade ihop sig mellan träden, till synes byggda på måfå. Barn, trasigt klädda, brunbrända och magra, stod i dammet och stirrade när jag körde förbi. En kvinna, svartklädd och beslöjad som en muhammedanska, böjde sig ner och lyfte ut bröd ur den vita bikupsformiga ugnen som stod under ett olivträd. Utmärglade hönor gick och krafsade i marken och en hund rusade skällande efter bilen. Åsnor lunkade i dammet längs vägkanten, halvt dolda under sina höga, vingliga lass av ris och kvistar. En hög kärra skramlade gungande fram längs en stig mot vägen; den var lastad med vaxlikt glänsande mörkgröna druvor. Luften var fylld av en lukt av värme och gödsel och damm och dräggen efter vinskörden.

Solen gassade. På de ställen där det stod träd nära vägen föll en ljuvligt svalkande skugga. Klockan var bara lite över tolv på dagen och hettan var fruktansvärd. Det enda som gav en smula lindring var fläktandet genom bilrutan och de stora olivträdens molnliknande kronor som svävade mellan vägen och himlens stora mässingsskål.

Det var mycket lite trafik nu under middagshettan och jag var fast besluten att fullt utnyttja de lugna eftermiddagstimmarna, varenda het, soldränkt minut, så jag fortsatte och kände en viss tillförsikt nu, till och med trygghet. Jag hade fått känsla för bilen och vägrade fortfarande envist att tänka på vad jag hade gjort. Jag hade antagit en ”utmaning” från gudarna och resultatet skulle visa sig när jag kom – om jag kom – till Delfi.

Om jag kom till Delfi.

Mitt självförtroende hade växt medan jag körde vidare genom ett tomt landskap, genom en trakt som blev vildare och vackrare alltefterom vägen skakade sig fri från olivdungarna och klättrade uppför höjderna norr om Attika. Det överlevde till och med raden av skräckinjagande hårnålskurvor som sträcker sig från toppen av dessa höjder ner mot Beotiens slättland. Men det överlevde inte bussen.

Det här var en trafikbuss från Aten, och jag hann ifatt den mitt ute på den spikraka väg som delar slättlandet i två delar. Den var liten, ondskefull och illaluktande. Den tycktes också vara fullproppad till dörrarna med människor, lådor och diverse kreatur, däribland hönor och minst en liten get. Den dånade i väg med ett femtio meter långt dammoln efter sig. Jag höll försiktigt till vänster och ökade farten för att passera.

Bussen, som redan var mitt ute på vägen, svängde genast över åt vänster och ökade farten en aning. Jag saktade in och svalde damm. Bussen återvände till mitten av vägen och återtog sin vilda fart av femtio kilometer i timmen.

Jag väntade en halv minut och försökte sedan igen. Jag kröp försiktigt fram till bakhjulet på den och hoppades att chauffören skulle få syn på mig.

Det gjorde han. Ursinnigt accelererande lade han sig åter i vägen för mig, stoppade omsorgsfullt min vidare framfart och slog sig sedan belåtet till ro mittpå vägen. Jag återvände ännu en gång in i det kvävande kölvattnet av damm. Jag försökte låta bli att ta vid mig, försökte intala mig själv att han skulle släppa förbi mig när han väl hade skämtat färdigt, men jag kände att mina händer började krama om ratten och det ryckte i en nerv någonstans i strupen på mig. Om Philip hade kört … Men å andra sidan, tänkte jag för mig själv, om Philip hade kört skulle det aldrig ha hänt. Kvinnliga bilister är legitima driftkuckuar på vägarna i Grekland.

Vi passerade en skylt på vilken det med grekiska och engelska bokstäver stod: ”Thebe 4 km, Delfi 77 km”. Om jag skulle bli tvungen att hålla mig bakom bussen hela vägen till Delfi …

Jag försökte igen. När jag den här gången svängde ut och närmade mig honom tutade jag ivrigt i signalhornet. Till min förvåning och tacksamhet höll han genast åt höger och saktade farten. Jag styrde kurs mot vägöppningen. Det var inte mer än precis nätt och jämnt utrymme mellan bussen och vägkanten, som bestod av ett tjockt lager lös, torr jord. Spänd av nervös koncentration ökade jag farten och försökte pressa mig förbi. Bussen vaggade och dånade bredvid mig.

Jag kom inte förbi. Han hade ökat farten och höll sig jämsides med mig. Min bil gick fortare än hans, men passagen smalnade och jag var inte tillräckligt säker på min omdömesförmåga för att våga pressa mig förbi med den stora bilen. Han styrde ännu närmare intill mig. Jag vet inte om han faktiskt hade tänkt tränga mig ner från vägen, men när det vaggande åbäket med den smutsgröna lackeringen trängde allt närmare greps jag av panik, precis som han hade förutsett. Jag trampade ner bromsen. Bussen dundrade vidare. Jag var åter insvept i dammolnet.

Vi höll på att närma oss utkanten av Thebe när jag kom att tänka på att en trafikbuss måste stanna för att ta upp passagerare. Tanken lugnade mig. Jag saktade farten så att jag kom bort från dammolnet och körde långsamt och avvaktande i hans kölvatten.

Framför oss kunde jag se de första spridda husen i Thebe, den legendariska stad som jag visste var ännu mer oåterkalleligt förgången än Eleusis. Där Antigone ledde den blinde Oidipus ut i landsflykt sitter nu Thebes gubbar på de cementerade trottoarerna i solen bredvid bensinmackarna. Brädspelet *tric-trac* som de hänger över timme efter timme är antagligen den äldsta företeelsen i Thebe. Det finns en källa någonstans, älskad av nymferna. Det är allt. Men jag hade inte tid då att sörja över legendernas flyktighet. Jag tänkte inte på Oidipus eller Antigone eller ens på Philip eller Simon eller min egen bedrövliga inledning till ett äventyr. Jag körde bara vidare mot Thebe med blicken hatfullt riktad rakt fram. I den stunden existerade endast en intensiv längtan att passera den där vidriga bussen.

Kort därfter hände det. En grupp kvinnor som stod och väntade vid vägkanten gjorde tecken åt honom att stanna och han saktade farten. Jag kröp närmare med blicken riktad mot den smala passagen till vänster om honom. Mina händer halkade på ratten och det började rycka i den där nerven igen.

Han stannade mittpå vägen. Det var omöjligt att passera. Jag stannade bakom honom och väntade, och när han sedan körde fram en bit igen frikopplade jag, varvid motorn stannade. Jag kämpade med darrande hand med tändningen. Motorn ville inte starta. Indirekt uppfångade jag en skymt av ett ansikte i bakrutan på den försvinnande bussen, ett ungt mörkhyat ansikte kluvet av ett brett flin. När jag sedan lyckades få i gång bilen och följde efter såg jag att ynglingen vände sig om liksom för att puffa till någon som satt bredvid honom i baksätet. Ytterligare ett ansikte vände sig om för att stirra och flina. Och ännu ett.

Så hörde jag ett signalhorn tätt bakom mig – så nära att jag höll på att hamna i diket av förskräckelse. Samtidigt som jag automatiskt svängde åt höger kom en jeep snabbt farande bakifrån på fel sida av vägen, körde om mig med en vårdslöst vid sväng så att de vänstra hjulen virvlade upp dammet vid vägkanten, och rusade vidare mot bussen med samma vilda fart, alltjämt tutande som en siren. Jag såg en skymt av den som körde, en ung flicka med mörkhyat ansikte, med ögonfransar som hängde tungt ner över ögonen och en blaserad, trumpen mun. Hon satt slappt bakåtlutad och körde jeepen med nonchalant, nästan fräck skicklighet. Och trots att det var en kvinnlig förare lämnade bussen plats åt jeepen, svängde snabbt ut åt höger och höll sig kvar där medan hon susade förbi. Det var inget medvetet beslut hos mig att följa efter henne; i själva verket är jag fortfarande inte säker på om jag avsiktligt trampade på gaspedalen eller om jag trevade efter bromsen, men det var någonting som högg till i korsryggen på mig och den stora svarta bilen sköt fart, missade bussen med ett par centimeter och stormade förbi i kölvattnet på jeepen med två hjul mittpå vägen och de två andra ute i vägkanten, där de virvlade upp tillräckligt mycket damm för att ha kunnat vägleda Israels barn ända in i Thebe. Var bussen hade sina högra hjul var något som jag varken visste eller brydde mig det minsta om. Jag tittade inte ens i backspegeln.

Jag svepte in i Thebe och dök raskt ner längs fel sida av den dubbla körbanan som leder till Levádeia och Delfi.

Hermes, de vägfarandes gud, höll fortfarande sin hand över mig. Det var hästmarknad i Levádeia, och den åtföljande *fiestan* gjorde att gatorna var fullpackade; men sedan mötte jag ingenting, utom små långsamma karavaner av bönder på väg till marknaden på mulor och åsnor; och vid ett tillfälle ett följe zigenare – riktiga egyptier – på färd med mulor och ponnyer täckta med färggranna filtar.

Kort efter det att jag hade passerat Levádeia, började landskapet förändras. Attikas dystra banaliteter, slättlandets grälla färgbilder av blomstrande bördighet, försvann och glömdes bort när höjderna närmade sig. Vägen steg uppåt och slingrade sig mellan höga bruna bergsutsprång som pressade ihop landskapet i veckade kedjor. Vid foten av de branta, vattenlösa sluttningarna ringlade sig uttorkade vita bäckfåror som urkrupna ormskinn. De torra dalsidorna var täckta av gulaktigt, förbränt gräs och stenhögar och förvittrande jord.

Allt större och större blev de kringliggande bergen, allt kargare landskapet, och över det hela låg stora svep av färger som gick från rött till ockra, från ockra till bränd umbra och lejongulbrunt, men framför allt var det detta brännande, oändliga, underbara solljus. Och bortom allting slutligen en grå vålnad till bergmassiv; inte purpurfärgad, inte med en blåaktig nyans, framkallad av avståndet, som bergen i en mer leende trakt, utan spökvit, storslagen, ett försilvrat lejon. Parnassos, hem för de gamla gudarnas vålnader.

Jag stannade bara en gång för att vila. Det var ett stycke bortom Levádeia. Vägen, som slingrade sig högt upp längs bergssluttningen, låg i skuggan och här uppe var luften sval. Jag satt ungefär en kvart på balustraden som kantade vägen. Djupt nedanför mig i en förgrenad dal var en plats där tre stigar möttes; kvarlevan av en gammal korsväg där en gång en ung man, som var på väg från Delfi till Thebe, slog ner en gammal gubbe från hans vagn och dödade honom …

Men inga gengångare var i farten i dag. Inte ett ljud, inte en fläkt, inte ens skuggan av en svävande hök. Endast de nakna lejonfärgade bergen och det skoningslösa ljuset.

Jag återvände till bilen. När jag startade motorn tänkte jag för mig själv att de vägfarandes gud, som dittills hade låtit sin nåds sol lysa över mig, bara hade ytterligare ungefär trettio kilometers tjänstgöring kvar, och sedan kunde han lämna mig åt mitt öde.

I själva verket lämnade han mig precis tio kilometer från Delfi, mitt inne i byn Arákhōva.

III

Jag vet: om inte jag får hjälp att bära
det här, så kan det hända att jag släpper – mig!
ARISTOFANES: Grodorna

Arákhōva är en prålig plats. Det är den inte självmedvetet, men dess inramning är till ytterlighet pittoresk och den grekiska byggnadsstilen gör resten.

Byn ligger uppflugen på en brant sluttning och husen är byggda i rader, den ena ovanför den andra, så att golvplanet i ett hus är i jämnhöjd med taket på det nedanförliggande. Hela byn ser ut som om den var på vippen att rutscha ner i den djupa dalen nedanför. Väggarna är vita och taken rosenröda och på varenda vägg hänger blommande växter och vinrankor dignande av druvor och stora sjok av ull färgad i nyanser av bärnsten och hyacint och blod. Längs den korta huvudgatan är det försäljning av mattor som hänger ute i solskenet, prunkande mot de bländvita väggarna. Själva gatan har några korsningar och är ungefär två och en halv meter bred. I ett av dessa hörn rände jag rakt in i en lastbil.

Inte precis bokstavligen. Jag lyckades stanna med motorhuven så där en tjugotvå centimeter från hans och där stod jag, paralyserad, oförmögen att ens tänka. De två fordonen stod strålkastare mot strålkastare, som ett par katter som höll på att stirra ut varandra, den ena iakttagande en mystisk tystnad. Motorn hade naturligtvis stannat för mig …

Det blev alltför snart uppenbart att det var jag och inte lastbilsföraren som skulle bli tvungen att backa. Hela byn - den manliga delen av den - ryckte ut för att med gester tala om det för mig. De var charmerande och älskvärda och förfärligt hjälpsamma. De gjorde allt utom att backa bilen åt mig. Och de kunde tydligen inte förstå varför en person som hade hand om en sådan bil inte skulle kunna backa den hur lätt som helst.

Till slut backade jag den in i någons butiksdörr.

Hela byn hjälpte mig att resa upp bordet och hänga tillbaka mattorna och försäkrade att det inte gjorde ett dugg.

Jag körde fram en bit och backade igen - nu på en åsna. Hela byn försäkrade mig att åsnan inte var skadad och att den skulle stanna efter någon kilometer och gå hem igen.

Jag vred hjulen rätt. Den här gången lyckades jag hålla en något så när rak kurs på en sträcka av tio meter medan hela byn höll andan. Sedan kom det en kurva. Jag stannade. Jag hade absolut inte lust att ta risken att backa rakt över det halvmeterhöga räcket och ner i någons trädgård fem meter nedanför. Jag satt där och andades tungt, log desperat tillbaka mot byborna och önskade att jag aldrig hade blivit född och inte den där Simon heller. Mina resurser var uttömda.

Jag hade stannat mitt i solljuset och det skarpa skenet från de vita väggarna var bländande. Männen trängde sig närmare, förtjust flinande, och fällde storvulna och – förvisso lyckligtvis – obegripliga yttranden. Lastbilschauffören flinade också och hängde ut genom förarhytten med minen hos en som tänkte tillbringa en verkligt rolig eftermiddag.

I min förtvivlan lutade jag mig ut genom bilrutan och tilltalade den ivrigaste av mina hjälpare, en tjock och frodig karl med små tindrande ögon, som tydligen var enormt road av det hela. Han talade en lättflytande om också avgjort besynnerlig blandning av franska och engelska.

"Monsieur", sade jag, "jag tror inte jag kan klara det här. Det är nämligen inte min bil; den tillhör en monsieur Simon i Delfi och han måste ha den så fort som möjligt för affärer. Jag – jag har inte hunnit bli så van vid den ännu och eftersom den inte är min vill jag inte ta några risker ... Säg, skulle ni eller någon av de andra herrarna vilja backa den åt mig? Eller lastbilschauffören kan kanske hjälpa mig. Skulle ni vilja fråga honom om det? Det är nämligen inte min bil ..."

Något ynkligt flarn av stolthet kom mig att betona detta, men så märkte jag att han inte hörde på. Leendet hade försvunnit från det jovialiska, svettiga ansiktet. Han sade: "Vem sa ni skulle ha bilen?"

"En monsieur Simon i Delfi. Han har beställt den från Aten. Och det brådskar." Jag iakttog honom förväntansfullt. "Känner ni honom?"

"Nej", sade han och skakade på huvudet. Men han sade det lite för hastigt och samtidigt vek hans blick undan. Mannen bredvid honom tittade skarpt på mig och frågade sedan hastigt något på grekiska. Jag tyckte mig uppfatta ordet "Simon". Min vän nickade kort, kastade en snabb sidoblick på mig och sade något med låg röst. Männen närmast honom stirrade och muttrade, och jag tyckte mig märka att den tidigare naiva munterheten hade ersatts av en underlig nyfikenhet, lömsk och kanske till och med rovgirig.

Men det var bara ett ytterst flyktigt intryck. Innan jag hade hunnit bestämma mig för om jag skulle upprepa min förfrågan eller inte upptäckte jag att ingen av männen tittade på mig längre. De muttrade åter så där hastigt och lätt hemlighetsfullt; det sista av de gemytliga flinen hade försvunnit, och de män som hade trängt sig allra närmast intill bilen drog sig undan, diskret men ändå snabbt, skockande sig som får inför en annalkande hund. Allesammans tittade åt samma håll.

Alldeles intill mig hörde jag det oroliga rasslet från ett ”nervlugnande radband” och den frodige mannen sade med dämpad röst: ”Han hjälper er.”

”Vem?” sade jag innan jag märkte att han inte längre stod bredvid mig.

Jag vred på huvudet och tittade åt samma håll som alla de andra.

En man kom långsamt nerför trappan i en brant gränd som ledde upp mellan husen till höger om mig.

Han var ungefär trettio år gammal, mörkhårig och solbränd som alla de andra i skaran nära bilen, men kläderna, likaväl som hans utseende och hållning, kom honom att se omisskännligt engelsk ut.

Han var inte lång, några centimeter under en och åttio kanske, men han var bredaxlad och förde sig elegant med en sorts ledig, smidig gång som skvallrade om träning och perfekt fysisk trim. Jag tyckte han såg bra ut, lite magerlagt, solbränt ansikte, svarta ögonbryn, rak näsa och hård mun; men just då hade han ett uttryck som Jane Austen skulle ha kallat frånstötande – i betydelsen att vad det nu än var för tankar som framkallade det där lätt bistra, frånvarande uttrycket så var det tydligt att han inte tänkte låta dem bli störda.

Han tycktes knappt vara medveten om var han var eller vad han gjorde. Ett barn kilade uppför trappan och trängde sig förbi honom, tydligen utan att han lade märke till det. Ett par hönor flaxade förbi rakt under fotterna på honom utan att han stannade. En slingerväxt fällde en skur av scharlakansröda kronblad över hans vita skjortärm men han gjorde inte en rörelse för att peta bort dem.

När han kom till foten av gränden stannade han. Det verkade som om han plötsligt väcktes upp ur sin tankfullhet, vad den nu kunde bero på, och han stod där med händerna i fickorna på de grå flanellbyxorna och betraktade scenen på gatan. Hans blick riktades direkt mot skaran av män. Jag såg att det bistra, frånvarande uttrycket försvann och att det brunbrända ansiktet blev en mask, kallt, otillgängligt, med en underlig återspegling av den vaksamhet som jag hade sett hos byborna. Så såg han rakt på mig, och det var med något av en chock som jag mötte hans blick. Ögonen var inte mörka, som jag hade väntat mig. De var grå, mycket klart ljusgrå och oerhört levande.

Han gick ner från det sista trappsteget och klev fram till bildörren. Skaran av män vek undan från oss. Han tog lika lite notis om dem som om hönorna i trappan och de drösande kronbladen.

Han tittade ner på mig. ”Ni tycks vara i trångmål. Är det något jag kan göra?”

”Jag skulle vara förfärligt tacksam om ni kunde hjälpa mig”, sade jag. ”Jag har försökt backa bilen.”

”På så sätt.” Jag tyckte jag hörde en viss munterhet i rösten, men ansiktet uttryckte fortfarande ingenting. Jag sade dystert: ”Jag har försökte få den *dit bort*.” ”Dit bort” var en plats på andra sidan kurvan, ungefär femtio meter bakåt, och den såg lika avlägsen ut som månen.

”Och den vill inte gå?”

”Nej”, sade jag kort.

”Är det något fel med den?”

”Bara det att jag inte kan köra”, sade jag bittert.

”Å.” Det var munterhet.

Jag sade hastigt: ”Det är inte min bil.”

Nu lutade sig lastbilschauffören ut genom förarhytten och ropade något på grekiska och engelsmannen skrattade. Skrattet förvandlade hans ansikte. Masken av vaksam liknöjdhet upplöstes och han såg plötsligt yngre och riktigt tillgänglig ut, till och med tilldragande. Han ropade någonting tillbaka på det som för mig lät som utmärkt grekiska. I alla händelser förstod lastbilschauffören det, för han nickade och drog sig in i förarhytten och jag hörde motorn börja dåna.

Nykomlingen lade ena handen på dörren.

”Tillåt mig att försöka. Jag kanske kan få i gång den.”

”Det skulle inte förvåna mig”, sade jag bittert och makade mig åt sidan. ”Jag fick veta att det här är ett männens land. Det stämmer. Var så god och försök bara.”

Han steg in i bilen. Jag märkte att jag faktiskt hoppades att han skulle lägga in fel växel, glömma att starta motorn, låta bli att lossa handbromsen – göra åtminstone ett enda av alla de idiotiska fel som jag hade gjort hela dagen, men det gjorde han inte. Till min förtret backade bilen lugnt och stilla, gled ut på den kullerstenslagda sträckan bortom kurvan, stannade några centimeter från en husvägg och väntade artigt där på att lastbilen skulle passera.

Den närmade sig med våldsamt buller och ett moln av svart rök. När den kom jämsides med oss lutade chauffören sig ut, skrek något åt min följeslagare och gav mig en avskedshälsning, flinande och svartögd, som på något sätt, trots att inte ett ord var begripligt, kom mig att förstå att jag visserligen var inkompetent men att jag i alla fall var kvinna och därför förtjusande och det var precis som det skulle vara.

Lastbilen dånade i väg. Jag såg chauffören kasta en blick bakåt och vinka åt männen, som fortfarande stod i en liten skara nära kafédörren. Några av dem besvarade hälsningen men de flesta stod alltjämt och tittade, inte på bilen utan på min följeslagare.

Jag kastade en blick på honom. Jag märkte då att jag hade rätt. Han var också medveten om det. Hans ögon, hopknipna mot solljuset, visade ingenting av den glada livfullhet som jag plötsligt hade sett i dem för en liten stund sedan. Han gav männen en blick, långsam, värderande, fullständigt uttryckslös. Jag tyckte han tvekade. En hand sträcktes ut mot bildörren, som om han tänkte stiga ut, så sjönk den ner på ratten igen och han tittade frågande på mig.

Jag besvarade hans blick innan han sade något. ”Tänk för all del inte på min fåfänga, är ni snäll. Jag skulle bli förtjust om ni ville köra det här avskyvärda åbäket genom byn åt mig. Jag har inte ett uns stolthet kvar och bara jag får den här bilen välbehållen till Delfi kan jag alltid lappa ihop min självaktning så småningom. Tro mig, jag är förfärligt tacksam.”

Han log. ”Ni måste vara trött och det är hemskt varmt. Har ni kört långt?”

”Från Aten.”

Hans ögonbryn åkte upp men han sade ingenting. Bilen rullade genom den smala gatan med ett minimum av buller och krångel. Den lilla skaran av män hade försvunnit, hade sneglande dragit sig in i kaféet när bilen närmade sig. Han kastade inte en blick efter dem.

Jag sade trotsigt: ”Ja, hela vägen. Och inte en skråma.”

”Jag gratulerar … Jaha, och nu har vi husen lyckligt bakom oss och vägen till Delfi ligger öppen. Det var väl Delfi ni sa?”

”Just det.” Jag betraktade honom tankfullt. ”Ni ska väl händelsevis inte själv åt det hållet?”

”Jo, det ska jag faktiskt.”

”Skulle ni …?” Jag tvekade, så tog jag mod till mig. ”Skulle ni kunna tänka er att lifta med mig, så att säga?”

”Med förtjusning. Och om det där ’så att säga’ betyder om jag vill köra – så ska jag med nöje göra det.”

”Å, så underbart.” Jag drog en suck av lättnad och slappnade av. Bilen spann runt det sista hörnet och ökade farten uppför en lång, slingrig sluttning. ”Jag har verkligen haft mycket trevligt, men det är bara det att jag har gått miste om hälften av alla scenerier.”

”Det gör ingenting. Ni har ju en del av dem med er.”

”Vad menar ni?”

Han sade kyligt: ”Fjädrarna på motorhuven. De ser mycket äkta ut, synnerligen effektfulla.”

”Va?” Min hand flög till munnen. *”Fjädrarna?* Menar ni allvar?”

”Ja, absolut. Det finns gott om dem.”

Jag sade skuldmedvetet: ”Det måste vara hönan strax utanför Levádeia. Eller det var nog en ungtupp. Är det vita fjädrar?”

”Ja”

”Nå ja, den hade sig själv att skylla. Jag tutade till och med i hornet och om ni hade hört det ljudet skulle ni förstå att tuppen sökte döden. Men jag dödade honom inte, det gjorde jag faktiskt inte. Jag såg honom komma ut på andra sidan och rusa i väg. Det *är* bara fjädrar, det kan jag försäkra."

Han skrattade. Det verkade på något odefinierbart sätt som om han också hade slappnat av. Det var som om han hade lämnat kvar sin tankfullhet i Arákhōva och tillsammans med den det där starka intrycket av oåtkomlighet som han hade givit. Han kunde mycket väl ha varit en trevlig, semestrande främling som man hade mött apropå.

"Ingen höna kommer att kasta en blick på den killen förrän det har växt ut en ny stjärt på honom", sade han muntert. "Och ni behöver inte ursäkta er för mig; det var inte min ungtupp."

"Nej", sade jag. "Men jag har en känsla av att det här är er – Jag hejdade mig.

"Det här är vad då?"

"Å, det var ingenting. Milda makter, vilken utsikt!"

Vi körde längs en vit väg som gick högt uppe tätt utmed Parnassos' sluttning. Nedanför oss till vänster stupade den branta sluttningen ner mot floden Pleistos, som slingrar sig neråt mellan Parnassos' breda sidor och Kirpisbergens rundade kammar, ner mot Krissas slättland och havet. Längs hela Pleistos – som vid denna årstid var en torr, ormliknande vit grusbädd som glittrade i solen – utmed hela dess lopp strömmade olivträden och fyllde dalbottnen liksom med virvlande, porlande vatten, grönt och silvervitt; de var själva som en flod, ett grönt och silverskimrande flöde av fjäderlika grenar, luftiga som vågskum, över vilka de ständiga brisarna gled, inte på samma sätt som över sädesfält, i bortflyende skuggor, utan i vitnande pustar, små flämtningar som lyfte upp och svängde runt olivträdens toppar precis som brytande skum. Långa ljusa krusningar följde efter varandra nerför dalen. Där Parnassos vid nedre ändan av dalen plötsligt sköt ut en strävpelare av kala klippor i floden tycktes havet av grå träd bryta runt dem, flyta vidare och välla ut för att fylla upp den flacka slätten längre bort, alltjämt porlande, alltjämt i rörelse med dagrarna och skuggorna av rinnande vatten, tills flödet i väster stillades mot de avlägsna höjdernas sluttningar och i söder mot havets plötsliga, skarpa, bländande skimmer.

Efter en stund sade jag: ”Bor ni i Delfi?”

”Ja. Jag har varit där några dagar. Tänker ni stanna där länge?”

Jag skrattade. ”Tills pengarna tar slut, och jag är rädd för att det inte kommer att dröja så länge. Jag hoppas bara att jag kan få ett rum någonstans. Jag kom i väg i en hast och hann inte beställa hotellrum. Någon talade om för mig att Apollon ska vara bra.”

”Det är mycket trevligt. Det är visserligen ganska fullbelagt i Delfi just nu, men ni kan säkert få ett rum någonstans. Vi kan kanske övertala Apollon att kasta ut någon åt er.” Paus. ”Är det inte så gott att vi presenterar oss för varandra? Jag heter Lester.”

”Camilla Haven”, sade jag långsamt medan jag iakttog honom, ”men i dag går jag liksom under antaget namn. Man skulle kunna säga att jag är … ’Simons flicka.’”

De mörka ögonbrynen åkte upp. En av de där snabba, lätta, elektriserande blickarna, sedan tittade han på vägen igen. Han sade i lugn ton: ”Så angenämt. Men varför? Därför att jag räddade er i Arákhōva?”

Jag kände att blodet rusade upp i kinderna på mig. Den saken hade jag inte tänkt på. Jag sade hastigt: ”Nej. Jag menar bara att jag har vikarierat för henne - den andra flickan - ända från Aten. Med bilen.”

”Bilen?” sade han oförstående.

”Ja.” Jag svalde och sneglade på honom. Det här skulle komma att låta ännu fånigare än jag hade tänkt mig. ”Det här är – å, herregud, jag har börjat i fel ända men ... Tja, det här är er bil. Den från Aten.”

Den här gången kunde jag bara se häpenhet i hans blick, möjligen också en anstrykning av tvivel om mitt sinnestillstånd.

”Tyvärr är jag nog inte riktigt med på noterna. Min bil? Från Aten? Och vad då för ’andra flicka’? Förlåt men – vad är det egentligen ni talar om?”

”Förlåt mig. Jag skulle inte ha kastat fram det så där plötsligt. Det är bäst att jag börjar från början. Jag – jag har gjort något ganska dumt och jag hoppas att ni inte ska bli alltför arg på mig, mr Lester. Om ni bara vill höra på ska jag genast precis förklara hur det hela gick till, men det väsentliga är att det är den här bilen som ni väntar på. Flickan som ni skickade för att ta hand om den dök aldrig upp, och så fick jag nyckeln av misstag och – tja, så körde jag hit den åt er. Jag – jag hoppas att allt är i sin ordning. Det var ju en fantastisk tur att jag hittade er –”

”Ett ögonblick bara. Förlåt att jag avbryter men – ja, jag har fortfarande inte den blekaste aning om vad ni talar om. Ni säger att någon har hyrt den här bilen i Aten och att ni fick nyckeln och körde bilen hit?”

”Ja.” Den här gången var det jag som lät dum och oförstående. ”Var det – var det inte ni?”

”Absolut inte. Jag vet ingenting om en bil från Aten eller någon annanstans.”

”Men där borta i Arákhōva –” Jag tvekade och kände mig dåraktigare och mer förvirrad än någonsin.

”Ja?” Bilen saktade farten, sjönk ner mot en liten bro över en smal klyfta, accelererade sedan uppför den slingriga sluttningen längre bort. Hans ton var nonchalant, men jag fick på något sätt ett visst intryck av djupt intresse. ”Vad var det egentligen som kom er att tro att jag borde känna till det här?”

Jag sade hastigt: ”Tar jag fel? Jag trodde ... Säg, ni *heter* väl Simon, inte sant?”

”Det är mitt namn. Talade de om det för er i Arákhōva? De där männen?”

”Nej. Tja, det vill säga, på sätt och vis. Men det kan göra detsamma nu. Ni sa ju att ni bodde i Delfi?”

”Ja.”

Jag sade tonlöst, fånigt: ”Då *måste* det vara ni! Det måste det vara!”

”Jag kan försäkra er att det inte är det.” Den hastiga, värderande blick som han gav mig måste ha visat honom förlägenheten i mitt ansikte, för han log och sade vänligt: ”Men tyvärr förstår jag nog fortfarande inte var mystiken kommer in. Garaget gav er väl också namnet och adressen på den som hade hyrt bilen? Har ni tappat bort lappen eller glömt att skriva upp det eller något liknande?”

Jag sade i mycket ynklig ton: ”Det är just det som är kruxet. Jag fick aldrig reda på det.”

Han såg häpen ut och sedan road, tyckte jag. ”Jag förstår. Ni fick aldrig reda på det. Utom det att han hette Simon. Är det så?”

”Ja. Jag sa ju att jag hade gjort någonting dumt. Det verkade vara fullt i sin ordning just då och nyss i Arákhōva tyckte jag att det hade slutat så lyckligt, som i en saga, men nu ...” Min röst dog bort. Jag tittade bort från honom ut över dalens blå djup och gav ord åt mina tankar med naiv och synnerligen förhastad intensitet: ”Å, det skulle ha varit så *underbart* om det hade varit ni!”

Orden hade knappt slunkit ur mig förrän jag blev medveten

om hur de lät. För andra gången på några minuter kände jag hettan driva upp en stark rodnad på mina kinder. Jag öppnade munnen för att säga något, vad som helst, men innan jag hann tala sade han glatt: ”Jag önskar också att det hade varit jag. Men oroa er inte så mycket för det. Det är nog inte så farligt som ni tror, och om ni vill kan jag kanske hjälpa er. Skulle ni bara vilja berätta precis vad som hände?”

Det gjorde jag. Jag gav en enkel redogörelse för alla fakta, från det ögonblick då den lille mannen kom fram till mig med nyckeln och till den ödesdigra sekund av hastigt fattat beslut som hade fört mig – så lätt och elegant, hade jag trott – rakt fram till Simon Lesters fötter i Arákhōva. Bara fakta; inte ett ord om den bedrövliga härvan av motiv, ängslan, självrannsakan och osäker karskhet … Men när jag slutade redogörelsen hade jag på något sätt en känsla av att jag hade berättat mycket mer för honom än jag hade tänkt mig. Underligt nog struntade jag i det. Jag hade lättat mitt hjärta. Han hade sagt att han skulle hjälpa mig. Nu vilade det här på honom. Det var en välbekant känsla och ändå inte riktigt välbekant …

Jag lutade mig bakåt, avslappnad och väl till mods för första gången sedan klockan elva på förmiddagen. Vinden nedanför oss sprang med vita fötter över de böljande olivträden, och bredvid oss, längs den högtgående, varma vägen, piskade solen dammlukten ur den röda jorden och klipporna glödde och skickade tillbaka hettan som vindstötar.

Han hade inte gjort några kommentarer till min dumma historia medan jag berättade den. Nu sade han bara: ”Jag förstår. Så det enda som har hänt är bara att ni har kört upp en okänd bil åt en okänd karl som vill ha den i något okänt syfte och att ni inte vet var ni ska hitta honom.”

”Det var inte precis något vänligt sätt att uttrycka det men – tja, så är det. Jag erkänner ju att det var dumt av mig.”

”Det var det kanske. Men jag skulle ha gjort samma sak i ert ställe.”

”Skulle ni?”

Han skrattade. ”Naturligtvis. Vilken rättänkande människa skulle kunna motstå en sån utmaning?”

”Uppriktigt?”

”Uppriktigt.”

Jag gav ifrån mig en lång suck av lättnad. ”Ni anar inte vilken börda ni har befriat mig från! Men ni skulle åtminstone ha klarat det här äventyret utan vidare! Det räcker nog inte bara med att vara djärv; man måste vara duglig också. *Ni* skulle aldrig ha råkat i knipa i Arákhōva – och om ni hade gjort det skulle ni i alla fall ha kunnat backa bilen!”

”Å, ja visst”, sade han, ”Arákhōva.” Gardinen var åter nerdragen. Han tillade halvt viskande: ”Simon i Delfi …”

Jag sade hastigt: ”Det verkar underligt, inte sant? Att det skulle finnas två stycken? Den där mannen från Krissa kände som sagt ingen med det namnet här i trakten. Delfi är ju litet, inte sant?”

”Ja, det vill jag lova.”

”Då borde han ju ha känt till honom, eller hur? Det var därför jag var säker på att det var ni.”

Han svarade inte. Nu kom det där uttrycket fram igen, kyligt, avvisande; den oöverkomliga muren med piggar på krönet. Jag gav honom en tveksam blick som han inte märkte och sade trevande: ”Kan det ha varit något misstag? Jag menar – tänk om det *är* ni i alla fall, om någon har missuppfattat ett meddelande och det hela bara är en förväxling? Känner ni kanske någon i Aten som skulle ha …”

”Nej.” Stavelsen var korthuggen på gränsen till bryskhet. ”Det är alldeles otänkbart. Jag har inte haft någon förbindelse med Aten under den senaste veckan, så det är svårt att förstå hur något meddelande kan ha kommit på avvägar. Och ni sa att det var en flicka som hade beställt bilen. Jag har ingen aning om vem det kan vara. Nej, tyvärr har det här ingenting med mig att göra.” En paus, sedan tillade han i en annan ton, som om han kände att han hade varit för brysk: ”Men oroa er inte längre för det. Vi ska snart få det här utrett och sen kan ni slå er till ro och njuta av Delfi. Jag tror nog att ni kommer att finna det värt besväret.”

”Det vill allt till att det är riktigt sevärt.”

”Det är det.” Han nickade nästan nonchalant åt det håll vi färdades.”Man kan inte se byn härifrån, men ruinerna ligger på den här sidan av sluttningen, under de där höga klipporna där berget går i en kurva. Titta – det där är Apollontemplet, nedanför klipporna som kallas Faidriaderna, De lysande. Ser ni?”

Jag såg. Framför oss sköt berget den där strävpelaren rakt ner i dalen, och floden av olivträd skummade omkring den som vattnet skummar kring stäven på en båt, för att sedan längre bort breda ut sig till en stor sjö som fyllde upp slätten. Högt uppe, i vinkeln där klippväggen övergick i berget, såg jag det, Apollontemplet, sex kolonner av aprikosfärgad sten, glänsande mot de mörka, klättrande träden bakom. Ovanför dem svävade de soldränkta bergväggarna; nedanför låg ett virrvarr, ännu inte urskiljbart, av det som måste vara monument och skattehus och altare. Från den plats där vi var föreföll pelarna knappt verkliga; inte sten som hade varit i beröring med hand eller mejsel utan något överjordiskt, legendens av musik byggda kolonner; en olympisk byggnad – varm efter gudens hand – svävande mellan himmel och jord. Ovanför Hellas' obeskrivliga himmel; nedanför olivträdens silverflöde, evigt böljande ner mot havet. Inget hus, ingen människa, inget djur. Så som det var i begynnelsen.

Så märkte jag att Simon Lester hade stannat bilen. Vi måste ha stått där i flera minuter vid vägkanten i skuggan av en pinje. Ingen av oss sade någonting.

Men jag lade märke till att det inte var Apollons glänsande kolonner som fångade hans uppmärksamhet. Han stirrade på någonting som var närmare, någonting ovanför vägen ett stycke uppe på Parnassos. Jag följde hans blick men kunde inte se någonting; bara den nakna klippgrunden som ringlade sig och flöt uppåt med hettans genomskinliga skimmer.

Efter en stund sade jag bara: ”Och byn ligger precis på andra sidan klippväggen?”

”Ja. Vägen går mellan de där träden nedanför ruinerna och sen runt det där utsprånget och in i Delfi. Bortom byn stupar den ganska brant ner mot slätten. Krissa – där er vän på kaféet är ifrån – ligger ungefär halvvägs ner. Längst ner delar sig vägen till Amphissa och Itéa.”

”Itéa? Det är fiskehamnen, inte sant? Där pilgrimerna brukade gå i land förr i tiden när de skulle till templet?”

”Ja. Man kan precis se husen där borta vid randen av havet.” Sedan bytte han plötsligt samtalsämne, men så stillsamt att jag förstod att han följde sina egna tankar och att dessa inte hade sysslat med utsikten eller vägen till Itéa. ”Jag är fortfarande ganska nyfiken att få veta hur ni fick reda på mitt namn. Jag förmodar att det var av de där männen i Arákhõva. Sas det någonting?”

”Inte direkt. Jag hade försökt förklara för dem varför jag inte hade vågat försöka att backa bilen där – jag hade ju inte backat den tidigare och den *är* så lång. Jag sa till dem att det inte var min bil utan att den skulle till någon som hette Simon och bodde i

Delfi. Jag tyckte de såg ut som om det betydde något särskilt … Sen sa en av dem något till de andra och de vände sig om allihop och stirrade på er. Det var liksom bara deras sätt att titta. Jag vet inte om ni lade märke till det?”

”Det gjorde jag.”

”Tja, det var det enda. När ni kom tyckte de antagligen att ni var den rätta att ta hand om bilen. När ni sen talade om för mig att ni var från Delfi gissade jag att ni var Simon – min Simon. De” – jag tvekade –”de tycktes förutsätta att ni var den rätta också.”

Det var en knappt märkbar paus innan hans hand sträcktes ut mot startnyckeln. ”Nå ja”, sade han lugnt, ”ju förr vi kommer till Delfi och hittar karln dess bättre. Inte sant?”

”Absolut.” Jag skrattade. ”Efter allt det här kommer vi antagligen att få se honom stå och hoppa av otålighet vid vägen; det vill säga om den där lille mannen hade rätt och det verkligen gäller –” Jag hejdade mig. Jag hade nästan glömt bort orden ända tills jag nu upprepade dem halvt automatiskt.

”Gäller vad då?”

Jag sade långsamt medan jag tittade på honom: ”Liv och död …”

Vi körde igen, snabbt nu. Nedanför oss flöt och svallade havet av olivträd som rök. Ovanför gassade den skoningslösa solen på berget med en intensitet som av ljudande malm.

Han sade: ”Var det det enda han sa?”

”Ja. Men han upprepade det.”

”Att det gäller liv och död?”

”Just det. Men vi talade förstås franska. Frasen var *’il y va de la vie’*.”

”Och ni fick det intrycket att han menade allvar?”

Jag sade långsamt: ”Ja. Det tror jag. Jag vet inte om jag uppfattade det så tydligt just då, men jag tror faktiskt att det var därför som jag gjorde den här dumheten med bilen.”

”Ni tog bilen och riskerna med den på grund av någon undermedveten känsla av att det var en mycket viktig sak?”

Jag sade: ”Det där låter exaktare än det egentligen var och det fanns också en del andra skäl men … Ja, så var det nog.”

Bilen dånade uppför en lång backe och susade runt och nerför en ringlande höjd. Jag lutade mig bakåt mot det varma lädret, knäppte händerna i knäet och sade utan att titta på honom: ”Om den lille mannen hade rätt är det ju lika bra att ni inte är den där Simon, eller hur?”

Han svarade alldeles uttryckslöst: ”Det är lika bra, ja. Och nu är vi framme. Vad kommer först? Simon eller hotellet?”

”Båda. Hotellpersonalen känner säkert till honom lika bra som någon annan och förmodligen talar de engelska åtminstone. Jag kommer inte så långt ensam med mina sex grekiska ord.”

”Å andra sidan”, sade Simon allvarligt, ”kan ni kanske komma åtskilligt längre med dem än ni egentligen hade tänkt er.”

IV

Och du kom till Krissa under det snöklädda Parnassos, till dess fot som vetter mot väster, och klippor skjuter ut över platsen och en bålig, stenig, trädbeväxt dal breder ut sig nedanför.

HOMERISK Hymn till apollon

Till min lättnad hade hotellet ett rum ledigt.

"Men tyvärr bara för den här natten", sade ägaren, som talade utmärkt engelska. "Jag beklagar djupt, men jag kan inte lova någonting för i morgon. Jag har fått en förhandsbeställning. Det är möjligt att ni kan få bo kvar. Men om inte så finns det Kastalia längre neråt gatan eller Turistpaviljongen i andra ändan av Delfi. Det har en strålande utsikt men", han log charmfullt, "det är mycket dyrt."

"Det kan inte vara vackrare utsikt där än här", sade jag.

Det var sant. Byn består bara av två eller tre rader hus med platta tak, ockrafärgade och skära och bländvita, och de ligger utspridda längs den branta bergssluttningen. Vid infarten till byn delar sig vägen i ett Y, som utgör de två huvudgatorna, och mitt i korsningen ligger Apollon Hotel, med utsikt över dalen mot Korintiska vikens avlägsna glitter.

Utanför hotellet, alldeles vid vägkanten som användes som en terrass, bildade två stora plataner en ö av skugga ovanför några bord och stolar. Simon Lester hade parkerat bilen strax bortom dessa och väntade där. När jag hade avslutat hotellformaliteterna gick jag ut och talade med honom.

”Saken är klar. De kan ta emot mig för en natt och det är det enda jag bryr mig om just nu.” Jag sträckte fram handen. ”Jag måste tacka er så hemskt mycket, mr Lester. Jag vet inte vad jag skulle ha gjort utan er hjälp. Jag har en känsla av att jag kanske skulle ha legat på botten av dalen med Zeus' örnar hackande på mig.”

”Det var enbart ett nöje.” Han tittade forskande ner på mig. ”Och vad tänker ni nu göra? Vila och dricka lite te först eller oroar ni er för mycket för den där?” Han gjorde en gest bort mot bilen.

Jag sade osäkert: ”Det gör jag faktiskt. Jag tror det är bäst att jag sätter i gång med detsamma och gör vad jag kan.”

”Ni får ursäkta att jag säger det”, fortsatte han, ”men jag tycker det ser ut som om ni skulle behöva vila er först. Kan ni inte överlåta det här åt mig, åtminstone så länge? Varför kan ni inte gå och lägga er och få upp te på rummet - de lagar för resten utsökt te här - medan jag forskar lite åt er?”

”Nej men - ni får inte - jag menar det är vansinnigt att ni ska belastas med mina bekymmer”, sade jag lite förvirrad och samtidigt medveten om en stark önskan att han i själva verket skulle belastas med dem allihop. Jag tillade lamt: ”Det kan jag inte gå med på.”

”Varför inte? Det skulle vara grymt om ni körde i väg mig nu och sa åt mig att sköta mig själv.”

”Det var inte så jag menade. Det förstår ni ju. Det är bara det –”

”Att det är er angelägenhet och ni vill klara upp den? Naturligtvis. Men jag måste erkänna att jag själv brinner av nyfikenhet nu och när allt kommer omkring är det delvis min angelägenhet också eftersom mitt alter ego har lyckats dra in mig i det här. Jag skulle verkligen bli mycket tacksam om ni ville låta mig hjälpa till. Och ärligt talat”, tillade han, ”skulle ni dessutom inte mycket hellre vilja gå och vila er och få lite te nu, medan jag sköter efterforskningarna åt er på min flytande men utan tvivel egendomliga grekiska?”

”Jag –” Jag tvekade och sade sedan sanningsenligt: ”Det skulle vara underbart.”

”Då är det avgjort.” Han kastade en blick på sin handled. ”Klockan är ungefär tjugo över fyra nu. Ska vi säga om en timme? Jag avlägger rapport halv sex. Passar det?”

”Utmärkt.” Jag tittade lite hjälplöst på honom. ”Men om ni hittar honom och han är arg –”

”Ja?”

”Jag vill inte att ni ska bli ansvarig för det som har hänt. Det skulle inte vara rättvist. Jag vill absolut stå mitt eget kast.”

”Ni skulle bara veta”, sade han mystiskt, ”hur ansvarig jag känner mig redan. All right. Då ses vi sen.”

Med en hastig gest försvann han nerför trappan till den nedre vägen.

Mitt rum vette ut mot dalen och hade ett långt fönster med en balkong utanför. Luckorna var stängda för solens skull, men ändå verkade rummet fyllt av ljus, genomsyrat av ljus, vitglödgat av det.

När dörren stängdes bakom flickan som hade visat mig uppför trappan gick jag fram till fönstret och öppnade luckorna. Värmen slog emot mig som en vindstöt. Solen var på väg mot väster nu, stod rakt över dalen nedanför mitt fönster, och dalen och slätten var tunga av sövande hetta. Floden av olivträd hade stillnat och även den synvilla av svalka som hade skapats av de gröna bladens krusningar var borta. Den långt avlägsna strimman av blänkande vatten, som syntes vid utkanten av slätten, stack i ögonen som strålen från ett brännglas.

Jag blundade och stängde luckorna igen. Sedan drog jag av mig klänningen och tog en kall avrivning. Jag satte mig på sängkanten och borstade håret några minuter tills jag hörde flickan komma tillbaka med teet. Jag drack mitt te – Simon Lester hade haft rätt i att det var utsökt – tillbakalutad mot kuddarna och med fotterna i sängen. Jag tror inte att jag längre tänkte på Simon – inte på någon av dem – eller på bilen eller på någonting annat än det lilla vita rummets skugga och frid.

Efter en stund flyttade jag brickan från knäna över på bordet bredvid sängen. Innan jag visste ordet av hade jag somnat ...

Jag vaknade med en känsla av uppfriskande svalka vid det överraskande ljudet av regn. Men ljuset föll fortfarande mot fönsterluckorna och när jag öppnade dem på glänt såg jag att solen fortfarande strålade, lägre och längre bort nu men alltjämt med full kraft. Halva fönstret låg i skugga nu där platanerna stack ut ett par grenar mellan det och den sjunkande solen. Jag märkte att det helt enkelt var ljudet av deras blad som lät som regn när de smattrade och rasslade i vinden som hade kommit med svalka på kvällen.

Jag kastade en blick ner på terrassen nedanför balkongen. Där satt han och rökte under en av platanerna. Han hade dragit fram stolen till terrassens räcke och stödde ena armen utmed det. Han satt där avslappnad utan att titta på något, fullkomligt lugn och obesvärad. Bilen stod kvar där han hade parkerat den. Om - vilket syntes vara fallet - han inte hade spårat upp en annan Simon att lämna den till tycktes den saken i alla fall inte oroa honom nämnvärt.

Medan jag tankfullt stod och tittade ner på honom slog det mig att det antagligen skulle mycket till för att oroa Simon Lester. Det där lugna sättet, hans oberörda och godmodiga attityd av att stå på god fot med livet - med allt det följde något som är särskilt svårt att beskriva. Att säga att han visste vad han ville ha och tog det skulle vara att ge ett felaktigt intryck; det var snarare så att han fattade de beslut som han måste fatta och sedan lämnade dem därhän - och det med en oberördhet som vittnade om ett nästan skrämmande självförtroende.

Jag vet inte hur mycket av detta som jag såg hos honom den där första dagen; kanske var det bara så att jag genast märkte närvaron av egenskaper som jag själv saknade på ett så iögonfallande sätt; men jag minns det omedelbara och levande intryck jag fick av en självsäkerhet som var orubbligare och fullständigare än någonting av det som kom till uttryck under Philips skroderande grandseigneurtid, och samtidigt var den av en helt annan beskaffenhet. Jag märkte inte ännu vari skillnaden bestod. Jag vet bara att jag kände mig oklart tacksam mot Simon för att han inte hade fått mig att känna mig alltför löjlig, och mindre oklart tacksam för att han så lugnt hade åtagit sig att hjälpa mig med denne "andre Simon" ...

Medan jag stängde fönsterluckorna igen undrade jag om han ens hade brytt sig om att för syns skull leta efter honom.

Jag lutade närmast åt att han inte hade gjort det.

I det fallet tycktes jag ha gjort honom mindre än rättvisa.

När jag hade kommit ner fann jag honom stå med händerna djupt nerstuckna i byxfickorna och allvarligt betrakta bilen i sällskap med en grek som på sin ljusblå skjorta bar en guides insignier.

Simon tittade upp och log mot mig. "Utvilad?"

"Ja tack, härligt. Och teet *var* gott."

"Det var roligt att höra. Då är ni kanske nog stark att kunna bära slaget?" Han nickade mot bilen.

"Jag tänkte väl det. Ni har inte hittat honom?"

"Inte en skymt. Jag har varit på de andra hotellen men det finns ingen gäst med det namnet. Sen gick jag till museet för att tala med George här. Han säger att han inte heller känner till någon i Delfi som heter Simon."

Greken sade: "Det är bara ni, *Kyrie* Lester."

"Bara jag", instämde Simon.

Jag sade i lätt hjälplös ton: "Vad ska vi göra?"

"*Kyrie* Lester", sade greken och tittade lite nyfiket på honom, "kan det eventuellt inte vara så att det inte finns någon annan Simon? Och att det inte är något misstag? Att någon – hur ska man säga? – använder ert namn?"

"Missbrukar mitt namn?" sade Simon skrattande, men jag visste att det redan hade föresvävat honom. Det hade föresvävat mig också. "Det verkar inte troligt. För det första: vem skulle göra det? Och för det andra: om någon hade gjort det och det var en angelägen sak skulle väl personen i fråga ha dykt upp vid det här laget för att hämta eländet?"

"Det är nog sant."

"Det kan ni slå er i backen på att det är. Men jag ska gå till botten med den här lilla underliga historien - och inte bara för miss Havens skull. Hon är bekymrad för det här. Hör nu, är ni alldeles säker på det? Ingen Simon alls, hur osannolik han än kan verka? En farfar med träben eller en sjuårig mulåsnepojke eller en av männen som arbetar där uppe med utgrävningarna?"

"De där arbetarna vet jag förstås ingenting om, men ni har säkert rätt i att om det hade varit någon av dem skulle han ha kommit för att titta efter den. I Delfi finns det i alla fall ingen. Ingen alls."

"Men platserna häromkring då? Ni är infödd här, inte sant? Ni bör känna en hel del människor här i trakten. Krissa till exempel. Det kan vara Krissa - det ligger bara några kilometer härifrån. Kan det inte vara det?"

George skakade på huvudet. "Nej. Det är jag säker på. Det skulle jag ha kommit ihåg. Och i Arákhōva ..."

Simon strök med ett finger längs stänkskärmen på bilen och betraktade sedan fingertoppen ett ögonblick. "Ja?"

George sade beklagande: "Nej, jag minns ingen i Arákhōva heller."

Simon tog upp en näsduk och torkade av fingertoppen. "Det kan jag i alla fall undersöka. Jag ska tillbaka dit i kväll."

Greken gav honom en snabb, vaken blick som jag tyckte uttryckte en viss nyfikenhet. Men han sade bara: "Å. Tja, jag beklagar, men det är det enda jag kan tala om utom - fast det kan ju inte vara han; det har ni ingen glädje av."

"Säg det i alla fall, är ni snäll. Har ni kommit att tänka på någon?"

George sade långsamt: "Det finns en Simonides i Itéa. Jag tror inte det är han men det är den enda jag känner till. Men ni kanske vill fråga någon annan, *kyrie?* Jag känner inte alla, jag. Elias Sarantopoulou, min kusin, är också vid Turisttjänsten. Han är på expeditionen nu eller också är han på kaféet ... Om ni vill följa med mig ska jag visa er var det är; det är mittemot posten."

"Jag vet det", sade Simon. "Tack, men jag tvivlar faktiskt på att er kusin vet mer än ni. Det här är verkligen ett litet irriterande problem, inte sant? Det kommer antagligen att lösa sig självt ganska snart, men under tiden måste vi nog göra något. Vi försöker med er Simonides i Itéa. Vem är Simonides, vad är han?"

George tog naturligtvis frågan bokstavligen. "Han har ett litet bageri nära biografen mittpå huvudgatan som vetter mot havet. Giannakis Simonides." Han kastade en blick på sin klocka. "Bussen går om tio minuter. Bageriet ligger inte långt från busshållplatsen."

Simon sade: "Vi har en bil." Så log han när han såg min blick. Mitt svarsleende var mycket sprött. Bilen stod där som ett hån. Jag hatade åsynen av den.

Simon nickade åt George, sade något på grekiska och öppnade sedan bildörren för mig.

Jag sade villrådig: "Kan vi göra det?"

"Varför inte? Det här är ett fullt legitimt försök att leverera bilen. Kom bara, ju förr vi hinner ner till Itéa dess bättre. Det blir mörkt om en timme. Är ni trött?"

"Inte nu. Men – ni kör väl, mr Lester, inte sant?"

"Det kan ni lita på. Ni har inte sett vägen till Itéa ännu. Men säg, kan vi inte vara mindre formella? Säg Simon i stället. Det är mer välljudande än 'mr Lester' och dessutom" – hans leende när han gled ner i framsätet bredvid mig var maliciöst –"kommer det att ge dig en illusion av tillfredsställelse."

Jag svarade bara med en blick, men när vi körde i väg sade

jag plötsligt och nästan till min egen förvåning: ”Jag börjar känna mig förfärad.”

Den blick han gav mig uttryckte förvåning men konstigt nog inte munterhet. ”Det är ett starkt ord.”

”Antagligen. Men kanske inte när det kommer från mig. Jag är världens största kruka. Jag önskar att jag hade varit klok nog att låta bli det här. Då skulle den här avskyvärda saken fortfarande ha stått där på Omoniatorget och –”

”Och du skulle fortfarande ha önskat intensivt att du var i Delfi?”

”Det är just det”, erkände jag. ”Men du förstår, inte sant?”

”Visst förstår jag.”

Bilen hade försiktigt krupit genom Delfis smala övre gata, passerat backkrönet mittemot prästgården och sedan dykt ner mot den nedre gatan som ledde ut ur byn.

Jag sade plötsligt: ”Tror du ett ögonblick att den här Simonides är den vi är ute efter?”

”Det verkar inte särskilt sannolikt.” Kanske kände han att det lät lite bryskt, för han tillade: ”Men det är lika så gott att vi prövar den möjligheten också.”

”Bara någonting för att jag ska känna att det skrider framåt?” Inget svar på det. Jag sade: ”Det skulle faktiskt vara att sätta för stor lit till slumpen att anta att det finns två stycken med namnet Simon i Delfi.”

”Det är inte något vanligt namn”, sade han tonlöst.

Jag väntade men han sade ingenting mer. Vi hade lämnat byn bakom oss och följde en svagt sluttande sträcka mellan vallar av röd jord och stenar där vägen nyligen hade breddats. Dikena och jordvallarna var som öppna sår i den soldränkta marken. Den nu nedgående solens flödande strålar översköljde den med ett starkt bärnstensfärgat ljus, mot vilket de torra tistlar som växte överallt avteckande sig spröda och skarpa som invecklat filigransarbete av koppartråd. Ovanför vägen höjde sig det nya hotellet, Turistpaviljongen, lika naket och nytt och sårliknande som de upprivna dikena bredvid oss. De bågiga fönstren blänkte när vi passerade nedanför och vek in i den första hårnålskurvan på sluttningen ner mot slätten av olivträd.

Jag sade liksom i förbigående: ”Är du bara på semester här i Delfi?”

Jag hade menat det som ett *non sequitur*, lite fyllnadsgods i konversationen, den normala, tillfälliga frågan som man skulle ställa till vem som helst som man träffade på en sådan plats; men i samma ögonblick som jag sade det hörde jag hur det syftade bakåt på mitt sista yttrande. Jag började säga något annat men han höll redan på att svara utan någon antydan till att han uppfattade min fråga annat än som rent oskyldig.

”På sätt och vis. Jag är lärare. Jag har ett hus i Wintringham. Klassiska språk är mina ämnen.”

Vad jag än hade väntat mig, så inte var det det; denna hallstämpel på aktningsvärdhet. Jag sade matt: ”Då är du förstås intresserad av de klassiska platserna. Som jag.”

”Säg inte att vi är kolleger? Är du också en stackars skolfux?”

”Ja tyvärr.”

”Klassiska språk?”

”Ja. Men i en flickskola betyder det bara latin. Till min sorg och skam.”

”Så du kan inte forngrekiska?”

”Lite bara. Mycket lite. Tillräckligt för att ibland uppfatta ett ord och kunna följa med vad som sägs. Tillräckligt för att kunna alfabetet och våga gissa vad det står på en del anslag. Och jag fick faktiskt också en underlig känsla i magen när jag gick och såg 'Antigone' på Herodes Atticus' odeum i Aten och hörde kören åkalla Zeus mot den svarta himlen som hade hört samma åkallan i tretusen år." Jag skämdes lite över det jag hade avslöjat för honom och tillade: "En sån otäck väg."

Bilen svängde åter in i en hårnålskurva och dök vidare nerför det stora utsprång från Parnassos som skjuter ut på Krissaslätten. Nedanför oss låg en by och nedanför den vidtog åter floden av olivträd som flöt drygt kilometerbred nu ner mot havet.

Simon sade glatt: "Alla bussarna har en ikon fastsatt framför chauffören och den har en liten röd lampa framtill som drivs av batteriet. På den här vägen svänger ikonen vilt fram och tillbaka i kurvorna och alla korsar sig."

Jag skrattade. "Chauffören också?"

"Det är sant. Ja, chauffören också. Jag har en känsla av att han blundar också ibland." Han svängde den stora bilen runt en ännu skarpare kurva, hade bara några centimeter mellan sig och en lastbil på uppåtgående och tillade: "Du kan öppna ögonen nu. Det här är Krissa."

Jag kände att jag blev röd om kinderna. "Förlåt. Jag måtte ha blivit nervös."

"Du är trött fortfarande, det är det enda. Vi tar någonting att dricka i Itéa innan vi letar upp den här Simonides."

"O nej", protesterade jag nästan för hastigt.

Han mönstrade mig ett ögonblick. "Du är verkligen rädd, va?"

"Jag – ja, det är jag."

"Du ska inte oroa dig, det ska du absolut inte göra. Den här saken kan inte vara så betydelsefull, för då skulle den ha klarats upp för länge sen."

"Jag vet. Jag vet att det är nonsens. Det är löjligt och alldagligt och betyder inte ett skvatt, men jag sa ju att jag är världens största kruka. Det är sant. Jag har i åratal försökt övertyga mig själv om att jag skulle vara lika duglig och självsäker som vem som helst när det verkligen gällde, men nu vet jag … Ja, jag står inte ens ut med *scener*, så jag kan inte fatta hur jag någonsin kunde tro att jag skulle klara ett sånt här eldprov." Jag tystnade. Det slog mig med en liten underlig chock att jag aldrig skulle ha sagt något liknande till Philip, aldrig någonsin.

Simon sade lugnt: "Strunt i det. Jag är ju här, inte sant? Vad vi än råkar ut för ska jag nog prata dig fri från det, så luta dig bakåt bara och koppla av."

"Om", sade jag, "vi hittar Simon."

"Om", sade han, "vi gör det."

När vi kom till Itéa tyckte jag det var skönt att få överlåta allting åt honom.

Itéa är den hamnstad där pilgrimerna i forna tider steg i land på sin färd till Apollons tempel i Delfi. Templet var i många århundraden ett religiöst centrum för hela den antika världen, och för oss i dag, som är vana vid modern transport, är det häpnadsväckande att tänka på vilka sträckor man tillryggalade till fots och till häst eller med små fartyg för att dyrka ljusets och fredens och läkekonstens gud eller för att rådfråga det berömda oraklet. Den bekvämaste vägen dit gick via Itéa. Trots alla risker var sjöresan mindre tröttande och mindre farlig än färden landvägen genom bergen, och här i Itéa samlades pilgrimerna och såg den lilla hamnen Pleistos' vindlande floddal och bortom Parnassos' utsprång, där det moderna Delfi ligger, de ljusa klippor, Faidriaderna, som vaktar den heliga källan.

I dag är Itéa ett litet smutsigt fiskeläge med en enda lång gata av butiker och tavernor vettande mot havet, som det ligger skilt från genom landsvägen och en kanske femtio meter lång dammig boulevard, där peppartråden skänker skugga och byns manliga befolkning samlas för att få de vanliga drinkarna och glasserna och kladdiga honungsbröd.

Simon stannade bilen under träden och förde mig fram till ett skrangligt järnbörd som tycktes ha färre uppvaktande getingar än de andra. Jag hade helst velat ha te igen men skämdes så över detta ensidiga begär - och tvivlade så på att kunna få något som ens liknade det jag ville ha - att jag bad om färsk citronsaft och fick det, kall och härlig och med stark smak av den äkta frukten, och till den en *pasta* påminnande om en grov vetekaka men kraftigt sötad med honung och hackade nötter. Den var underbar. Getingarna älskade den också. När vi hade gjort slut på den bad jag djärvt om en till och stannade kvar och åt den medan Simon gav sig i väg för att titta efter Simonides' bageri.

Jag såg honom vandra bortåt, tankfullt slående efter en särskilt stor och envis geting.

På något sätt trodde jag inte att Giannakis Simonides var vår man. "Monsieur Simon i Delfi ..." Och det fanns bara en monsieur Simon i Delfi.

Det var också den där besynnerligt reserverade hållningen hos Simon; det var Arákhōva; och det sätt på vilket han hade undvikit min fråga om vad han gjorde i Delfi. Det hela hade upphört att vara en lätt kinkig gåta. Det utvecklade sig hastigt till ett mysterium med Simon Lester som centralfigur. Och Simons flicka ...

Jag åt upp min kaka och reste mig. Simon hade betalat kyparen innan han lämnade mig. Jag kunde se honom stå i en dörröppning ett stycke upp på gatan. Det var tydligen en restaurang, för utanför stod den stora träkolsspisen, och över den roterade långsamt ett helt lamm på spettet som vreds runt av en bastant kvinna i blått förkläde. Simon tycktes fråga ut henne; hon nickade häftigt och viftade med den fria handen, tydligen för att visa honom längre uppåt gatan.

Han tittade bakåt, fick syn på mig där jag stod under peppar-träden och lyfte ena handen till hälsning. Sedan gjorde han en vag gest mot andra änden av gatan och gav sig i väg åt det hållet med snabba steg.

Då jag tolkade hans gest så att han hade fått en del upplysningar men att han inte väntade sig att jag skulle följa efter honom stannade jag kvar där jag var och iakttog honom. Han gick kanske ett hundratal meter, tvekade, kastade en blick upp på ett plakat och dök in i mörkret utanför en tom biograf. När han hade försvunnit vände jag om åt motsatt håll och började promenera längs boulevarden. Jag var bara alltför tacksam över att få överlåta efterforskningarna åt honom. Om han verkligen var mysteriets centralfigur kunde han behålla det för sig själv och gärna ha det …

Under tiden kunde jag göra det som jag hade kommit till Delfi för. Eftersom slumpen hade fört mig till Itéa, den forna pilgrimsfärdens utgångspunkt, tänkte jag försöka att få se helgedomen så som de gamla pilgrimerna hade sett den när de steg i land efter sin första resa från Korintiska viken.

Jag gick snabbt utmed hamnen. Till höger bleknade havet bort mot solnedgången och tvärsöver vikens opalskimmer kom en fiskebåt, turkosfärgad och vit, med stäven fallande utåt i en stolt, ren båge ovanför den genomskinliga spegelbilden. Under ett segel av samma scharlakansröda färg hade gudadyrkarna kommit till hamnen när guden fortfarande var i Delfi.

Jag lämnade sjösidan och gick hastigt tvärsöver gatan. Jag ville komma bakom den fula raden av hus, tillbaka in i de gamla olivlundarna, där jag kunde se rakt upp mot Pleistosdalen och ha endast uråldriga klippor och träd och himmel mellan mig och Apollons vackra tempel.

Bakom huvudgatan låg några bedrövliga, asfalterade gränder med hus som vanligt utspridda till synes på måfå i dammet mellan träden. Jag passerade det sista huset, gick utmed en byggnad som såg ut som ett förfallet magasin och följde en söndersprucken asfaltväg som tycktes leda rakt till utkanten av olivskogarna. Det gick ett nätverk av sprickor genom asfalten, ungefär som på en gång med oregelbundet lagda stenplattor, och det växte tistlar i sprickorna. Jag skrämde en betande åsna och den rusade i väg in under olivträden i ett moln av damm och försvann bland skuggorna. Snart upphörde asfalten och jag fann att jag gick i mjuk mylla inne i trädens djupare halvdager. Vinden hade ökat nu framåt kvällen och det gick åter som krusningar genom olivträdens kronor.

Jag skyndade mig vidare mot en plats längre fram där starkare ljus tydde på att det fanns en glänta. Jag hade tur. Marken höjde sig uppåt en aning och i norr glesnade de stora olivskogarna. Från toppen av den lilla kullen kunde jag ovanför de svallande trädkronorna se den gamla pilgrimsvägen, oskadd ännu i mitt århundrade. Jag stod några minuter och stirrade upp mot den heliga platsen i det nu snabbt bortdöende ljuset.

Tempelkolonnerna var osynliga bakom den tvärbranta Krissaklippan, men jag såg Kastalias svarta klyfta och ovanför den de stora klippor vilkas namn är Den flammande och Den rosenfärgade, De lysande ... De sjunkande solstrålarna träffade Den flammande som eld.

Det här, tänkte jag, var rätta sättet att komma till Delfi – inte gå direkt upp till ruinerna i kölvattnet på en guide, utan landa med en liten båt i en pärlskimrande vik och se det som de skulle ha sett det, flammande på avstånd som en vårdkase, resans mål.

Någonting mörkt strök förbi min kind. En fladdermus. Det var djup skymning nu, den snabbt fallande egeiska mörkningen. Jag vände mig om och såg ljusen sticka fram som knappnålshuvuden i husen bakom mig. Jag kunde nätt och jämnt urskilja gatlyktorna, matta och glest utspridda, längs sjösidan. De såg ut att vara långt borta. Där jag stod ruvade skuggan av ett stort olivträd som ett moln. Jag vände för att gå tillbaka till byn.

I stället för återvända samma väg jag hade kommit gick jag åt det håll där jag gissade att bilen fanns. Jag dök från kullen ner i olivskogens djup och gav mig snabbt i väg mellan de förvridna och skugglika stammarna.

Jag hade kanske gått ett hundratal meter innan träden började glesna. Ett stycke åt vänster såg jag ljusen i det första huset, en byns utpost, och jag var hastigt på väg mot det när ett plötsligt ljussken tätt nära mig till höger kom mig att häpen tvärstanna. Det var skenet från en ficklampa djupt inne bland träden. Kanske hade dagens äventyr påverkat min fantasi alltför kraftigt, eller kanske var det den uråldriga mystiken som jag hade försökt frammana, men i alla händelser kände jag mig plötsligt rädd och stod alldeles stilla där med stammen av ett jättelikt olivträd mellan mig och ficklampan.

Så upptäckte jag vad det var. Det låg ett ensamt hus djupt inne i dungen, den vanliga lådliknande bostaden med två fönster och med sin vedtrave och sitt skjul och sina magra höns som slagit sig till ro bland vinrankorna. I ljuset från ficklampan såg jag en man stå böjd över något slags fordon som stod parkerat tätt intill huset. Det såg ut som en jeep. Mannen lyfte upp motorhuven, lyste ner på motorn och lutade sig över den. Jag såg hans ansikte belyst av det underligt reflekterade skenet, ett mycket grekiskt ansikte, mörkt, med hår som krullade sig ner över de breda kindknotorna liksom på de forntida hjältarna, och ett något runt huvud täckt med krulliga lockar som på en staty.

Sedan måste någon i huset ha tänt fotogenlampan, för en blek, avlång ljusstråle föll snett ut genom det ena fönstret och visade den dammiga bråten utanför – en huggkubbe i vilken yxan alltjämt satt fast, glänsande när ljuset träffade den, ett par gamla bensindunkar och en kantstött emaljskål för hönsmaten. Min obefogade rädsla försvann och jag vände mig hastigt om för att gå vidare.

Mannen vid jeepen måste ha sett min klänning fladdra till i mörkret, för han tittade upp. Jag såg en skymt av hans ansikte innan ficklampan slocknade. Han log. Jag skyndade mig därifrån. Medan jag gick tyckte jag att ficklampan hastigt lyste till på mig men greken följde inte efter mig.

Simon satt och rökte i bilen. Han steg ur när han såg mig och gick runt för att öppna dörren för mig. Han besvarade min blick med en skakning på huvudet.

”Ingen framgång. Jag har frågat om allt jag kan och det är tvärstopp överallt.” Han satte sig bakom ratten och startade motorn. ”Jag tror faktiskt vi får sluta för i dag – och åka tillbaka till Delfi och äta middag och låta det hela lösa sig självt så småningom.”

”Men kommer det att göra det?”

Han vände bilen och började köra tillbaka mot Delfi. ”Jag tror det.”

Jag erinrade mig vad jag hade tänkt tidigare om ”mysteriet” och gjorde inga invändningar. Jag sade bara: ”Då låter vi det vara. Som du vill.”

Jag såg att han sneglade på mig, men han sade ingenting. Den upplysta byn låg nu bakom oss och vi ökade farten uppför den smala vägen mellan olivträden. Han släppte ner något i knäet på mig, en kvist med blad som luktade ljuvligt när jag rörde vid dem med fingrarna.

”Vad är det?”

”Basilika. Kungen bland örter.”

Jag drog kvisten fram och tillbaka över mina läppar. Lukten var söt och myntaliknande och förtog lukten av damm. ”Krukan med basilika? Var det under sånt här som den stackars Isabella begravde Lorenzos huvud?”

”Just det.”

Det var tyst en stund. Vi passerade ett vägskäl där strålkastarna lyste på en skylt: ”Amphissa 9”. Vi tog av åt höger mot Krissa.

”Var du och tittade på pilgrimsvägen där i Itéa?” frågade Simon.

”Ja. Jag hade en härlig utsikt strax innan det mörknade. Faidriaderna var magnifika.”

”Då hittade du alltså kullen?”

Jag måste ha låtit förvånad. ”Känner du till den? Har du varit här förut?”

”Jag var här nere i går.”

”I Itéa?”

”Ja.” Vägen gick uppåt nu. Efter en kort tystnad sade han utan någon märkbar förändring i tonfallet: ”Jag vet faktiskt inte mer om det här än du.”

Basilikabladen låg svala och orörliga mot mina läppar. Till slut sade jag: ”Förlåt mig. Märktes det så tydligt på mig? Men vad skulle jag tro?”

”Antagligen precis det du trodde. Det hela är i alla fall lite vansinnigt och jag tvivlar på att det kommer att visa sig ha någon betydelse.” Jag såg att han log. ”Tack för att du inte låtsades att du inte förstod vad jag menade.”

”Men det gjorde jag. Jag har själv nästan inte tänkt på någonting annat.”

”Jag vet det. Men nio kvinnor av tio skulle ha sagt ’Vad menar du?’ och så skulle vi ha hamnat i ett underbart virrvarr av personligheter och förklaringar.”

”Det behövdes varken det ena eller det andra.”

Simon sade: ” ’O, sällsynt för Antonius.’”

Jag sade ofrivilligt: ”Vad menar du?”

Då skrattade han: ”Strunt i det. Vill du äta middag med mig?”

”Tja tack, men jag borde kanske – jag menar –”

”Det ska bli trevligt. På ditt hotell?”

”Hör nu, jag har inte sagt –”

”Det är du skyldig mig”, sade Simon kallt.

”Är jag skyldig dig det? Inte alls! Hur har du räknat ut det?”

”Som gottgörelse för att du misstänkte mig för – vad det nu var du misstänkte mig för.” Vi klättrade uppför Krissas slingriga gata och när vi passerade en upplyst butik kastade han en blick på sin klocka. ”Klockan är nästan sju nu. Kan du tänka dig att äta middag om en halvtimme – halv åtta så där?”

Jag gav upp. ”När det passar dig. Men är det inte väldigt tidigt här i landet? Är du så hungrig?”

”Ganska. Men det är inte det. Jag – tja, jag har en del att uträtta och jag vill ha det gjort i kväll.”

”På så sätt. Ja, det blir inte för tidigt för mig. Jag fick inte mycket till lunch och jag var för rädd för att njuta av det lilla jag åt. Så det vill jag gärna, tack. På Apollon, sa du? Bor du inte där själv?”

”Nej. När jag kom hit var det fullbelagt, så jäg fick tilllåtelse att bo i ateljén uppe på höjden. Den har du nog inte sett ännu. Det är en stor och ful rektangulär byggnad ett par hundra meter uppe bakom byn.”

”En ateljé? Menar du en konstnärsateljé?”

”Ja. Jag vet inte vad den var avsedd för ursprungligen, men nu är det en karl som hyr ut den åt besökande konstnärer och *bona fide* studerande som inte har råd att betala hotellrum. Jag är nog där under något falska förevändningar, men jag ville vara i Delfi några dagar och kunde inte hitta något rum. Nu har jag det faktiskt utmärkt bra där. Det är bara en till som bor där för närvarande, en engelsk pojke, som verkligen är konstnär – och en bra sådan också, men det får man inte säga för honom.”

”Men du har väl också full rätt att bo i ateljén, inte sant?” sade jag. ”Du får väl i alla fall räknas som studerande. Och som lärare i klassiska språk har du *bona fide* rätt till alla förmåner. Det är inte alls fråga om ’falska förevändningar’.”

Han gav mig en sidoblick som jag inte kunde tolka i mörkret. Han sade ganska kort: ”Jag är inte här för att bedriva några klassiska studier.”

”Å.” Det lät lamt och jag hoppades att det inte hade låtit som en fråga. Men stavelsen hängde där mellan oss, dominerande, pockande.

Simon sade plötsligt rakt ut i mörkret: ”Min bror Michael var här under kriget.”

Krissa låg nedanför oss nu. Vi körde längs den branta bergssluttningen och långt nere till vänster syntes ljusen i Itéa som ett pärlband under den tunna månen.

Så fortsatte han med det där uttryckslösa tonfallet: ”Han var på Pelopónnesos en tid som BLO – det vill säga brittisk förbindelseofficer – mellan de våra och *andartes*, den grekiska gerillastyrkan under Zervas. Senare flyttade han över till Pindostrakten med ELAS, den stora motståndsrörelsen. Han var i den här delen av landet nittonhundrafyrtifyra. Han bodde hos några i Arákhōva, en herde som hette Stephanos och hans son Nikolaos. Nikolaos är död, men Stephanos lever och bor kvar i Arákhōva. Jag försökte få tag i honom i dag men han hade gett sig i väg till Levádeia och skulle inte komma tillbaka förrän i kväll – det sa kvinnan i hans hus."

"Kvinnan i hans hus?"

Han skrattade. "Hans fru. Du kommer att märka att alla måste höra till någonting i de här trakterna. Varje man tillhör en plats och det är liksom så att varje kvinna tillhör en man."

"Jag tror dig", sade jag utan hätskhet. "Det ger väl liksom en mening åt den stackars kvinnans liv, inte sant?"

"Jo visst ... Nå ja, jag tänker återvända till Arákhōva i kväll för att träffa Stephanos."

"Jag förstår. Då är det här en – en sorts pilgrimsfärd för dig? En äkta pilgrimsfärd till Delfi?"

"Det kan man säga. Jag är här för att försona hans ande."

Jag flämtade till. "Å. Så dumt av mig. Förlåt mig. Jag fattade inte ..."

"Att han dog? Jo då."

"Här?"

"Ja. Nittonhundrafyrtifyra. Någonstans på Parnassos."

Vi hade svängt upp på den sista vägsträckan före Delfi. Till vänster strålade den luxuösa Turistpaviljongens upplysta fönster. Långt nere till höger höll den tunna månen redan på att tona bort i ett gytter av stjärnor. Havet lyste svagt nedanför dem som ett svart satängband.

Någonting kom mig att plötsligt säga rakt ut i mörkret: ”Simon.”

”Ja?”

”Varför sa du ’försona’?”

Kort tystnad. Sedan sade han i mycket lätt ton: ”Det ska jag tala om för dig, om jag får. Men inte just nu. Här i Delfi. Jag lämnar dig och bilen vid hotellet och så träffas vi på terrassen om en halvtimme. Passar det?”

”Utmärkt.” Bilen stannade där den hade stått förut. Han gick runt och öppnade dörren för mig. Jag steg ur, och när jag vände mig om för att upprepa några ord av tacksamhet för hans hjälp med eftermiddagens sökande skakade han på huvudet, skrattade, viftade adjö och försvann uppför den branta gränden bredvid hotellet.

Med en känsla av att det hela höll på att utveckla sig alldeles för snabbt för mig vände jag om och gick in i hotellet.

V

Men nog med historier – jag har redan en gång gråtit över detta.

EURIPIDES: Helena

Alla eventuella farhågor för att Simons vemodiga pilgrimsfärd skulle fördystra min första vistelse i Delfi skingrades när jag till slut kom ner till middagen och gick ut på hotellterrassen för att hitta ett bord.

Halv åtta var verkligen en oerhört tidig timme för middag i Grekland, och det var bara ett av borden under platanerna som var upptaget. Det var engelsmän som satt där. Simon Lester var inte där ännu, så jag satte mig under ett av träden, från vilkas mörka grenar det hängde lyktor som vajade sakta i den varma kvällsluften. Så fick jag syn på Simon nedanför terrassräcket. Han var i sällskap med en grupp ytterst glada och högljudda greker, som stod i en ring runt en ljushårig pojke, klädd i vandrarkläder, och en mycket liten åsna som nästan var dold under sina tungt lastade klövjekorgar.

Den ljushårige unge mannen såg i högsta grad ut som om han just hade tillryggalagt en ansträngande dagsetapp i vildmarken. Hans ansikte, händer och kläder var smutsiga; hakan var täckt med frodig skäggstubb och ögonen – jag kunde se det till och med från plats där jag satt – var blodsprängda av trötthet. Åsnan var i betydligt bättre kondition och stod självbelåten bredvid honom med sitt lass av vad som tycktes vara målarattiraljer – skrin, slarvigt hopbuntade dukar och ett litet hopfällbart staffli, samt en sovsäck och den ganska oaptitliga änden på en stor svart limpa.

Hälften av Delfis ungdomliga befolkning tycktes ha samlats för att välkomna främlingen, och alla svärmade omkring honom som getingarna kring mitt honungsbröd. Det var en del högljudda skratt, fruktansvärt rådbråkad engelska och ryggdunkningar – det sista en uppmärksamhet som främlingen mycket väl kunde ha undvarat. Han vacklade av trötthet men ett vitt grin klöv det smutsiga, skäggiga ansiktet när han besvarade välkomsthälsningarna. Simon skrattade också, drog åsnan i öronen och utbytte till synes våldsamma skämt med de unga grekerna. Det ropades gång på gång ”Avanti! Avanti!”, vilket förbryllade mig tills jag upptäckte att utropen sammanföll med de glada ryggdunkningar under vilka även åsnan vacklade. För varje ryggdunkning steg ett moln av damm från Avantis päls.

Till slut tittade Simon upp och fick syn på mig. Han sade något till den ljushårige pojken, utbytte skrattande något lösenord med grekerna och kom hastigt upp på terrassen.

”Ursäkta mig, har du väntat länge?”

”Nej då, jag kom alldeles nyss. Vad är det som försiggår där nere? Är det en modern Stevenson?”

”Just det. Det är en holländsk målare som har tagit sig fram över bergen med en åsna och sovit under bar himmel. Han har klarat sig riktigt bra. Han kommer närmast från Iōánnina och det är lång väg därifrån genom oländig terräng.”

”Han fick verkligen en varm välkomsthälsning”, sade jag skrattande. ”Det ser ut som om hela Delfi är i farten.”

”Inte ens turisttrafiken har helt förstört det grekiska *philoxenia* - välkomnandet som bokstavligen betyder ’kärlek till en främling” ”, sade Simon, ”men gudarna ska veta att Delfi borde vara på väg att bli lite blasé vid det här laget. Han kommer åtminstone att få gratis nattlogi enligt traditionen.”

”Där uppe i ateljén?”

”Ja. Det här var hans sista etapp. I morgon ska han sälja Modestine, säger han - åsnan Avanti - och ta bussen till Aten.”

Jag sade: ”När jag såg staffliet och allt det där trodde jag att det måste vara din engelska målarvän från ateljén.”

”Nigel? Nej. Jag tror inte att Nigel skulle kunna tänka sig att göra ett sådant vågstycke. Det har han inte självförtroende till.”

”Men du sa ju att han var en bra målare?”

”Jag tycker han är bra”, sade Simon medan han tog upp matsedeln och frånvarande räckte mig den. Den var skriven på grekiska, så jag lämnade tillbaka den till honom. ”Men han är själv övertygad om - eller också är det någon idiot som har sagt det till honom - att hans säregna stil är förlegad. Jag måste erkänna att den inte är på modet precis, men pojken kan teckna som en ängel när han vill, och man skulle ju tycka att det är en tillräckligt sällsynt gåva för att väcka uppmärksamhet även bland några av våra dagars extrema begåvningar.” Han räckte mig matsedeln. ”Han använder inte färg så mycket - vad vill du börja med? - men han tecknar mycket säkert och fint och samtidigt fantasieggande.”

Jag lämnade åter tillbaka matsedeln till honom. Han mönstrade raderna av kråkfötter. ”Hm. Ja. Jo, det var någon idiot som sa till Nigel att hans stil är *vieux jeu* eller något liknande. 'Kastrerad' var ett av orden, tror jag. Det tog han mycket hårt, så nu arbetar han intensivt med att forma en stil som han tror ska 'slå', men jag är väldigt rädd för att den inte kommer att göra det. Visst är han begåvad och det är en mycket fängslande stil och det kan hända att den gör lycka så att han kan få en viss avsättning för sina saker – men det är inte hans egen och då blir det aldrig riktigt bra. Vad som också är synd är att han har varit här i Delfi lite för länge och syltat in sig med en flicka som inte var särskilt bra för honom. Hon är borta nu men melankolin är kvar.” Han log. ”Som du märker är jag ganska engagerad i det här. Jag är det enda sällskap Nigel har haft där uppe i ateljén de senaste tre dagarna och jag har spelat rollen av hans förtrogne.”

”Eller skolhemsföreståndare?”

Han skrattade. ”Om du så vill. Han är mycket ung på många sätt och vanans makt är seglivad. Man tar för givet att man är där för att hjälpa, men jag är inte säker på hur mycket man kan göra för en konstnär i bästa fall. Och i sämsta fall förirrar de sig ut i ett slags själslig vildmark dit inte ens den mest välmenande lyssnare kan följa dem.”

”Är det så illa?”

”Jag tror det. Han är begåvad, som jag sa. Jag tror att själskvalen står i proportion till begåvningen … Säg, vad vill du äta? Varför väljer du inget?” Han gav mig matsedeln.

Jag lämnade tålmodigt tillbaka den. ”Jag kommer att dö av hunger om en minut”, sade jag. ”Har du *tittat* på den här förbaskade matsedeln? Det enda jag känner igen är *patates*, *tomates* och *melon*, och jag vägrar att vara vegetarian i ett land som har såna där små underbara lammkotletter på pinnar med champinjoner emellan."

"Förlåt mig", sade Simon ångerfullt. "Titta, här står det. *Souvlaka.* Då tar vi det då." Han beställde maten och höjde sedan frågande på ena ögonbrynet. "Och vad ska vi dricka? Hur går det med gommen?"

"Om det betyder ifall jag kan dricka retsina ännu", sade jag, "så blir svaret ja, men vad det har med gommen att göra förstår jag inte." Retsina är ett milt vin kraftigt smaksatt med kåda. Det kan vara behagligt; det kan också vara så fränt att tungan får en beläggning av en sorts antiseptisk gåshud. Det serveras i små vackra kopparsejdlar och luktar som terpentin. Att få – eller låtsas få – smak för retsina är det enda rätta när man är i Grekland. Som turist är jag lika mycket snobb som någon annan. "Gärna retsina", sade jag. "Vad ska man annars ha till *souvlaka?*"

Jag tyckte jag såg en svag, svag skymt av ironi i Simons blick. "Tja, om du föredrar vin –"

Jag sade bestämt: "Det sägs att när man väl har vant sig vid retsina så är det den finaste drycken i världen och man vill aldrig ha något annat. Bourgogne- och bordeauxviner och – ja, andra drycker blir smaklösa. Avbryt inte processen. Gommen är svag men envis och jag kommer säkert att tycka om det snart. Om inte *du* förstås hellre vill ha ett behagligt sött samiskt vin?"

"Det förbjnde Gud", sade Simon infamt och sedan till kyparen: "Retsina, tack."

När vinet sedan kom visade det sig vara gott – för att vara retsina – och middagen var utsökt. Jag är inte den som rynkar på näsan åt olivolja och jag älskar den grekiska maten. Vi fick löksoppa med riven ost över; sedan *souvlaka,* som var smaksatt med citron och olika kryddor och omgavs av pommes frites och gröna bönor i olja, och till det en stor bunke tomatsallad. Därefter ost och *halvas*, som är en sorts bulle gjord av rivna nötter och honung och smakar underbart. Och till slut de härliga grekiska druvorna, daggskimrande som matta agater och avkylda med vatten från källan ovanför Apollontemplet.

Simon konverserade underhållande under hela måltiden utan att en enda gång nämna Michael Lester eller sitt syfte med besöket i Delfi, och jag glömde själv alldeles bort det moln som alltjämt hängde över mitt huvud och kom inte att tänka på det igen förrän en stor lastbil, som kom brummande förbi terrassen, saktade farten för att kunna passera bilen som stod parkerad vid kanten av den smala vägen.

Simon följde min blick. Han satte ner den lilla koppen med grekiskt kaffe och såg sedan på mig rakt över bordet.

”Är samvetet fortfarande verksamt?”

”Inte så verksamt som förut. Det finns inte så mycket plats för det. Det var en gudomlig måltid och du ska ha hjärtligt tack.”

”Jag undrade –” sade Simon tankfullt och tystnade sedan.

Jag sade lika tankfullt: ”Det är en lång promenad till Aråkhöva. Var det det?”

Han log. ”Just det. Nå? Det är ju din bil.”

Jag sade hastigt: ”Det är det visst inte. Jag vill inte röra vid den igen. Jag – jag har avsagt mig den.”

”Det var synd, för med din tillåtelse – som jag antar att jag har – tänker jag köra ner till Aråkhōva om några minuter och jag hoppades att du skulle följa med också.”

Jag sade med absolut äkta förvåning: ”Jag? Men du behöver mig ju inte!”

”Följ med, snälla du”, sade Simon.

Jag kände en varm rodnad stiga upp på kinderna av någon anledning. ”Men det gör du inte. Det är din egen – din privata affär, och du kan omöjligt vilja ha en främling rantande i hälarna på dig. Visserligen är vi i Grekland men det skulle vara att driva *philoxenia* lite för långt! Och egentligen –”

”Jag lovar se till att du inte råkar ut för något obehagligt.” Han log. ”Det är länge sen och det är inte någon tragedi nu längre. Det är bara – ja, man kan kalla det för ren och skär nyfikenhet om man vill.”

”Jag är inte alls orolig för att det ska bli något obehagligt. Jag tycker bara – ja, för katten, du känner mig ju knappast och det *är* en privatsak. Du sa att det kunde kallas en pilgrimsfärd, kommer du ihåg det?”

Han sade långsamt: ”Om jag sa vad jag verkligen vill säga skulle du tro att jag var tokig. Men låt mig säga så mycket – och det sant också – att jag skulle bli oerhört tacksam om du ville hålla mig sällskap i kväll.”

Det blev en liten paus. Gruppen av greker hade skingrats för länge sedan. Både konstnären och åsnan hade försvunnit. De andra engelska middagsätarna hade avslutat sin måltid och gått in i hotellet. Långt borta över det osynliga havet hängde den tunna månen, aprikosfärgad nu bland de utspridda vita stjärnorna. Ovanför oss lät vinden som regn i platanerna.

Jag sade: ”Det är självklart att jag följer med”, och reste mig. När han fimpade cigarretten och steg upp log jag mot honom med en lätt anstrykning av spydighet. ”Du talade ju om för mig att jag var skyldig dig något.”

Han sade hastigt: ”Hör nu, jag menade inte –” Så märkte han min blick och log. ”All right, jag ger mig, damen. Jag ska inte försöka trakassera dig mer.” Och han öppnade bildörren för mig.

”Michael var tio år äldre än jag”, sade Simon. ”Det var bara vi två och mor dog när jag var femton. För far var Michael solen i familjen - och det var han nog för mig också. Jag minns hur dött huset verkade när han förflyttades till Medelhavet - och far bara satt varenda dag med tidningarna och radion och försökte uppsnappa så mycket som möjligt." Ett litet leende snuddade vid hans läppar. "Det var inte lätt. Som jag sa kom Michael över hit med SAS - Special Air Service - när tyskarna ockuperade Grekland. Han höll på med underjordisk verksamhet tillsammans med motståndsgruppen i bergen i arton månader innan han dödades, och de nyheter som kom var naturligtvis mycket tunnsådda och inte alltid exakta. Då och då lyckades några smuggla ut brev. Om man visste att någon skulle hämtas på natten och föras bort gjorde man allt för att få i väg ett brev med honom i hopp om att han i sin tur skulle klara sig igenom och att brevet till slut skulle kunna skickas hem från Kairo ... Men det var riskabelt och på den tiden var det ingen som gick med fler papper på sig än vad som var absolut nödvändigt. Så det var dåligt med nyheter. Vi fick bara tre brev från Michael på hela tiden. Det enda han berättade för oss i de två första var att han mådde bra och att allt gick planenligt - och alla de vanliga fraserna som man inte trodde på utan som bara talade om för en att han levde när han skrev brevet fyra månader innan man fick det."

Han gjorde en paus medan han passerade en skarp kurva som var ännu mer hårresande nu i mörkret.

"Vi fick till slut reda på en del om hans arbete i Grekland av några som hade varit tillsammans med honom här i grupp etthundratrettiotre och hade haft kontakt med honom från och till under striderna. Som jag sa var han brittisk förbindelseofficer knuten till gerillastyrkorna. Det är kanske bäst att jag berättar om läget i Grekland efter den tyska invasionen - eller vet du redan allting om det?"

"Inte så mycket. Bara att ELAS var den stora gerillaorganisationen och att den var mer intresserad av att värna om sitt eget kommunistbo än att bekämpa tyskarna."

"Så du vet det? Du anar inte hur många det var som inte fattade det, inte ens nittonhundrafyrtifyra när tyskarna lämnade Grekland och ELAS vände sig mot sitt eget land - försökte genomföra en kommunistisk *coup d'état* - och började mörda greker med hjälp av de pengar och vapen som vi hade smugglat till dem och som de hade gömt undan bland bergen tills de kunde använda dem för partiet."

"Men det var väl andra gerillastyrkor som gjorde en hederlig insats, inte sant?"

"O ja. Till en början fanns det en hel del grupper och det var bland annat Michaels jobb att försöka föra samman dem och få till stånd en mer eller mindre enhetlig fälttågsplan. Men den här saken tog honom hårt, liksom alla andra förbindelseofficerare i Grekland. ELAS satte i gång och krossade alla andra gerillaorganisationer som de kunde komma åt." "Menar du att de faktiskt bekämpade sina egna *under* den tyska ockupationen?"

"Ja visst. Krossade en del grupper och införlivade andra så att det till slut bara fanns en enda viktig motståndsgrupp till, EDES, under en ledare som hette Zervas, en hederlig karl och en fin soldat."

"Jag minns. Du sa att han var på Pelopónnesos."

"Just det. ELAS försökte förstås på alla sätt att likvidera honom också. Missförstå mig inte, det fanns en del tappra och bra karlar hos ELAS också och de gjorde många förbaskat fina insatser men det var så många ..." han tvekade bråkdelen av en sekund,

”nidingsdåd som motverkade allt det goda. Historien om motståndsrörelsen i Grekland är inte någon uppbyggande läsning. By efter by plundrades och brändes av tyskarna och plundrades och brändes sen igen av ELAS – deras egna – som tog de sorgliga rester som fanns kvar. Och kulmen på alla skändligheter var det berömda slaget vid Tzoumerkaberget där Zervas med EDES mötte tyskarna och ELAS under Ares (en oförskämt fräck pseudonym för en av de vidrigaste och mest sadistiska djävlar som har existerat) – där ELAS väntade tills Zervas hade händerna fulla och sen anföll honom i flanken.”

”Anföll *Zervas?* Medan han kämpade mot tyskarna?”

”Ja. Zervas kämpade ett tvåfrontskrig i flera timmar och lyckades slå tillbaka tyskarna, men han förlorade i alla fall en del av sina värdefulla förråd till ELAS, som gömde dem, utan tvivel för att ha dem när kriget med tyskarna var slut och den nya dagen randades.”

Det uppstod en stunds tystnad som underströks av motorns brummande. Jag kände lukten av damm och förtorkad verbena. Höststjärnorna var mjölkvita och stora som astrar. Mot deras milda strålglans avtecknade sig de unga cypresserna som spjut.

”Och därmed har jag kommit till anledningen till mitt besök i Delfi”, sade Simon.

Jag sade: ”Michaels tredje brev?”

”Du är snabb i uppfattningen. Ja, just det, Michaels tredje brev.”

Han växlade och bilen saktade farten och vände försiktigt ut på en smal bro som gick vinkelrätt mot vägen. Han fortsatte i sin behagliga, oberörda ton: ”Det kom efter det att vi hade fått veta att han var död. Jag läste det inte då. Jag visste inte ens att far hade fått det. Han trodde väl att det skulle riva upp allting för mig igen när jag nyss hade kommit över det värsta. Jag var sjutton då. Och sen talade han aldrig om Michael. Jag fick inte reda på att brevet fanns förrän ett halvår senare när min far dog och jag som hans testamentsexekutor måste gå igenom hans papper. Brevet ..."

Han gjorde en paus igen och jag kände en liten underlig rysning i kroppen – den oundvikliga verkan (betingad av historier berättade genom hur många århundraden?) av mytens urgamla mönster: den döde mannen – det mystiska papperet – den slitna och bleknade ledtråden som ledde genom bergen i ett främmande land ...

"Brevet sa inte mycket", fortsatte Simon. "Men det var – jag vet inte riktigt hur jag ska beskriva det – det var liksom upphetsat. Till och med handstilen. Jag kände Michael ganska bra, trots den stora åldersskillnaden, och jag kan försäkra att han var upphetsad som bara den när han skrev det där brevet. Och jag tror att det var någonting han hade hittat någonstans på Parnassos."

Åter den där lilla underliga rysningen. Natten svepte förbi, full av stjärnor. Till vänster om oss tornade berget upp sig som gudarnas försvunna värld. Plötsligt verkade det alldeles otroligt att jag var här och att detta – den här marken där bilhjulen susade genom dammet – var Parnassos. Namnet var som en skälvning längs ryggraden.

"Jaha?" sade jag med mycket besynnerlig röst.

"Du måste förstå", sade han, "att när jag till slut läste brevet så var det mot bakgrunden av uppgifter som jag hade fått efter kriget. Vi hade fått reda på, min far och jag, exakt var och hur Michael hade arbetat, och vi hade talat med några av dem som han hade träffat där. Vi fick veta att han hade skickats upp till det här området på våren nittonhundrafyrtitre och i mer än ett år innan han dödades arbetade han med ett av ELAS-banden, som hade en ledare vid namn Angelos Dragoumis. Det var inte mycket jag fick reda på om den här Angelos - det var det namn han var allmänt känd under och jag gissar att det var synnerligen malplacerat - för det var bara en av de andra i grupp etthundratrettitre som hade träffat honom, och de få efterforskningar jag har gjort här den senaste dan eller så har bara stött på patrull. Grekerna är inte stolta över såna som Angelos. Jag menar inte att inte hans grupp gjorde ett par strålande insatser: de var med Ares och Zervas när Gorgopotamosviadukten förstördes mitt framför tyskarna och det var den där historien med bron vid Lidōrikon där de - nå ja, det spelar ingen roll just nu. Det väsentliga är att den här Angelos tycks ha tagit ELAS-ledaren Ares som förebild och härjat här i trakten på samma sätt som Ares gjorde."

"Menar du att han plundrade sina egna?"

"Det och mer till. Det var den vanliga ohyggliga raden av bränder och våldtäkt och tortyr och krossade hus och människor som lämnades att svälta ihjäl - de som inte mördades. Det som gör det hela särskilt vidrigt är att Angelos själv var från den här trakten ... Ja, jag vet det. Det är svårt att fatta, inte sant? Han är i alla fall död nu - eller det antar man åtminstone. Han försvann över jugoslaviska gränsen när kommunistkuppen misslyckades i december fyrtifyra och han har inte hörts av sen dess."

"Man får väl anta att han i alla händelser inte vågar visa sig i de här trakterna igen", sade jag.

"Nej, säkert inte. Nå, det var i alla fall den mannen Michael arbetade tillsammans med och de lyckades som sagt uppnå en del fina resultat rent militärt - men sen kom tyskarna hit med stora styrkor och Angelos' band skingrades och gömde sig uppe i bergen. Jag tror att Michael laborerade på egen hand. Han lyckades hålla sig gömd några veckor här uppe på Parnassos. Så en dag fick en patrull syn på honom. Han klarade sig undan men sårades av en kula – inte allvarligt men tillräckligt svårt för att han skulle bli stridsoduglig, och om han inte hade fått vård kunde det ha slutat illa. En av hans kontakter var Stephanos, herden från Arákhōva som vi ska träffa i kväll. Stephanos tog hand om Michael och han och hans fru vårdade och gömde honom och skulle antagligen ha fått ut honom ur landet om inte tyskarna hade överfallit Arákhōva medan Michael var kvar där."

Utmed vägen stod de unga cypresserna som svärd. Det var just längs den här vägen som tyskarna hade kommit. Jag sade: "Och de hittade honom?"

"Nej. Men de hade fått veta att han var där och så tog de Stephanos' son Nikolaos och sköt honom därför att föräldrarna inte ville förråda Michael."

"Simon!"

Han sade stillsamt: "Det var något självklart. Du känner inte de här människorna ännu. De stod och lät sina egna familjemedlemmar mördas mitt framför ögonen på sig hellre än de förrådde en allierad som hade ätit deras salt."

"Den andra sidan av bilden", sade jag och tänkte på ELAS och Angelos.

"Just det. Och när du tänker bittert om ELAS ska du komma ihåg två saker. Det första är att grekerna är födda till krigare. Det visar väl deras magnifika och gripande historia. Om en grek inte kan hitta någon annan att slåss med så slåss han med sin granne. Det andra är fattigdomen i Grekland, och på de mycket fattiga utövar vilken löftesrik troslära som helst en stark lockelse."

"Det ska jag komma ihåg", sade jag.

"Vi har kanske glömt vad fattigdom betyder", sade han. "När

man ser – nå ja, strunt i det nu. Men jag tror att det mesta kan förlåtas de fattiga."

Jag satt tyst. Jag tänkte på Philip igen och en tiggare nedanför fästningsverken i Carcassonne; Philip som säger: "Herregud!" i chockerad ton och släpper ner femhundra francs i den skrofulösa handen och sedan glömmer bort det. Och här var nu denna lugna, milda röst som talade i mörkret om begångna nidingsdåd och uttalade som något självklart den sortens enorma och storsinta medlidande som jag aldrig hade stött på – i levande livet – förut ...

"I nakna uslingar, evar I skälven
För denna rasande och vilda storm,
Hur kunnen I barhuvade och svultna
Och svepta i ett skört med glugg i glugg
Er värna ...?"

Lika plötsligt överraskande som en pil ur mörkret slog mig medvetandet om att – mysterium eller inte – jag tyckte riktigt mycket om Simon Lester.

Han sade: "Vad är det?"

"Ingenting, Fortsätt. Tyskarna sköt Nikolaos och Michael gav sig i väg."

"Ja. Tydligen gav han sig upp i bergen igen. Vad som sen hände vet jag mycket lite om. Hittills har jag bara plockat ihop nakna fakta med hjälp av det som vi efter kriget fick veta av de andra förbindelseofficerare som var där och av prästen i Delfi, som skrev till min far när han gjorde sina första efterforskningar."

"Skrev inte Stephanos?"

"Stephanos kan inte skriva", sade Simon. "Vi kan bara gissa oss till vad som hände sen. Michael återvände till bergen efter tragedin med Nikolaos. Hans axel var inte helt läkt men för övrigt var det inget fel med honom. Stephanos och hans fru ville att han skulle stanna, men Nikolaos hade efterlämnat en liten son och en dotter och – ja, Michael sa att han inte ville riskera några fler liv. Han gav sig i väg. Och det är det enda vi vet. Han gick dit upp" – en gest mot det skugghöljda berget –"och blev infångad och dödad där någonstans på Parnassos."

Jag sade efter ett par minuter: "Och nu vill du tala med Stephanos och få reda på var han finns?"

"Jag vet var han finns. Han ligger begravd i Delfi, på en liten gravplats inte långt från ateljén, ovanför Apollontemplet. Jag har redan varit vid graven. Nej, det är inte därför jag vill träffa Stephanos. Jag vill veta exakt var på Parnassos Michael dog."

"Vet Stephanos det?"

"Han hittade honom. Det var han som skickade Michaels sista brev tillsammans med andra saker som han hittade hos honom. Han lyckades på något sätt smuggla alltihop till den där andra förbindelseofficeren och till slut fick vi det. Vi fick inte veta vem som hade skickat det förrän senare när vi blev officiellt underrättade om att Michael låg begravd i Delfi. Vi skrev till *papa* – prästen. Han berättade hur det var, så min far skrev naturligtvis till Stephanos och fick svar genom prästen igen och – tja, så tycktes det inte vara mer med det."

"Tills du såg Michaels brev."

"Tills jag såg Michaels brev."

Vi hade rundat en mörk klippvägg och där rakt fram syntes ljusen i Arákhōva, forsande nerför bergssidan som en kaskad.

Bilen körde sakta ut till vägkanten och stannade. Simon

stängde av motorn och drog upp plånboken ur innerfickan. Ur den tog han fram ett papper som han räckte till mig.

”Vänta lite ska jag lysa med min tändare. Vill du ha en cigarrett för resten?”

”Ja tack.”

När han hade tänt våra cigarretter lyste han för mig med den lilla lågan medan jag vek upp det tunna papperet. Det var några slarvigt nedklottrade rader på ett ark billigt papper, suddigt som av regn, lite smutsigt, sönderrivet här och där längs de gamla vecken och med hundöron efter att ha lästs om och om igen. Jag öppnade det försiktigt. Jag hade en så underlig känsla av att jag inte borde ha rört det.

Det var ganska kort. ”Kära pappsen”, började det ... Varför var det något så rörande med att Michael Lester, en hårdför tjugosjuåring, använde barndomens diminutiv ...? ”Kära pappsen. Gud vet när du kommer att få det här, för jag kan inte se någon chans att få i väg det inom den närmaste framtiden, men jag måste skriva. Det har gått hett till här, må du tro, men nu är det över och jag mår prima, så oroa dig inte. Tycker inte du som jag att den där koden av militärslangsklichéer är förtvivlat enerverande? I bästa fall kan den kanske vara till en viss nytta, men just nu – i kväll – är det något som jag verkligen vill säga dig; som jag vill få skriftligt bevarat på något sätt – ingenting som har att göra med kriget eller mitt jobb här eller något liknande – men ändå är det omöjligt att fästa det på papper och hur tusan ska jag kunna vidarebefordra det till dig? Du vet lika väl som jag att vad som helst kan hända innan jag träffar någon som jag kan skicka ett privat meddelande med. Om mitt minne hade varit lite bättre och om jag hade ägnat en aning mer uppmärksamhet åt de där klassiska studierna (herregud, det är ju evigheter sedan!) så skulle jag ha kunnat skicka dig den rätta passusen hos Kallimachos. Jag tror det är Kallimachos. Men jag har glömt var den står. Jag får låta det vara så länge. Men i morgon ska jag träffa en man som jag kan lita på och jag tänker tala om det för honom, sedan får det gå hur det vill. Och om allt går bra tar det här snart slut och då kan vi återvända hit tillsammans till det lysande citadellet och jag ska visa dig det – och lillebror Simon också. Hur är det med honom? Hälsa honom så mycket. På återseende – å, vilken dag det ska bli!

Din tillgivne son

Michael."

Namnunderskriften, hafsigt nerklottrad, gick över hela nedre delen av sidan. Jag vek försiktigt ihop papperet och lämnade tillbaka det till Simon. Han släckte tändaren och stoppade noga på sig brevet igen. Han sade: "Förstår du vad jag menar?"

"Tja, jag kände ju inte din bror men jag förstår att det där inte var hans vanliga sätt att skriva."

"Långt därifrån. Det är så främmande för honom. Underligt, ryckigt, menande; nästan hysteriskt – om jag nu inte hade känt Michael så bra. Brevet verkar vara skrivet av en kvinna."

"Jag förstår vad du menar."

Han skrattade och startade motorn. "Förlåt. Men jag skulle tro att han var i ett mycket upprört tillstånd när han skrev det där brevet."

"Det har du nog rätt i. Men han var ju förstås i en svår situation och –"

"Han hade varit i många svåra situationer förut. Och så är det allt det där om ett privat meddelande och att 'vidarebefordra det'. Han hade sannerligen något att säga."

"Ja. Jag antar att du har tittat igenom din Kallimachos, vem han nu är?"

"Det har jag. Han skrev en sabla massa. Nej, där finns ingen ledtråd."

"Och 'det lysande citadellet'?"

"Det är en översättning av ett uttryck som det delfiska oraklet en gång använde till Julianus Avfällingen. Jag tror det måste vara det han menar. Det syftar på Apollontemplet i Delfi."

"Jaså. Ja, det leder oss inte mycket längre."

Vi körde igen mot ljusen i Arákhōva. Jag sade: "Du använde ordet 'ledtråd'. Vad är det egentligen du hoppas hitta, Simon?"

"Det som Michael hittade."

Efter en liten paus sade jag långsamt: "Jag förstår. Du menar det där om att 'då kan vi återvända tillsammans till det lysande citadellet och jag ska visa dig det'?"

"Ja. Han hade hittat någonting och han var upphetsad över det och han ville 'få det skriftligt bevarat' - han använder de orden också, som du minns."

"Ja. Men tror du inte att det kanske -?" Jag tystnade. "Vad då?"

Jag sade med viss svårighet: "Kan det inte vara så att du ser något som inte finns där? Jag håller med om att det är ett underligt brev, men man kan läsa det på ett annat sätt också, inte sant? Ett mycket enkelt sätt. Det är det sätt som jag skulle ha läst det på - bortsett förstås från att jag inte kände din bror Michael."

"Och vad är det för sätt?"

"Ja, låt oss säga att det *var* upphetsning eller snarare en sorts sinnesrörelse som låg bakom. Skulle det i så fall inte ha funnits en viss anledning till det? Vore det inte fullt naturligt om han hade haft saker som han ville säga till din far och till dig? Jag menar –"

Förlägen tystnade jag igen.

Han sade okonstlat: "Du menar att det skulle vara ren och skär tillgivenhet? Att Michael kanske hade fått en ond aning om att han inte skulle klara sig och ville säga något till far – ett slags avsked? Nej – nej, Camilla, inte Michael. Om han kände mycket starkt för människor så behöll han det för sig själv. Jag tror inte heller att han skulle bry sig om 'onda aningar'. Han kände till riskerna och han gjorde aldrig något väsen av dem. Dessutom säger han att han vill visa far och mig någonting – här i Grekland."

"Kanske själva landet. Gud ska veta att det är tillräckligt spännande. Skulle inte din far ha varit intresserad av det?" Simon skrattade. "Han var också klassiskt bildad. Han hade varit här många gånger förut."

"Å. Jaså. Det förändrar ju saken."

"Jag skulle tro det. Nej, jag har nog rätt. Han hade hittat någonting, Camilla." En liten paus och så den där rysningen igen, som dog bort i en skälvning när Simon tillade med dov röst: "Jag är också ganska säker på att jag vet vad det var, men jag vill gärna få absolut visshet. Och till att börja med vill jag veta exakt var Michael dog och hur …"

Åter en paus. Han måste ha tänkt på mina yttranden om brevet, för han sade tankfullt: "Nej, jag vet att jag har rätt, det är så mycket som tyder på det. Fast det verkar lite underligt. Du kan ha rätt i det där om sinnesrörelse – men det skulle inte vara likt Mick. När man talade med honom verkade han vara den mest oberörda och nonchalanta människa i världen. Det tog en bra stund innan man gissade att han antagligen också var den mest hårdföra och självsäkra."

Som lillebror Simon ... Tanken kom så plötsligt och tydligt att jag för ett hemskt ögonblick fruktade att jag hade sagt det högt. Och jag hade en obehaglig känsla av att han visste precis vad jag tänkte.

Jag sade hastigt och idiotiskt: ”Nu är vi i Arákhōva.”

Det var ett allt annat än nödvändigt påpekande. Vi var redan tätt omgivna av husväggarna, och de färgade mattorna – som alltjämt hängde ovanför de starkt upplysta butikerna – strök nästan mot bilens sidor. Några åsnor vandrade fritt omkring på gatan, befriade från rep och sadel. Jag såg en get på någons trädgårdsmur. Den gav oss en ondskefull, glänsande blick innan den hoppade ut bland skuggorna och försvann. Det var den välbekanta lukten av damm och gödsel och bensinångor och vindrägg.

Simon parkerade bilen på den plats där den hade stått samma eftermiddag. Han stannade motorn och vi steg ur. Vi promenerade tillbaka till den branta gränd där jag såg honom första gången. Mittemot foten av den låg ett av bykaféerna med ett dussintal bord i ett vitmenat rum öppet mot gatan. De flesta av borden var upptagna. Männen iakttog oss – eller det var snarare så att de inte tittade på mig. Alla iakttog Simon.

Han stannade vid foten av gränden och höll ena handen under min armbåge. Jag såg den där flyktiga, vaksamma blicken glida över grupperna av mörkhyade män, dröja vid dem en sekund och sedan lämna dem. Han log ner mot mig.

”Upp här”, sade han, ”och se dig noga för. Trappstegen är förrädiska och åsnorna har lagt ut några extra naturliga hinder. Stephanos bor naturligtvis allra högst upp.”

Jag tittade upp. Gränden var ungefär en meter bred och gick i en brant stigning. Det var alltför långt mellan trappstegen och de var gjorda av vassa block från Parnassos med ett minimum av kanthuggning. Åsnorna - en hjord välmående åsnor - hade gått den vägen många gånger. Det fanns en enda svagt lysande lykta halvvägs upp.

Av någon anledning kom jag i det ögonblicket att undra över vad jag egentligen hade givit mig in i. ELAS, Stephanos, en man som hette Michael som hade dött på Parnassos och låg och vittrade till jord igen ovanför Delfi ... Allt detta som en blixt från klar himmel och nu en liten brant mörk gränd och trycket av Simons hand mot min arm. Jag undrade intensivt vad vi skulle få veta av Stephanos.

Och plötsligt visste jag att jag inte ville höra det.

"*Avanti*", sade Simon bredvid mig och lät road.

Jag sköt feghetskänslan åt sidan och började gå uppför gränden.

VI

... Sök
din broder med ett budskap som måste höras
hur motbjudande det än må vara.

EURIPIDES: Elektra

Stephanos' hus var en liten tvåvåningsbyggnad högst uppe på toppen av trappan. Bottenvåningen vette direkt ut mot gränden och inrymde djuren - en åsna och två getter och en kacklande skock utmärglade hönor - medan en stentrappa ledde uppför ytterväggen till övervåningen där familjen bodde. Där trappan slutade fanns en bred plattform av betong som tjänade både som balkong och trädgård. Den låga balustraden var belamrad med krukor fulla av grönt och ovanför gick ett gallerverk av grova grenar som bildade en pergola för vinrankorna. Jag såg Simon böja sig ner för att undvika en dignande gren, och en nedhängande vindruvsklase strök förbi min kind med en sval och lätt beröring. Den övre dörrhalvan stod öppen och ljuset strömmade ut och förgyllde vinrankornas klängen. Det kom en varm, oljig doft från familjens kvällsmåltid, blandad med odören av get och åsna och den luddiga mysklukten av pelargonia när jag råkade stryka handen mot en av blomkrukorna.

Man hade hört oss komma uppför trappan. När vi gick över plattformen öppnades den nedre dörrhalvan och den stora gestalten av en gammal man avtecknade sig mot det svaga ljuset inifrån.

Jag stannade. Simon var bakom mig, alltjämt i skuggan. Jag steg åt sidan för att låta honom komma förbi och han gick fram med utsträckt hand och sade några hälsningsord på grekiska. Jag såg den gamle mannen stelna medan han kikade ut. Munnen öppnades som till ett ofrivilligt utrop, sedan tycktes han dra sig tillbaka en aning. Han sade formellt: "Broder till Michael, var välkommen. Husets kvinna sa att ni skulle komma i kväll."

Simon drog tillbaka handen, som den gamle mannen inte hade låtsats om, och sade lika högtidligt: "Jag heter Simon. Det gläder mig att få träffa er, *Kyrie* Stephanos. Detta är *Kyria* Haven, en vän som har kört mig hit i sin bil."

Den gamle mannens blick bara snuddade vid mig. Han böjde på huvudet och sade långsamt: "Ni är båda välkomna. Var så vänliga och stig in."

Han vände sig om och gick in i rummet.

Jag bör kanske framhålla här att detta och det mesta av den följande konversationen fördes på grekiska och att jag därför inte förstod någonting. Men efteråt översatte Simon allting för mig så exakt som möjligt och under samtalets gång kunde jag följa det som jag kanske kan kalla dess emotionella förlopp. Så jag återger samtalet som det förlöpte.

Redan av den första korta introduktionen på balkongen verkade det uppenbart att vi inte var precis varmt välkomna, och det förvånade mig. Under mitt uppehåll i Grekland hade jag sett så mycket av den vidunderliga grekiska gästfriheten att jag blev både förvirrad och skrämd. Jag brydde mig inte om att Stephanos inte hade talat till mig – jag var ju i alla fall bara kvinna och hade som sådan ganska låg social ställning – men det var fullt avsiktligt som han hade nonchalerat Simons framsträckta hand och hans gest nu när han bjöd oss att följa med honom in var långsam och (verkade det) motvillig.

Jag tvekade och kastade en villrådig blick på Simon.

Han tycktes inte vara det minsta förbryllad. Han höjde bara på ena ögonbrynet och väntade på att jag skulle gå före honom in i huset.

Husets enda vardags- och sovrum var fyrkantigt och högt i tak. Brädgolvet var renskurat och på de vitkalkade väggarna hängde tavlor med religiösa motiv i hemska färger. Ljuset kom från en enda, naken glödlampa. I ett hörn fanns en gammalmodig spis och ovanför den hyllor för kokkärl och ett blått förhänge, bakom vilket säkerligen dolde sig mat och lergods. Mot en vägg stod en väldig säng, som nu var täckt med en brun filt och tydligen användes som soffa på dagen. Ovanför sängen hängde en liten ikon av jungfru Maria och barnet, belyst av en liten röd glödlampa. En skänk i till synes viktoriansk stil, ett skurat bord, ett par köksstolar och en bänk överdragen med billig vaxduk utgjorde resten av möblemanget. På brädgolvet låg en matta som var ett färgglatt inslag. Det var en ortens produkt, vävd i klarrött och papegojgrönt. Rummet gav ett intryck av stor fattigdom och nästan våldsam renlighet.

En gammal kvinna satt nära spisen på en av de hårda stolarna. Jag antog att det var Stephanos' fru – husets kvinna. Hon var svartklädd och till och med inomhus bar hon den där huvudduken som även beslöjar mun och haka och ger åkerarbetarna i Grekland ett så österländskt utseende. Nu drog hon ner den nedanför hakan och jag kunde se hennes ansikte. Hon såg mycket gammal ut, som bondkvinnorna i de varma länderna gör. Hon hade fin och regelbunden ansiktsform, men huden hade torkat till otaliga rynkor och tänderna hade ruttnat. Hon log mot mig och gjorde skyggt en välkomnande gest med handen, som jag besvarade med en sorts bugning och ett förläget ”God afton” på grekiska medan jag satte mig på den stol hon anvisade. Hon gjorde inte någon ytterligare ansats till att välkomna oss och jag lade märke till att hennes blick som svar på Simons hälsning var orolig, nästan skrämd. Hennes knotiga händer rörde sig i knäet och hon tittade ner på dem och lät sedan blicken vila på dem hela tiden.

Simon hade slagit sig ner på den andra stolen nära dörren och den gamle mannen satte sig på bänken. Jag märkte att jag stirrade på honom. Han var en så karakteristisk del av mytens rike att han kunde ha kommit direkt från Homeros. Hans ansikte var brunhyat och rynkigt som kvinnans och hade ett patriarkaliskt och välvilligt utseende. Det vita håret och skägget var krulliga som på den store Zeus på museet i Aten. Han var klädd i en sorts lång, urblekt blå tunika, som var tätt knäppt framtill och nådde honom till låren; under den hade han något som såg ut som vita ridbyxor av bomull, hopknutna vid knäna med svarta band. På huvudet hade han en liten svart kalott. De knotiga, kraftiga händerna såg ut som om de var vilsna utan en herdestav att gripa om.

Han såg på Simon under buskiga vita ögonbryn och ignorerade mig. Blicken var allvarlig och – tyckte jag – forskande. Den gamla kvinnan satt tyst i hörnet bredvid mig. Jag kunde höra djuren röra sig under oss och hörde de snabba stegen av någon som kom uppför gränden från gatan.

Stephanos hade just öppnat munnen för att tala när det blev ett avbrott. De snabba stegen utanför kom springande uppför stentrappan. En yngling rusade över balkongen och stannade i dörröppningen med ena handen på dörrposten och den andra nedstucken innanför byxlinningen. Det var en mycket dramatisk pose och det var en mycket dramatisk ung man. Han var ungefär aderton år, mager och brunhyad och stilig med tjocka svarta lockar och livfullt, upphetsat ansikte. Han var klädd i gamla randiga flanellbyxor och den grällaste och hemskaste teddy-boy-skjorta som jag någonsin har sett.

Han sade: "Farfar? Har han kommit?"

Så fick han syn på Simon. Han tycktes över huvud taget inte lägga märke till mig, men jag började bli van vid det och satt bara tyst som husets kvinna. Pojken gav Simon ett förtjust leende, åtföljt av en hastig ström av grekiska ord, som avbröts av farfadern som sade förebrående: "Vem har bett dig komma, Niko?"

Niko svängde runt mot honom. Alla hans rörelser var snabba som hos en graciös men orolig ung katt. "Jag fick veta på Lefteris att han hade kommit igen. Jag ville se honom."

"Och nu ser du honom. Sätt dig och var tyst, Niko. Vi har mycket att säga."

Jag såg Niko kasta en snabb, värderande blick på Simon. "Har du talat om det för honom?"

"Jag har inte talat om någonting för honom. Sitt ner och var tyst."

Niko vände sig om för att hörsamma uppmaningen men hans blick hängde kvar vid Simon. De mörka ögonen blänkte av något som kunde ha varit upphetsning blandad med munterhet – eller till och med illvilja. Simon mötte hans blick med den där masken av likgiltighet som jag började lära känna. Han hade tagit fram sitt cigarrettetui och nu kastade han en blick på mig. Jag skakade på huvudet. ”Niko?” Pojken sträckte fram handen, hejdade sig och drog tillbaka den igen och gav Simon ännu ett strålande leende. ”Nej tack, *kyrie*.” En blick på farfadern, sedan gick han fram till den stora sängen och slängde sig på den. Simon tog upp sin tändare, tände en cigarrett med viss sävlighet och stoppade noga tillbaka tändaren i fickan innan han vände sig mot Stephanos.

Denne satt orörlig. Han sade fortfarande ingenting. Tystnaden återkom, tung, laddad, och pojken vred oroligt på sig borta på sängen. Hans blick lämnade aldrig Simons ansikte. Kvinnan bredvid mig hade inte rört på sig, men när jag tittade förstulet på henne såg jag hennes blick snegla åt sidan och möta min, bara för att åter snabbt riktas mot händerna i knäet liksom i vild förlägenhet. Jag insåg då att hon i smyg hade studerat min klänning, och jag blev plötsligt varm om hjärtat när det gick upp för mig att Stephanos också var förlägen.

Simon hade kanske också anat det, för han väntade inte på Stephanos utan började tala otvunget för att få i gång samtalet.

”*Kyrie* Stephanos, det gläder mig mycket att äntligen få träffa er och kvinnan i ert hus. Min far och jag skrev till er för att tacka er för vad ni gjorde för min bror men – ja, brev kan inte uttrycka allt. Far är död nu men jag talar för honom också när jag nu tackar er igen. Ni förstår nog att det inte alltid är möjligt att ge ord åt allt man känner – allt det som man skulle vilja säga – men jag tror ni förstår vad jag känner och vad min far kände.” Han vred på huvudet och log mot kvinnan. Hon log inte tillbaka. Jag tyckte hon gav ifrån sig ett litet ljud som av smärta och hon skruvade på sig i stolen. De tunna läpparna rörde sig häftigt och fingrarna kramade om varandra i ett hårt grepp.

Stephanos sade nästan bryskt: "Ni ska inte säga någonting, *kyrie*. Vi gjorde bara vad vi borde göra."

"Det var sannerligen en hel del", sade Simon vänligt. "Ni kunde inte ha gjort mer om han så hade varit er son." En hastig blick på den gamla kvinnan. "Jag ska inte säga mycket om det, *kyria*, för det är minnen som ni säkert inte vill återuppliva; och jag ska försöka låta bli att ställa frågor som kan plåga er. Men jag var tvungen att komma hit och tacka er, å mina egna och min fars vägnar - och för att se det hus där min bror Michael fann vänner under sina sista dagar." Han gjorde en paus och såg sig långsamt omkring. Det blev tyst igen. Under oss krafsade djuren och ett av dem fnyste. Det fanns ingenting att läsa i Simons ansikte, men jag såg pojkens glittrande blick på honom igen innan den liksom otåligt riktades mot farfadern. Men Stephanos sade ingenting.

Till slut sade Simon: "Det var alltså här."

"Det var här, *kyrie*. Här nere bakom krubban är det ett hål i väggen. Han gömde sig där. De fördömda tyskarna tänkte inte på att titta bakom halmsäckarna och gödseln. Vill ni att jag ska visa er stället?"

Simon skakade på huvudet. "Nej. Som jag sa vill jag inte påminna er om det där. Och jag tror inte att jag behöver fråga er så mycket om det, eftersom ni berättade det mesta för oss i brevet som *papa* skrev åt er. Ni berättade att Michael hade blivit sårad i axeln och hade sökt skydd här och att han efter - senare återvände upp i bergen."

"Det var strax före gryningen", sade den gamle mannen, "den andra oktober. Vi bad honom stanna hos oss, för han var inte frisk ännu och det fuktiga vädret kommer tidigt i bergen. Men det ville han inte. Han hjälpte oss begrava min son Nikolaos och sen försvann han." Han nickade bort mot den spänt uppmärksamme ynglingen på sängen. "Det var ju han där också, förstår ni, och hans syster Maria, som numera är gift med Georgios som har en butik i byn. När tyskarna kom var barnen ute på åkern med sin mor. Man vet ju aldrig, de kunde kanske också ha blivit dödade. *Kyrie* Michael ville inte stanna med tanke på dem. Han gav sig upp i bergen."

"Ja. Och några dagar senare blev han dödad. Ni hittade hans lik någonstans mellan Arákhōva och Delfi och ni tog det med er för att begrava det."

"Det stämmer. Och det jag hittade hos honom gav jag efter tre veckor till Perikles Grivas och han tog det med sig till en engelsman som skulle resa från Galaxidion på natten. Men det vet ni."

"Ja, det vet jag. Jag vill att ni ska visa mig var han dödades."

Det blev en kort tystnad. Pojken Niko betraktade Simon utan att blinka. Jag lade märke till att han hade tagit fram en av sina egna cigarretter och rökte den.

Den gamle mannen sade tungt: "Det ska jag naturligtvis göra. I morgon?"

"Om det passar."

"Det passar mig om det passar er."

"Ni är mycket god."

"Ni är Michaels broder."

Simon sade stillsamt: "Han var här länge, inte sant?"

Kvinnan bredvid mig rörde plötsligt på sig och sade med klar, låg röst: "Han var min son." Jag såg med oro och smärta att det var tårar på hennes kinder. "Han skulle ha stannat här", sade hon och upprepade det sedan nästan desperat: "Han skulle ha stannat här."

Simon sade: ”Men han var tvungen att ge sig i väg. Hur skulle han kunna stanna kvar och utsätta er och er familj för den faran igen? När tyskarna kom tillbaka –”

”De kom inte tillbaka.” Det var Niko som sade det, klart och tydligt, bortifrån sängen.

”Nej.” Simon vred på huvudet. ”Därför att de hittade Michael i bergen. Men om de inte hade hittat honom – om han hade kunnat hålla sig gömd där hela tiden – skulle de kanske ha kommit tillbaka till byn och då –”

”De hittade honom inte”, sade den gamle mannen.

Simon vände sig häftigt om. Stephanos satt orörlig på bänken med knäna isär, händerna knäppta mellan dem och den tunga kroppen lätt framåtböjd. Hans ögon såg outgrundligt mörka ut under de vita ögonbrynen. De två männen stirrade på varandra. Jag märkte att jag skruvade på mig på den hårda stolen. Det var som om scenen utspelades i ultrarapid, tyst och obegriplig, och ändå laddad med känslor som slet i nerverna.

Simon sade långsamt: ”Vad är det ni försöker tala om för mig?”

”Bara det att Michael inte dödades av tyskarna”, sade Stephanos. ”Han dödades av en grek.”

”Av en grek?” upprepade Simon nästan i förfäran.

Den gamle mannen gjorde en gest som kunde ha kommit direkt från ”Konung Oidipus”. På mig, som fortfarande inte förstod någonting annat än att männens samtal hade en överton av tragedi, gjorde den ett besynnerligt starkt intryck av resignation och skam.

”Av en man från Arákhōva”, sade han.

Det var i det ögonblicket ljuset tog sig för att slockna.

Grekerna var tydligen vana vid det elektriska systemets nycker. I en handvändning hade den gamla kvinnan tagit fram och tänt en oljelampa och ställt den på bordet mitt i rummet. Det var en hemsk lampa av någon billig, glänsande metall, men den brann med ett milt, aprikosfärgat sken och gav ifrån sig en sötaktig lukt av olivolja. Nu när de mörka skuggorna föll på Stephanos' ansikte liknade han mer än någonsin en tragisk skådespelare. Niko hade vänt sig på magen och iakttog de två andra männen med lysande ögon, som om det verkligen var fråga om ett skådespel. För honom var antagligen faderns död något så avlägset att det här pratet om den bara var som en fläkt från ett spännande förflutet.

Simon sade: ”Jag – jaså. Det förklarar en hel del. Och ni vet förstås inte vem som gjorde det.”

”Jo, det vet vi visst det.”

Simons ögonbryn åkte upp. Den gamle mannen log bistert. ”Ni undrar naturligtvis varför vi inte har dödat honom, *kyrie*, eftersom vi kallade Michael vår son?”

Niko sade bortifrån sängen med en blid röst som avgjort var maliciös: ”Det är inte engelsmännens sätt att arbeta, farfar.”

Simon blängde hastigt på honom men sade stillsamt till Stephanos: ”Inte precis. Jag undrar bara vart han har tagit vägen. Jag antar att han lever.”

”Jag ska förklara. Men först måste jag tala om att mannen hette Dragoumis. Angelos Dragoumis.”

”Angelos?”

Den gamle mannen nickade. ”Ja. Ni vet förstås vem det är. Jag berättade för er i brevet som *papa* skrev åt mig att Michael hade arbetat tillsammans med honom. Men jag skulle aldrig har berättat det här om Angelos om ni inte hade kommit. Nu när ni är här kan det inte döljas längre. Det är er rätt att få veta det.”

Simon fimpade omsorgsfullt cigarretten på en tändsticksask. Hans ansikte var orörligt och slutet, ögonen dolda. Jag såg Niko vända på sig igen på sängen och flina för sig själv.

”Ni vet att Angelos var ledare för den ELAS-trupp som Michael arbetade tillsammans med”, sade Stephanos. ”När Michael gav sig i väg härifrån tror jag att han tänkte förena sig med dem igen. De hade skingrats när den stora tyska spaningsoperationen satte i gång i bergen och de flesta av dem hade gett sig norr ut, även Angelos. Jag vet inte vad som förde Angelos tillbaka till de här trakterna, men han stötte i alla fall ihop med Michael uppe på Parnassos och mördade honom där.”

”Varför?”

”Det vet jag inte. Jag vet bara att såna mord var vanliga på den tiden. Det kan hända att Michael och Angelos hade grälat om hur krigföringen skulle skötas. Michael körde kanske för hårt med honom; vi vet nu att Angelos gick in för att spara sina män och sin materiel till en annan kamp senarenär tyskarna hade gett sig i väg.”

Jag såg Simon häftigt titta upp med ett spänt uppmärksamt uttryckt i de ljusgrå ögonen. ”Var Angelos en av dem? Är ni säker på det?”

”Absolut. Han spelade ett högt spel, den där Angelos Dragoumis. Han var i Aten kort efter det att tyskarna hade lämnat Grekland och vi visste att han deltog i massakern vid Kalamai. Jo då, det är absolut säkert att han förrådde de allierade hela tiden.”

Han log matt. ”Jag tror inte att Michael kan ha vetat om det. Nej, det här var något annat gräl. Det kan helt enkelt ha varit det att två såna män inte kunde samarbeta och komma överens. Angelos var ond, genomusel, och Michael tyckte inte om att behöva arbeta tillsammans med en sån människa. De hade grälat förut.

Det talade han om för mig. Angelos var övermodig och tyrannisk och Michael – ja, Michael var inte heller den som gav sig."

"Det är sant." Simon tog en cigarrett till. "Men ni sa att han mördades. Om två män grälar och det blir slagsmål så är det inte mord."

"Det var mord. Det var slagsmål men det gick inte ärligt till. Kom ihåg att Michael var sårad."

"Men ändå ..."

"Han träffades bakifrån först av en sten eller en pistolkolv. Han hade ett stort märke i nacken och huden var avskavd. Det var ett under att slaget inte dödade honom eller bedövadet honom åtminstone. Men han måste ha hört Angelos bakom sig och vänt sig om, för trots förrädarens kraftiga slag bakifrån och Michaels sårade axel blev det en strid. Michael var – illa tilltygad."

"Jag förstår." Simon tände cigarretten. "Hur dödade Angelos honom? Jag antar att han inte använde skjutvapen. Med kniv?"

"Nacken var bruten på honom."

Tändaren stannade ett par centimeter från Simons cigarrett. De grå ögonen mötte den gamle mannens blick. Jag kunde inte se uttrycket i dem där jag satt, men jag såg Stephanos nicka en gång, som man kunde tänka sig att Zeus skulle ha nickat. Nikos ögon smalnade plötsligt och glänste under de långa ögonfransarna. Tändaren nådde fram till cigarretten. "Det måste ha varit ett ordentligt slagsmål", sade Simon.

"Det borde inte ha varit lätt att döda honom", sade den gamle mannen. "Men med den sårade axeln och slaget i huvudet ..."

Rösten dog bort. Han tittade inte på Simon nu; han tycktes se något bortom rummets belysta väggar; något avlägset i tid och rum.

Det blev en paus. Simon blåste ut ett långt moln av tobaksrök.

”Jaha”, sade han. ”Och den där Angelos – hur gick det med honom sen?”

”Det kan jag inte tala om. Han har naturligtvis inte kommit tillbaka till Arákhōva. Det sas att han och många av hans gelikar gav sig i väg till Jugoslavien när de misslyckades med att ta makten. Ingen har hört av honom på fjorton år och antagligen är han död. Han hade bara en släkting, en kusin som heter Dimitrios Dragoumis, men han har inte hört något ifrån honom.”

”En kusin? Här?”

”Dragoumis bor i Itéa nu. Han kämpade också i Angelos' trupp men han var inte någon ledare och – tja, en del saker är bäst att glömma.” Den gamle mannens röst blev strävare. ”Men det som Angelos gjorde mot de sina, det ska inte glömmas. Han var med vid Kalamai; det påstås att han var vid Pýrgos också där många hundra greker dog, bland andra min egen kusin Panos, en gammal man.” De knotiga händerna rörde sig konvulsiviskt i hans knä. ”Men det kan göra detsamma nu ... Jag talar emellertid inte bara om hans politiska ståndpunkt, *Kyrie* Simon, eller ens om vad såna som han gör i krig. Han var ond, *kyrie*, han njöt av plågor och olyckor. Han tyckte om att se smärta. Han tyckte mest om att göra barn och gamla kvinnor illa, och han skröt som Ares över hur många människor han själv hade dödat. Han kunde sticka ut ögonen på en man – eller en kvinna – och le medan han gjorde det. Alltid det där leendet. Han var en ond människa och han förrådde Michael och mördade honom.”

”Men om han inte har varit här sen min bror dog, hur kan ni då vara säker på att han mördade honom?”

”Jag såg honom”, sade den gamle mannen enkelt.

”Såg ni honom?”

”Ja. Det var inget tvivel om att det var han. När jag överraskade dem vände han om och sprang. Men jag kunde inte följa efter honom." Han tystnade och det blev åter en av de där små hemska, laddade pauserna. "Michael levde nämligen fortfarande."

Jag såg Simons blick fara upp igen och möta hans. Den gamle mannen nickade. "Ja. Han levde bara någon minut till. Men det var tillräckligt för att hålla mig kvar där och låta Angelos komma undan."

"Gjorde inte Angelos något försök att anfalla er?"

"Nej. Han hade också blivit illa tilltygad." Det var en viss tillfredsställelse i den gamle herdens blick. "Michael dog långsamt trots slaget i nacken. Angelos skulle kanske ha skjutit mig men senare hittade jag hans pistol under en sten. Det verkade som om den hade kastats dit under striden. Det vimlade nämligen av tyskar i trakten och han måste ha räknat med att döda Michael tyst sen han hade bedövat honom, men han var för långsam eller fumlig och Michael lyckades kasta sig över honom. När jag kom till toppen av klippan och såg dem nedanför mig höll Angelos just på att resa sig upp. Han vände sig om för att titta efter pistolen men min hund anföll honom och det var med knapp nöd han kunde klara sig undan. Utan pistolen kunde han inte göra något." Han torkade sig om munnen med baksidan av den knotiga bruna handen. "Jag tog Michael med mig ner till Delfi. Det var det närmaste. Och det var allt."

"Sa han ingenting?"

Stephanos tvekade och Simons blick blev skarpare. Stephanos skakade på huvudet. "Det var ingenting, *kyrie*. Om det hade varit någonting skulle jag ha tagit med det i brevet."

"Men han sa något i alla fall?"

"Ett ord. Han sa: Körsvennen."

Ordet var "*o eniochos*" och det var klassisk, inte modern grekiska. Det var också välbekant för mig, liksom för många besökare i Delfi, för det syftar på den berömda bronsstatyn i Delfimuseet. Det är statyn av en yngling, Körsvennen, iförd en stelt veckad klädnad, som i händerna alltjämt håller tömmarna till sina försvunna hästar. Jag kastade en blick på Simon och undrade var någonstans Körsvennen passade in bredvid namnen Angelos och Michael.

Simon såg lika förbryllad ut som jag. ”Körsvennen? Är ni säker på det?”

”Jag är inte alldeles säker. Jag hade sprungit fort nerför stigen till foten av klippan och var andfådd och mycket upprörd. Han levde bara några sekunder sen jag hade kommit fram till honom. Men han kände igen mig och jag tyckte det var det han sa. Det är ett klassiskt ord, men det är förstås välbekant eftersom det används om statyn i Delfimuseet. Men varför Michael skulle försöka säga något om den kan jag inte fatta. Om det nu verkligen var det han viskade.” Han rätade lite på ryggen. ”Jag upprepar att jag skulle ha talat om det för er om jag hade varit säker på det eller om det hade betytt någonting.”

”Varför berättade ni aldrig det här om Angelos?”

”Det var slut då och han hade gett sig i väg och det var bäst att låta Michaels far tro att han hade dött i en strid och inte för en förrädares hand. Dessutom”, tillade Stephanos okonstlat, ”skämdes vi”.

”Det var så pass mycket slut”, sade Simon, ”att när Michaels bror kommer till Arákhōva för att få reda på hur hans bror dog så undviker männen i Arákhōva honom och hans värd vill inte ta honom i hand.”

Den gamle mannen log. ”Nå ja. Det är kanske inte över då. Skammen kvarstår.”

”Skammen är inte er.”

”Den är Greklands.”

”Mitt land har gjort ett par saker helt nyligen som uppväger det där, Stephanos.”

”Politik!” Han gjorde en gest som mycket tydligt uttryckte vad han önskade att man skulle göra med alla politiker och Simon skrattade. Liksom på en signal reste sig den gamla kvinnan, drog undan det blå förhänget och tog fram ett stort stenkrus. Hon ställde glas på bordet och började hälla upp det mörka söta vinet. Stephanos sade: ”Då vill ni kanske dricka med oss?”

”Med största nöje”, sade Simon. Den gamla kvinnan räckte honom ett glas, sedan Stephanos, Niko och sist mig. Hon tog inte något själv utan stod kvar på golvet och iakttog mig med ett slags skygg tillfredsställelse. Jag smuttade på vinet. Det var mörkt som mavrodaphne och smakade körsbär. Jag log mot henne över glaset och sade trevande på grekiska: ”Det är mycket gott.”

Hennes ansikte klövs av ett brett leende. Hon nickade med huvudet och upprepade förtjust: ”Mycket gott, mycket gott”, och Niko vände sig om på sängen och sade på engelska med amerikansk brytning: ”Talar ni grekiska, miss?”

”Nej. Bara några få ord.”

Han vände sig till Simon. ”Hur kommer det sig att ni talar grekiska så bra då?”

”Min bror Michael lärde mig en del när jag var yngre än ni. Sen fortsatte jag att läsa grekiska. Jag visste att jag skulle komma hit en dag.”

”Varför har ni inte kommit förr?”

”Det kostar för mycket, Niko.”

”Och nu är ni rik, va?”

”Jag klarar mig.”

"Oriste?"

"Jag har tillräckligt, menar jag."

"Jag förstår." De mörka ögonen vidgades i en klar blick. "Och nu har ni kommit hit. Ni har fått veta det här om Angelos och er bror. Vad skulle ni säga om jag berättade något annat för er, *kyrie?*"

"Vad då?"

"Att Angelos fortfarande lever?"

Simon sade långsamt: "Ska det vara sant det?"

"Han har blivit sedd på berget nära Delfi."

"Va? Nyligen?" sade Simon skarpt.

"Ja då." Han gav honom det där bländande, maliciösa leendet. "Men det var kanske bara en vålnad. Det finns vålnader på Parnassos, *kyrie*, ljus som rör sig och röster som hörs tvärsöver klipporna. Det finns folk som ser och hör sånt där. Men inte jag. Det kanske är de gamla gudarna, va?"

"Möjligen", sade Simon. "Är det sant, Niko? Att Angelos har blivit sedd?"

Niko ryckte på axlarna. "Hur kan jag veta det? Det var Janis som såg honom och Janis är –" Han gjorde en menande gest åt pannan. "Angelos dödade hans mor när *andartes* brände deras gård och ända sen dess har Janis varit konstig i huvudet och har 'sett' Angelos – å, många gånger. Om vålnader är verkliga så vandrar han fortfarande på Parnassos. Men Dimitrios Dragoumis – han är i högsta grad verklig. Han har frågat mycket om er. Alla här i Arákhōva vet att ni har kommit och de pratar om det och undrar – men Dragoumis har varit både i Delfi och i Arákhōva och ställt frågor – å, en massa frågor."

"Hur ser han ut?"

"Han liknar sin kusin lite. Inte i ansiktet men till kroppsbyggnaden. Och inte till sinnelaget." Han såg oskuldsfull ut. "Det kan hända att ni träffar Dragoumis. Men var inte rädd för honom. Och oroa er inte för Angelos, *Kyrie* Simon."

Simon log. "Ser jag ut som om jag var orolig?"

"Nej", sade Niko uppriktigt, "men så är han ju död också."

"Och om Janis har rätt och han inte är död?"

"Jag tror", sade Niko nästan fräckt, "att ni bara är engelsman, *Kyrie* Simon. Inte sant?"

"Än sen då?"

Niko gav till ett litet lustigt, skrockande skratt och rullade runt på sängen. Stephanos sade plötsligt och argt på grekiska: "Niko, uppför dig hyfsat. Vad säger han, *Kyrie* Simon?"

"Han tror inte att jag kan klara mig mot Angelos", sade Simon i lätt ton. "Se här, Niko." Han kastade en cigarrett till pojken. Niko fångade upp den med en elegant gest. Han skrattade fortfarande. Simon vände sig till Stephanos: "Tror ni det är sant att Angelos har blivit sedd här i trakten?"

Den gamle herden blängde ilsket på sonsonen under sina vita ögonbryn. "Jaså, han har berättat det för er? Det är bara ett rykte som sattes i gång av en idiot som har sett Angelos minst ett dussin gånger sen kriget slutade. Ja, och tyskar också, många gånger. Bry er inte om det struntpratet."

Simon skrattade. "Men ljusen och rösterna på Parnassos då?"

Stephanos sade: "Om man går upp på Parnassos efter solnedgången, varför skulle man då inte se underliga saker? Gudarna vandrar fortfarande där och den är en idiot som inte går försiktigt i gudarnas land." Ännu en ilsket blängande blick på sonsonen. "Du har lärt dig en massa dumheter i Aten, Niko. Och den där skjortan är förfärlig."

Niko satte sig häftigt upp. ”Det är den visst inte!” protesterade han stött. ”Den är amerikansk!”

Stephanos fnyste och Simon log. ”Hjälp till Grekland?”

Den gamle mannen lät höra ett skrovligt, brummande skratt. ”Han är inte någon dålig pojke, *kyrie*, även om Aten har fördärvat honom. Men nu har han kommit hem för att arbeta och jag ska nog göra karl av honom. Ge *Kyrie* Simon lite mer vin.” Det var riktat till hustrun, som skyndade sig att fylla på Simons glas.

”Tack”, sade Simon och tillade i en annan ton: ”Är det sant att den här Dragoumis har frågat en hel del om mig?”

”Det är sant. När det hade blivit känt att ni skulle komma frågade han om allt möjligt – när ni skulle komma, hur länge ni skulle stanna, vad ni tänkte göra, och allt det där.” Han log bistert. ”Men jag talar inte mycket med den mannen.”

”Men varför? Varför är han så intresserad? Tror ni han hade något med Michaels död att göra?”

”Han hade ingenting med den saken att göra. Så mycket fick vi reda på efter kriget, innan han kom tillbaka hit. Annars skulle han inte ha vågat komma tillbaka. Nej, han visste ingenting om det. En gång förut, för ett år – nej mer – arton månader sen, talade han med mig och frågade vad som hade hänt och var Michael hade dödats. Han visade uppriktig skam och talade väl om Michael; men jag talar inte om mina söner med vem som helst. Jag vägrade att tala om det. Och det var ingen annan som kände till hela sanningen utom prästen i Delfi, som är död nu, och min egen bror Alkis, som dödades under kriget.”

”Och nu jag.”

”Och nu ni. Jag ska ta er med dit i morgon och visa er platsen. Det har ni rätt till.”

Han tittade begrundande upp på Simon under de vita ögonbrynen. Sedan sade han långsamt, till synes omotiverat: ”*Kyrie* Simon, jag tycker att ni är mycket lik Michael. Och Niko – Niko är en ännu större idiot än jag hade trott ...”

VII

Oraklet stumt nu står
    ej röst, ej viskning går
    inunder takets valv med ord som villar
    Apollons helgedom
    på siarord är tom …

MILTON: Hymn till Kristi födelse

Simon sade ingenting på vägen tillbaka till Delfi, så jag satt tyst bredvid honom och undrade vad som hade sagts under det där dystra och på något sätt mycket overkliga samtalet. Ingenting av det som Stephanos – exotiskt homerisk – hade sagt kunde ha varit alldagligt, och i Nikos eldighet, intelligens, och skönhet var det något karakteristiskt grekiskt – något kvicksilveraktigt som är lika påtagligt i dag under den billigt amerikaniserade grannlåten som det var i de klassiska vasmålningarnas svarta och röda ornament.

När vi till slut närmade oss Delfi och träden tätnade ovanför vägen och utestängde stjärnljuset saktade Simon farten, körde ut på en plats där vägen var breddad och stannade. Han stängde av motorn. Genast fylldes luften av ljudet av rinnande vatten. Han släckte ljusen och de mörka träden trängde sig närmare. Jag kände lukten av barrträd, sval och frän. Träden tornade upp sig tätt i stjärnljuset, rad på rad av doftande pinjer som skockades upp mot klyftan där vattnet rann upp. Bortom träden höjde sig de mörka konturerna av väldiga klippor, Faidriaderna, De lysande, som inte längre var lysande utan var som tinnar och torn av framskjutande mörker.

Simon tog fram cigarretterna och bjöd mig. ”Hur mycket av det där förstod du?”

”Ingenting alls, utom det att ni talade om Michael och ELAS-ledaren Angelos.” Jag log. ”Jag förstår nu varför du inte hade något emot att dra in mig i dina privata affärer.”

Han sade bryskt: ”Det har tagit en mycket underlig vändning.”

Jag väntade.

”Jag vill gärna berätta det för dig, om jag får.”

”Naturligtvis.”

Så vi satt där i bilen och rökte medan han gav mig en detaljerad skildring av vad som hade sagts i herdens hus. Mina egna synintryck av den nyss utspelade scenen var så levande att jag utan svårighet kunde lägga min bild ovanpå hans, så att säga, och se var känsloyttringarna och gesterna hade passat ihop med orden.

Jag sade ingenting när han hade slutat, och det av den enkla anledningen att jag inte kunde komma på något att säga. Instinkten som hade fått mig att stanna vid foten av den branta gränden hade visat sig vara riktig: jag hade kommit ut på för djupt vatten. Om jag hade känt mig otillräcklig förut – jag som hade varit rädd för en liten kontrovers om en hyrd bil – hur skulle jag då känna mig nu? Vem var jag att jag kunde erbjuda tröst eller ens säga något om mordet på en bror? Även om ett mord är fjorton år gammalt ligger det ett slags chock i själva ordet, för att inte tala om kännedomen om dådet, hur många år som än har förflutit mellan det och upptäckten. Jag kände inte Simon tillräckligt bra för att säga de rätta orden, så jag sade ingenting alls.

Själv gjorde han inga kommentarer sedan han hade berättat om samtalet med den där avslöja-ingenting-rösten som jag började känna nu. Jag undrade helt flyktigt om han skulle säga något mer om Michaels brev eller om "fyndet" som han själv hade sagt att han kände till ... Men han sade ingenting. Han slängde ut cigarrettstumpen i vägdammet och tydligen slängde han ut hela historien med den, för han hade helt ändrat både samtalsämne och ton när han sedan sade: "Ska vi ta en promenad genom ruinerna? Du har ju inte sett dem än och det är ingen dålig början att se dem i stjärnljus. Om du inte hellre vill vänta förstås och se dem ensam första gången?"

"Nej, jag går gärna dit nu."

Vi gick uppför den branta stigen mellan pinjerna. Nu när mina ögon hade vant sig vid mörkret kunde jag se något så när. Vi tog oss över det smala vattendraget och kom ut på en stig som var mjuk av barr.

Efter en stund kom vi ut från skogsområdet och in på en öppen plats där kullfallna stenblock gjorde det svårt att gå, och i stjärnljuset kunde jag svagt urskilja konturerna av sönderfallna murar.

"Den romerska marknadsplatsen", sade Simon. "Där borta var det butiker och så vidare. Efter Delfis måttstock är det här modernt, så det kan vi skynda oss förbi ... Nu är vi framme. Det här är porten in till tempelområdet. Trappstegen är branta men det går en bred jämn väg upp till själva templet. Kan du se?"

"Ganska bra. Det är verkligen – storslaget i månsken, inte sant?"

Svagt kunde jag urskilja den stenlagda väg som gick i sicksack upp mellan resterna av skattehus och monument. Tempelområdet verkade enormt i denna belysning. Överallt framför oss, längs bergssidan, nedanför bland pinjerna som kantade vägen, ovanför så långt ögat nådde i stjärnljuset, höjde sig den antika helgedomens söndriga murar, spöklika pelare, trappor och postament och altare. Vi gick långsamt uppför den heliga vägen. Jag kunde se den lilla doriska byggnad som en gång inrymde de dyrbara atenska skatterna, den kala sten där sibyllan satt och förutsade trojanska kriget, de smäckra pelarna i atenarnas samlingssal, konturerna av ett stort altare … Så hade vi kommit fram till själva templet, ett naket och söndervittrat stengolv halvvägs uppe på bergssidan, där det hölls på plats av sina massiva stödmurar och avgränsades av de sex stora kolonnerna, som till och med i mörkret avtecknade sig skarpt mot den stjärnbeströdda himlen.

Jag kippade efter andan.

Bredvid mig citerade Simon dämpat Stephanos: " 'Gudarna vandrar fortfarande där och den är en idiot som inte går försiktigt i gudarnas land.' "

"De *är* fortfarande här", sade jag. "Är det dumt av mig? Men det är de faktiskt."

"Tretusen år", sade han. "Krig, förräderi, jordbävning, slaveri, glömska. Och det finns folk som fortfarande ser dem här. Nej, det är inte dumt av dig. Det inträffar för alla med intelligens och fantasi. Det här är Delfi … Och vi är inte de första som hör triumfvagnens hjul. Långt därifrån."

”Det här är faktiskt den enda plats i Grekland där jag har hört dem. Jag har försökt inbilla mig saker och ting – å, du vet hur man gör. Men nej – ingenting. Inte ens på Delos. Det finns gengångare i Mykene men det är inte samma sak ...”

”Ynkliga människovålnader”, sade han ”Men här ... Om en plats som Delfi har varit religiöst centrum i – ja, hur många år? – ungefär tvåtusen år, så måste det antagligen finnas kvar någonting. Det bor kvar någonting i själva marmorn, det är jag övertygad om, och här finns det fortfarande kvar i själva luften. Landskapet bidrar också till den effekten: jag tror det måste vara ett av de mest storslagna i världen. Och det här är naturligtvis den perfekta inramningen för en helig plats. Kom så går vi in i templet.”

En ramp ledde upp till tempelgolvet, som var lagt med stora stenblock, av vilka en del var spruckna och farliga att gå på. Vi fortsatte försiktigt framåt tills vi stod vid kanten av golvet mellan kolonnerna. Nedanför oss hade vi den tvärbranta stödmuren; och nedanför denna den branta bergssidan och de utspridda heliga lämningarna. Den avlägsna dalen var en avgrund av mörker, uppfylld av nattvindens rörelser och pinjernas och olivträdens sorl.

Simons cigarrett glödde till bredvid mig och tonade bort. Jag såg att han hade vänt ryggen mot den avgrundslika dalen. Han lutade sig mot en kolonn och stirrade upp mot höjden bakom templet. Jag kunde inte se något annat där än trädens täta skuggor och mot dem de ljusare konturerna av klippor.

”Vad är det där uppe?”

”Det var där de hittade Körsvennen.”

Ordet återförde mig till nuet som om jag hade fått en liten elektrisk stöt. Den överväldigande upplevelsen av Delfi hade kommit mig att glömma att Simon måste ha annat att tänka på.

Jag tvekade, för det var i alla fall han som hade kopplat om från den historien till Delfis neutrala mark. Jag sade lite tafatt: ”Tror du Stephanos hade rätt? Begriper du någonting av det där?”

”Inte ett skvatt”, sade han muntert. Han drog tillbaka axeln från kolonnen. ”Kan du inte följa med upp till ateljén nu och träffa Nigel och få en kopp kaffe eller en drink?”

”Det vill jag gärna förstås, men är det inte väldigt sent?”

”Inte för det här landet. Efter vad jag förstår går ingen och lägger sig alls, utom på eftermiddagarna. Man får ta seden ... Är du trött?”

”Inte alls. Jag har en känsla av att jag borde vara det men jag är det inte.”

Han skrattade. ”Det är luften eller ljuset eller helt enkelt berusningen av att uppleva Hellas. Det håller i sig också. Då följer du med då?”

”Mycket gärna.”

Medan jag försiktigt klev över tempelgolvet med hans hand under min arm hade jag tid att känna förvåning över mig själv och en sorts resignation också. Här gick jag nu igen, tänkte jag ... Just på det här sättet hade jag drivit vidare på Philips befallning, i Philips kölvatten. Men det här var annorlunda. Exakt vari skillnaden bestod gav jag mig inte tid att analysera.

Jag sade: ”Ska vi inte gå ner till landsvägen? Varför åt det här hållet?”

”Vi behöver inte gå ner igen. Ateljén ligger ett stycke ovanför templet, alldeles ovanför bergsutsprånget mot Delfi. Det är lättare att gå upp genom resten av tempelområdet.”

”Men bilen?”

”Jag går och hämtar den sen när jag har följt dig till hotellet. Det är inte lång bit att gå därifrån. Hitåt ska vi och se dig för. Det är lättare här ... Den här trappan leder upp till den lilla teatern. Den där saken till höger uppfördes av Alexander den store efter det att han med nöd och näppe hade kommit undan med livet under en lejonjakt ... Här är teatern. Den är liten i jämförelse med den i Aten eller i Epidauros men är den inte en liten pärla?"

Det sönderfallna golvet såg slätt ut i stjärnljuset. De halvcirkelformiga raderna av sittplatser höjde sig till synes nya och obrutna mot bakgrunden av järnekar och cypresser; det var alldeles tyst i denna lilla spräckta marmorskål till teater, bortsett från det frasande ljudet från en torr kvist som vinden sopade fram över de tomma stenhällarna.

Jag sade impulsivt: "Du skulle väl inte vilja - nej, förlåt mig. Naturligtvis inte."

"Skulle vilja vad då?"

"Ingenting. Det var dumt av mig – under de här omständigheterna."

"De här omständigheterna? Jaså det. Bry dig inte om det. Du vill förstås höra någonting deklamerat på grekiska, om det så också bara är *thalassa! thalassa!* Var det det? ... Säg, vad är det?"

"Ingenting. Bara det att om du fortsätter att läsa mina tankar så där kommer du att bli en mycket obehaglig följeslagare."

"Du borde också öva dig i det."

"Det har jag inte fallenhet för."

"Det är kanske lika så gott."

"Vad menar du?"

Han skrattade. "Strunt i det. Hade jag rätt?"

"Ja. Och inte bara *thalassa*, är du snäll. Några versrader, om du kan komma på några. Jag hörde någon deklamera på teatern i Epidauros och det var som ett mirakel. Till och med en viskning hördes ända upp till de översta raderna."

”Det är likadant här”, sade han, ”fast inte så överväldigande. All right, om du vill så.” Han trevade i fickorna medan han talade. ”Ett ögonblick bara; jag måste hitta min tändare ... Om rösten ska höras ordentligt måste man stå i mitten på scenen. Den är markerad med ett kors på stenarna ...”

När han drog upp tändaren ur fickan hörde jag det lilla klingande ljudet av metall på stengolvet. Jag böjde mig hastigt ner i riktning mot ljudet. ”Du tappade någonting; en slant, tror jag. Här – den kan inte ha trillat så långt. Lys här, är du snäll.”

Cigarrettändaren flammade till och han böjde sig ner mot marken. Nästan genast såg jag det skarpa blänket från ett mynt. Jag tog upp det och räckte fram det. Den orangefärgade lågan fladdrade över det lilla runda metallstycket i min hand. Jag sade: ”Men det är ju – *guld?*”

”Ja. Tack ska du ha.” Han tog myntet och stoppade ner det i fickan. Det var som om han hade diskuterat en tappad kopparslant eller möjligen ett frimärke. ”Det här var en av de suvenirer som Stephanos skickade oss. Som jag sa skickade han alla de saker som Michael hade på sig. Det var tre såna här guldmynt.” Han drog sig bort från mig och höll tändaren alldeles ovanför stenplattorna för att leta efter märket i mitten. Man skulle ha trott att han inte hade något annat i tankarna än uppgiften att visa en flicka ruinerna i Delfi.

”Här är det.” Han rätade på sig med tändaren alltjämt brinnande i handen. Han måste ha sett mitt ansiktsuttryck, för han log mot mig – det där plötsliga, mycket tilldragande leendet. ”Ja sa ju till dig att det inte var någon tragedi nu längre, inte sant? Jag sa att du inte skulle vara orolig. Kom hit till mitten nu och hör hur din röst förstärks och går högt upp över alla bänkraderna.”

Jag gick fram mot den plats där han stod. ”Jag vet att du sa det.

Men då visste du inte att din bror Michael hade blivit mördad. Förändrar det inte saken?"

"Kanske. Lyssna, hör du ekot?"

"O ja. Det är spöklikt, inte sant? Som om ljudet återkastades från klippspetsarna där uppe och virvlade runt omkring en. Det är som något konkret; som – ja, som om ljudet var en fast kropp ... Tänker du verkligen deklamera något eller vill du helst slippa?"

Jag tror han missförstod mig avsiktligt. "Med ett så här litet auditorium vågar jag nog göra det. Vad vill du höra?"

"Det är du som kan dina klassiker. Du får välja. Men vänta lite. Jag ska gå upp till de övre raderna."

Jag gick uppför den smala gången och hittade en plats ett stycke ovanför mitten av amfiteatern. Den formade marmorn var förvånansvärt bekväm att sitta på och den var fortfarande solvarm. Den cirkelrunda scenen nedanför mig såg liten ut. Jag kunde nätt och jämnt urskilja den. Simon var bara som en okroppslig skugga. Så steg hans röst upp från brunnen av mörker och de storslagna grekiska versraderna vällde upp och bröts och ekade och svepte som en vind mellan de höga klippspetsarna. En fras, ett namn flöt upp från strömmen av ljud och gav styrsel åt välljudet, liksom fjädrarna ger styrsel åt pilen. "Hades, Persefone, Hermes ..." Jag slöt ögonen och lyssnade.

Han tystnade. Det blev en paus. Ekot steg uppför klippan, svävade kvar som mullret från en gonggong och dog bort. Sedan hördes hans röst igen, klar och dämpad; musik som översatte musik:

"... Hades, Persefone

Hermes, dödens förvaltare,
eviga vrede och furier,
barn av gudar,
som ser alla mördare
och alla äktenskapsbrytare, kom snart!
Var nära mig och hämnas
min faders död och för
min broder hem!"

Han hade slutat tala igen. Orden dog ut i tystnad högt ovanför mig och det var som om nattvinden följde i ekots kölvatten. Jag hörde järnekarna prassla bakom mig, och högre upp på berget föll en skur av jord och småsten under foten på något kringströvande djur, en get kanske eller en åsna; jag tyckte jag hörde klirr av metall. Sedan var natten tyst igen. Jag reste mig och gick nerför den branta gången.

Simons röst hördes upp till mig, dämpad men alldeles klar: "Duger det?"

"Underbart." Jag kom ner och gick tvärsöver scenen. "Tack så hemskt mycket; men – jag tyckte du sa att tragedin var över?"

För första gången sedan jag träffade honom (för ungefär sju timmar sedan – kunde det verkligen vara så nyligen?) lät han förvirrad. "Vad menar du?" Han lämnade scenens mitt och gick emot mig.

"Det där talet var en smula – aktuellt, inte sant?"

"Kände du igen det?"

"Ja. Det är ur Sofokles 'Elektra', inte sant?"

"Ja." Det blev en paus. Han hade stoppat handen i fickan och när han nu drog upp den igen hörde jag skrammel av mynt. Han bollade tankspritt med dem i handen. Så sade han: "Då hade jag väl fel. Den är inte över … Åtminstone inte förrän Stephanos har visat oss platsen i morgon och –"

Han tystnade. Jag tänkte på att Simon Lester tycktes ha en anmärkningsvärt kunglig vana att använda första person pluralis. Jag hade velat säga "Har visat *oss?*" men gjorde inte det. Jag sade bara: "Och …?"

Han sade bryskt: "Och jag har hittat det som Michael hittade – det som gjorde att han blev dödad. Guldet."

"Guldet?"

"Ja. Som jag sa fick jag en idé om vad det var som Michael kunde ha hittat. Jag kom att tänka på det så snart jag hade läst hans brev och kom ihåg guldmynten han hade haft på sig. Och efter det som Stephanos berättade för oss är jag säker på min sak. Det var guld han hittade. Angelos' lilla förråd av engelskt guld, undangömt för att användas på Röda dagen."

"Ja, men Simon …" Så hejdade jag mig. Han visste ju i alla fall mer om Michael än jag.

Mynten skramlade mot varandra när han stoppade ner dem i fickan igen. Han vände sig bort mot amfiteaterns sida.

"Vi måste gå hitåt för att komma upp till stigen. Det är kanske bäst att jag går först; trappstegen är alldeles sönderfallna på vissa ställen."

Han sträckte ena handen bakåt mot mig och tillsammans gick vi uppför den branta trappan. Uppe på toppen stannade han och tycktes sträcka sig uppåt i mörkret. Jag hörde prassel av lövverk. Han vände sig om mot mig och lade något runt och glatt och svalt i min hand. "Var så god. Det är ett granatäpple. Det växer ett litet träd bakom de översta bänkraderna och jag har längtat efter en förevändning att få plocka ett äpple. Ät det snart, Persefone; sen måste du stanna i Delfi."

Stigen ledde till slut upp ovanför träden och där kunde vi lättare se var vi gick. Nu var den också så pass bred att vi kunde gå sida vid sida. Simon sade med låg röst: ”Jag tror jag har rätt, Camilla; jag tror det var det Michael hittade. Jag hade misstänkt det förut, men nu när jag vet att han blev mördad av den här Angelos är jag absolut säker på det.”

Jag följde alltjämt min egen tankegång och sade ganska dumt: ”Men Stephanos sa att han dödades under ett gräl. Angelos och han –”

”Om Michael hade råkat i gräl med en sån typ skulle han säkert inte ha vänt ryggen mot honom”, sade Simon. ”Det förvånar mig att Stephanos inte kom att tänka på det själv.”

”Men om det var ett gammalt gräl och Michael trodde att det var glömt men Angelos –”

”Det förändrar inte saken. Jag kan inte tänka mig Michael helt lugnt vända ryggen mot en som en gång hade hyst – eller som han trott hade hyst – den sortens agg som leder till mord.”

”Kanske inte.”

”Men ta alla pusselbitarna och plocka ihop dem”, sade Simon, ”vad får du då? Som jag sa levererade vi – engelsmännen – vapen och pengar under ockupationen till *andartes*. Som vi nu har fått höra av Stephanos arbetade Angelos på att genomföra den där kommunistkuppen när den tyska ockupationen av Grekland var slut, och därför kan vi anta att han hade intresse av att lägga undan vapen och förråd för att använda dem senare. Det är ett antagande; men vad har vi för fakta? När Angelos' män skingras norr ut för att undgå tyskarna drar han sig själv söder ut – ensam. Han stöter på Michael och dödar honom. Han blir avbruten innan han hinner undersöka liket, och sen hittas hos Michael guldmynt och ett hastigt skrivet brev som antyder att han har hittat någonting.”

”Ja”, sade jag, ”men –”

”Om Angelos hade ett gömställe för vapen och pengar och Michael, förbindelseofficeren, hade upptäckt det, skulle det då inte ha varit ett fullt tillräckligt motiv för att mörda Michael?”

”Jo, naturligtvis. Du menar att när Michael träffade honom så anklagade han honom för det och – nej, det går inte ihop ändå, eller hur? Det blir samma invändning igen – att Angelos inte skulle ha fått tillfälle att slå honom i huvudet.”

”Jag kan inte låta bli att tänka mig”, sade Simon lågmält, ”att Angelos såg någonting som sa honom att Michael hade upptäckt gömstället. Det finns antagligen i någon grotta – Parnassos är perforerat av grottor – och ponera att Michael, sen han hade lämnat Stephanos' hus, hade sökt skydd just i den som var gömstället? Han stannade kanske där några dagar tills tyskarna hade lämnat området och sen kom Angelos tillbaka till sin skattgömma och fick se den engelska officeren komma ut ur grottan, hans grotta ... Det kan faktiskt ha gått till så. Och när Michael efter allt att döma inte såg Angelos väntade greken och tog chansen och försökte göra sig av med honom med detsamma. Vilket betyder –”

”Vilket betyder – om du har rätt – att gömstället låg mycket nära den plats där Michael mördades”, sade jag.

”Just det. Nå ja, vi får väl se.”

”Om det fanns någonting där har det säkert tagits för länge sen.”

”Antagligen.”

”Angelos kom nog tillbaka och hämtade det. Om inte med detsamma så senare.”

”Om han fortfarande levde, ja. Tre månader efter Micks död hade han lämnat landet för gott.”

Jag sade så likgiltigt jag kunde: ”Hade han? Och tänk om Niko kanske - eventuellt - hade rätt? Om han verkligen levde fortfarande? Nu, menar jag?"

Simon skrattade. "Det ligger i gudarnas sköte, inte sant?" Ett av mynten snurrade runt i hans hand. Han kastade upp det och fångade det i luften. "Vad säger du? Ska vi offra guld till Apollon för att han ska föra Angelos tillbaka till Delfi nu?"

"Aigisthos till Orestes' kniv?" Jag försökte tala i lika lätt ton, men mot min egen vilja lät orden skarpa och ihåliga.

"Varför inte?" Hans fingrar slöt sig om myntet. Han syntes bara som en skugga i stjärnljuset där han stod och betraktade mig. "Hör du, jag talade faktiskt sant när jag sa att tragedin var över. Jag känner mig inte uppskakad eller dramatisk på grund av Micks död, inte ens efter det jag har fått veta i kväll. Men, för tusan, han blev mördad och det på ett nesligt sätt och dessutom - om jag har rätt - av det nesligaste av alla motiv. Och mördaren kom undan och kanske med en förmögenhet till på köpet. Jag har inte någon särskild önskan att hitta förmögenheten, men jag vill ha visshet, Camilla. Det är det enda."

"Ja, jag förstår."

"Jag kom hit för att tala med Stephanos och se Michaels grav och sen låta det vara bra med det. Men jag kan inte lämna det här nu, inte förrän det verkligen är över och jag vet varför det hände. Antagligen finns det inga spår kvar efter så lång tid, men jag måste få se platsen i alla fall. Och vad Orestes beträffar" - jag hörde leendet i hans röst - "så har jag inte någon särskild hämndlystnad heller, men om jag mötte mördaren … Förstår du inte att jag skulle vilja tala ett ord med honom?" Han skrattade igen. "Eller delar du Nikos uppfattning om min förmåga?"

"Nej. Nej, naturligtvis inte. Men den här Angelos … Ja, han är –" stammade jag och tystnade.

”Farlig? Så du tycker inte att jag borde göra upp med honom om jag träffar honom?”

”Öga för öga?” sade jag. ”Inte tror vi väl på det nu längre?”

”Var inte så säker. Det gör vi allt. Men i England finns det ett fint, personligt och dyrbart maskineri som ordnar det där ögat åt en, och ingen personlig skuld utom namnteckningen på en check till skattemyndigheterna. Här är det annorlunda. Det är ingen som gör det smutsiga hantverket åt en. Man gör det själv och det är bara gamarna som vet om det. Och Apollon.”

”Simon, det är omoraliskt.”

”Naturens lag är omoralisk. Moral är ett socialt fenomen. Visste du inte det?”

”Jag håller inte med dig om det.”

”Inte? Stå på dig då bara, Camilla. Det här är det underbaraste landet i världen och det hårdaste. Mycket av det – och man upptäcker plötsligt att man följer dess tänkesätt i stället för sitt eget. Jag skulle vilja säga att det finns tillfällen då man måste göra det … Men stå på dig du.” Han skrattade ner mot mig. ”Och till att börja med ska du inte tro ett ord av vad jag säger. Jag är en normal laglydig medborgare och en ytterst oförvitlig och allvarlig lärare … Men nu får det vara nog med den här Orestestragedin. Michael har varit död i fjorton år nu och Delfi har legat här i tretusen, så vi kan låta Delfi begrava sina döda. Det gör det för resten just här; gravplatsen ligger precis där bredvid stigen under träden. Och om du ska få någon sömn alls i natt är det nog bäst att vi raskar på med den där drinken. Där ligger ateljén.” Utan att kasta ännu en blick bort mot gravplatsen gick han före med snabba steg över slät mark mot den upplysta ateljén.

VIII

Den gudarna älska...

MENANDER

Ateljén var en stor rektangulär byggnad belägen på toppen av klippan bakom byn. När jäg sedermera såg den i dagsljus visade den sig vara ett fult, lådliknande åbäke på en flat platå, uthuggen ur själva berget, så att baksidan vette mot en stenvägg nästan lika hög som själva huset, medan fönstren på framsidan erbjöd en strålande utsikt över dalen. På norra sidan, baksidan, fanns ”huvudingången”, en imponerande sak av spegelglas som aldrig användes. Hyresgästerna gick ut och in genom en liten dörr på östra sidan, och den ledde in i en korridor som gick i bottenvåningens längdriktning.

Invändigt var huset så kalt och funktionellt som möjligt. Korridorer och trappor var av marmor och var skinande rena. Till vänster om korridoren i bottenvåningen låg konstnärernas sovrum med utsikt åt söder över dalen. Dessa var ytterligt enkla.

I varje sovrum fanns det ingenting annat än en järnsäng med filtar och kuddar, ett tvättställ med varmt och kallt vatten, i praktiken dock bara kallt, ett litet ständigt rangligt bord och några klädhängare. Innanför varje sovrum fanns det ett duschskåp med marmorgolv - och förmodligen också kallt vatten. Mittemot sovrummen var andra dörrar som jag aldrig såg öppnade men som jag gissade ledde till någon sorts köksavdelning eller rum för den som skötte huset. De inneboende konstnärerna arbetade i övervåningen där ljuset var bättre; en rad rum på norra sidan av korridoren tjänade som arbetslokaler och förvaringsrum för deras arbeten.

Men allt detta skulle jag upptäcka först senare. Nu i kväll var huset bara en ful rektangulär låda placerad i ett litet stenbrott. Ljuset från en naken glödlampa visade oss var dörren var.

Vi hade knappt kommit in i den ekande korridoren förrän en dörr öppnades alldeles i närheten och en ung man kom ut som skjuten ur en kanon. Han tog tag i dörrposten och höll fast i den nästan som om han kände att han behövde stödja sig. Han sade med gäll, upphetsad röst: ”Å, Simon, jag tänkte just Så fick han syn på mig och hejdade sig förvirrad, alltjämt stående i en teatralisk pose i ljuset som kom från dörröppningen.

Det var någonting i hans sätt att uppträda som påminde mycket om Niko, men där slutade också likheten. Den unge mannen - som jag gissade var Nigel - hade ingenting av Nikos stiliga utseende eller påtagliga kraftfullhet och följaktligen mycket lite av Nikos självsäkerhet. Det var inte något medvetet dramatiskt i hans uppträdande och nu såg han verkligen ömkligt förlägen ut, nästan som om han hade velat dra sig tillbaka till sitt rum och låsa dörren. Han var ganska lång, mager och ljushårig. Hans hy hade farit illa av solen, och ögonen, som var blå och så där rynkigt kisande som på sjömän och flygare och män som spejar på långt håll, såg ut som om de hade fått för mycket solsken. Han hade ett litet spretigt skägg som kom honom att se ung och ganska sårbar ut, och håret var urblekt och påminde till färg och konsistens om torrt hö. Han hade lätt sensuell mun och en konstnärs kraftiga, fula händer.

Simon sade: ”Hej, Nigel. Det här är Camilla Haven. Hon bor på Apollon. Jag tog henne med mig hit för att bjuda henne på något drickbart och så vill hon gärna se dina teckningar. Har du något emot det?”

”O nej. Inte alls. Det var t-trevligt”, sade Nigel lätt stammande. ”Kom in i mitt rum då. Vi kan ta oss ett glas här.” När han steg åt sidan för att låta mig passera rodnade han ännu mer än förut och jag undrade om han hade suttit och druckit för sig själv på rummet. Det var det där underliga med hans ögon, något som gav ett intryck av att han klamrade sig fast vid sig själv lika verkligt, lika fysiskt som han hade klamrat sig fast vid dörrposten och med samma intensiva försök till självbehärskning.

Hans rum, som i stort sett var lika kalt som resten av huset, var enormt men ganska trivsamt ostädat. Det var som om konstnärens personlighet, som var mycket rikare än vad som framgick av hans yttre, hade flödat över i den lilla klosterliknande cellen utan att han själv visste om det. På golvet vid fotändan av sängen stod en ryggsäck vars innehåll vällde ut i en enda röra. Jag såg två skjortor, i samma glada färger som Nikos men betydligt diskretare, en härva rep, några smutsiga näsdukar som tydligen hade använts som färgtrasor, tre apelsiner och ett exemplar av Dylan Thomas ”Samlade dikter”. Handduken som låg slängd över kanten av tvättstället var lika klargul som en maskros. Nigels pyjamas, som låg hopknycklad på sängen, hade vinröda och turkosfärgade ränder. Och överallt på de sönderspruckna vita väggarna satt skisser, slarvigt fastsatta med häftstift; de var utförda i vitt skilda maner, och jag kom ihåg vad Simon hade berättat för mig när jag nu tittade från de djärva skisserna till de skira, från penn-teckningarna till akvarellerna, som hade rullat upp sig i kanterna allteftersom de hade torkat.

Men jag hann bara kasta en blick på dem, för vår värd hade rusat förbi mig och höll på att dra fram rummets bästa stol, som var klädd med smutsigt orangefärgad smärting.

- V-vill ni inte sitta, miss, miss - hm? Det här är den bästa stolen vi har. Den är faktiskt riktigt ren."

Jag tackade honom och satte mig. Simon hade gått fram till fönstret och hoppat upp i den breda fönsterkarmen, där han satt och dinglade med ena benet. Nigel, som fortfarande verkade så där förläget beskäftig, hade dykt in i duschskåpet och rotade lätt desperat omkring bland några flaskor på golvet. Efter ett ögonblick dök han upp igen med två vattenglas och en stor flaska ouzo i händerna.

"Tycker ni om sånt här?" frågade han ängsligt. "Det är det enda som finns."

Det var någonting avväpnande hos Nigel som kom mig att ljuga medvetet. "Jag älskar det", sa jag och väntade resignerat medan han frikostigt fyllde på det ena glaset och räckte mig det.

"Vill ni ha vatten till?"

Ouzo är den grekiska absinten. Den är gjord på anis och smakar tämligen milt och (i mitt tycke) otroligt illa. Jag tycker den är direkt odrickbar om den inte är utspädd. Men om man tillsätter tillräckligt med vatten för att kunna svälja den blir det å andra sidan så mycket mer att dricka.

Jag sade tappert: "Ja tack."

Nigel tog en karaff ovanför tvättstället. Åter slog det mig att hans rörelser var som en parodi på Nikos. De var snabba och tvära och kantiga, men medan Nikos var graciösa som hos en anfallande katt var Nigels klumpiga och liksom inte samordnade. Det var ovanligt för en konstnär att vara klumpig, tänkte jag; när jag sedan tittade på medan Nigel hällde vatten i mitt glas såg jag att hans hand darrade. Det var ännu egendomligare.

Drycken blev grumlig, ogenomskinlig, och fick en otäck likhet med kinin. Jag sade: ”Tack, det är bra”, och log mot Nigel som betraktade mig med ett ängsligt, valpaktigt uttryck som kom honom att se ännu yngre ut. Jag gissade att han var ungefär tjugotre, men skägget gjorde att han såg ut som nitton. Jag log heroiskt och lyfte glaset.

”*Gia sou, Kyrie* Nigel”, sade jag. ”Ursäkta, men jag vet inte vad ni heter i efternamn.”

”Säg Nigel bara”, sade han föga hjälpsamt men med tydlig förtjusning.

Medan jag försiktigt drack uppfångade jag Simons blick och såg att han mycket väl visste vad jag tyckte om ouzo. Jag tittade bistert på honom och tog en liten klunk till medan jag ännu en gång tänkte på att *Kyrie* Simon Lester allt såg lite för mycket. Jag undertryckte rysningen som skakade mig när drycken sjönk ner och tittade sedan fascinerad på medan Nigel fyllde Simons glas till två tredjedelar, tog ett tandborstglas åt sig själv och fyllde det och förde det till läpparna, sade ”*Gia sou*” hastigt och stjälpte i sig hälften av den outspädda drycken i ett enda tag.

”Skål, kamrat”, sade Simon. ”Har du haft en bra dag?”

Nigel, som var röd i ansiktet och hostade lite efter ouzon, lyckades säga: ”Ja då. Ja tack. Mycket.”

”Var var du?”

Den unge mannen gjorde en vag gest med handen som nästan slog ner ouzoflaskan från bordet, men tyvärr gjorde den inte det. ”Där uppe.”

”Här i närheten bara?”

”Nej. Uppe på berget.”

”På Parnassos igen? Gick du i alla fall den där gamla stigen för att leta rätt på några herdar?” Han vände sig till mig. ”Nigel har fått i uppdrag att göra en serie teckningar av ’hellenska typer’ – huvuden av bönder och gamla gummor och herdegossar och så vidare. Han har gjort några verkligt fina saker i en sorts kraftig tuschlavering.”

Nigel sade plötsligt: ”Det är verkligen intressant. Ni anar inte hur intressant det är. Man ser en liten smutsig pojke som vaktar getter och när man sen ritar av honom upptäcker man att man redan har sett honom ett dussintal gånger på museerna. Och i förra veckan hittade jag en flicka i Amphissa som var rent minoisk med krusigt hår och allting. Det gör det naturligtvis svårt också, för hur man än försöker ser det bara ut som om man har kopierat den ursprungliga grekiska urnan.”

Jag skrattade. ”Jag vet. Jag har redan träffat en Zeus och en ganska fräck Eros och en samling satyrer i dag.”

”Stephanos och Niko?” sade Simon.

Jag nickade. ”Nigel borde träffa dem.”

Nigel sade: ”Vad är det för några?”

”Stephanos är en herde från Arákhōva och han kommer direkt från Homeros. Niko är hans sonson och han är – ja, helt enkelt en stilig yngling klädd som en amerikansk tonåring. Men om det bara än huvudet ni ska ha kan ni knappast hitta någon bättre.” Medan jag talade tänkte jag på att Simon tydligen inte hade berättat för Nigel om Michael eller sitt uppdrag den kvällen.

Han nämnde ingenting nu heller. Han sade: ”Det kan mycket väl hända att du träffar dem. Stephanos är för det mesta någonstans mellan Delfi och Arákhōva – i närheten av den där stigen som jag visade dig i går. Var det den vägen du gick i dag igen? Hur långt då?”

”Ganska långt.” Nigel såg sig tveksamt omkring, som om han hade blivit förlägen igen, och tillade hastigt: ”Jag blev utled på att hålla mig här i trakten och nere i dalen. Jag ville röra på mig. Jag gick upp ovanför Faidriaderna och vidare till stigen och sen – ja, jag fortsatte att gå bara. Det var varmt men där uppe fläktade det.”

”Inget jobb i dag?”

Simons fråga framkastades bara helt likgiltigt i förbigående, men en rodnad hade stigit upp under Nigels flammiga solbränna. Det kom honom att se lömsk ut, men jag antog att det bara var förlägenhet. Han sade: ”Nej”, mycket kort, och begrov näsan i glaset.

Jag sade: ”Inga herdar som spelade på panflöjt för sina fårhjordar? På Parnassos? Ni gör mig besviken, Nigel.”

Han log. ”Så mycket värre.”

”Och inga gudar?” sade jag och tänkte på det stjärnbelysta templet.

Nu blev hans förlägenhet fullt märkbar. Han begrov ansiktet i glaset och sade nästan snäsigt: ”Nej! Jag säger ju att jag knappast gjorde någonting! Jag promenerade bara. De där huvudena är för resten urtråkiga. De är bara mitt levebrödi Ni skulle inte tycka om dem.”

”Jag vill i alla fall gärna se några av era saker, om ni vill besvära er med att visa dem. Simon har berättat för mig hur fantastiskt fina era teckningar är –”

Han avbröt mig med en röst som var så snabb och sträv att

det verkade söm om han fick ett litet lynnesutbrott: "Fina? Simon pratar smörja. De är inte bra. Jag har nöje av dem, men det är också det enda."

"Några av dem är mycket bra," sade Simon lugnt.

Nigel hånlog mot honom. "De där som är så affekterade. De där små sockersöta, urvattnade sakerna. Kan du inte riktigt höra hur söndagstidningarnas kritiker kastar sig över dem? De är värdelösa och det vet du."

"De är förstklassiga och det vet *du*. Om du kunde –"

"Å, herregud, om, om, om", sade Nigel bryskt. Han satte ner glaset på bordet med en liten skarp smäll. "Du vet förbannat väl att de är värdelösa."

"Men det är sånt som du vill göra och de visar vilken väg du vill gå och det är huvudsaken, inte sant? De saker du gör är 'Nigel Barlow' och till yttermera visso är de ovanliga."

"*De är värdelösa*" Upprepningen var eftertrycklig.

"Om du menar att det inte är så lätta att försörja sig på genast så håller jag med dig. Men jag tycker i alla fall –"

" 'Var trogen mot dig själv'?" sade Nigel i en hög, gäll ton som kunde ha uttryckt upphetsning men som lät mest bitter. "Herregud, var inte en sån gammal prosaisk tråkmåns! Men för resten spelar det inte någon roll. Det betyder inte ett skvatt, hör du det?"

Simon log mot honom. Jag tror det var då som jag första gången såg vad som låg bakom den där godmodiga och till synes orubbliga självbehärskningen hos Simon; vad som gjorde den så olik den mer prålande självsäkerhet som jag hade varit avundsjuk på. Simon var engagerad. Han brydde sig verkligen om vad som hände denna tillfälliga bekantskap, denne bekymrade och inte särskilt sympatiske pojke som var så ohyfsad. Och det var därför han hade kommit tillbaka efter fjorton år för att ta reda på vad som hade hänt Michael. Det var inte någon aktuell tragedi och han var trots allt inte någon Orestes. Men han brydde sig om detta – för faderns skull, för Stephanos' och kvinnans skull. *Varje människas död försvagar mig, ty jag är delaktig i mänskligheten.* Så var det. Han var delaktig i mänskligheten, och just för ögonblicket innebar det Nigel. ”Man tar för givet att man är där för att hjälpa”, hade han sagt. Man lär nog känna människor snabbast genom det som de tar för givet.

Han hade ställt ifrån sig glaset och flätade nu samman fingrarna runt ena knäet. ”All right. Exit Polonius. Nå, vill du att vi ska hitta på en försäljningsmetod åt dig, Nigel?”

Nigel svarade, inte ohyfsat nu men fortfarande med en anstrykning av den där hetsiga och lätt trumpna otåligheten: ”Du menar ett knep att få folk att komma och titta på grejorna? Ett litet smart försäljningstrick för att dra folk till en separatutställning i Sheffields obygder eller något liknande? Två små söta teckningar sålda och mitt namn i ortspressen? Är det det du menar?”

Simon sade milt: ”Man måste börja någonstans. Skulle du inte kunna räkna det som en del av kampen? Och det kunde åtminstone betyda att du slapp falla tillbaka på den slutliga förnedringen.”

”Vad är det?” frågade jag.

Han log. ”Lärarverksamhet.”

”Å. Nå ja, jag förstår vad du menar”, sade jag.

”Jag tänkte väl det.”

Nigel sade buttert: ”Skratta ni bara, men jag skulle inte kunna klara det och jag skulle tycka det var avskyvärt.”

”Det slutliga helvetet”, instämde Simon glatt. ”Men vi måste hitta på ett knep, Nigel. Få dem att komma för att håna dig och stanna kvar för att betala. Du måste göra dina tavlor av paljetter eller måla allting under vattnet eller se till att du kommer in i populärpressen som den som alltid målar till tonerna av Mozart."

Nigel gav honom ett motvilligt och lätt skamset leende. "Count Basie snarare. All right, vad ska det vara? *Art trouvé* eller rostiga järnbitar vridna hur som helst och kallade 'Älskande kvinna' eller 'Hund ätande hund' eller något liknande?"

"Ni skulle alltid kunna färdas genom Grekland med en åsna", sade jag, "och sen ge ut en bok med illustrationer."

Nigel vände sig mot mig, men det verkade på honom som om han knappt hade lyssnat alls. Jag undrade igen om han hade druckit för mycket. "Va? En åsna?"

"Ja. Det var en holländsk pojke i Delfi i kväll som nyss hade kommit från Ioánnina. Han hade vandrat över bergen som Stevenson med en åsna och målat undervägs. Jag antar att han har gjort en massa skisser i byarna och mer eller mindre betalat för sig med dem."

"Å, den killen. Jo, jag har träffat honom. Han är här nu."

"Ja visst, det glömde jag. Simon sa ju att han skulle sova här i natt. Såg ni hans arbeten?"

"Nej. Han var för trött för att visa dem. Han gick och la sig vid niotiden och jag tror det ska en atombomb till att väcka honom." Hans blick dröjde kvar vid mig, som om han hade svårt att få in mig i blickpunkten och sig själv tillbaka till konversationen. Han sade långsamt: "Vara trogen mot sig själv ... veta att man kan göra en sak om bara världen ger en chansen ... men vara tvungen att kämpa för den varenda bit av vägen ..." Den suddiga blå blicken skärptes och fästes på Simon: "Simon ..."

"Ja."

"Du sa att ett knep skulle vara 'en del av kampen', för det skulle för det första få folk att stanna och titta, inte sant? Om de saker jag gör faktiskt inte är bra kan inget knep få dem förbi det första hindret ens. Det vet du. Men om de *är* bra och folk väl har stannat och ägnat uppmärksamhet åt dem så är det *arbetet självt* som betyder något. Det är riktigt, inte sant?"

"Det kan vara så. I ditt fall inbillar jag mig att mycket skulle kunna bero på själva knepet." Simon log. "Jag har en känsla av att en hel del goda konstnärer har drivits vidare längs en väg som de från början aldrig hade tänkt sig som något annat än en sällsam avvikelse - ett slag i ansiktet på publiken. Jag nämner inga namn, men du vet vilka det är."

Nigel log inte. Han tycktes knappt lyssna ens, utan var upptagen av att följa sin egen tankegång. Han tvekade, sedan sade han plötsligt: "Tja, och det är att vara trogen mot sig själv, inte sant? Och anser du inte att *det* betyder att man borde ta vad man vill ha och behöver, hända vad som hända vill? Gå rakt fram den väg som man vet att man måste gå och må djävulen ta de andra? Konstnärer - stora konstnärer - arbetar på det sättet, eller hur? Och rättfärdigas de inte av ändamålet?" När Simon tycktes tveka vände han sig häftigt mot mig. "Vad tycker ni?"

Jag sade: "Jag vet inte precis om det gäller just stora konstnärer, men jag har alltid föreställt mig att hemligheten med personlighet (jag vill inte säga framgång) var rätlinjighet. Stora män vet vart de är på väg och de viker aldrig åt sidan. Sokrates och det sköna och goda. Alexander och helleniseringen av världen. På ett annat plan - om jag får säga det - Kristus."

Nigel tittade på Simon. "Nå?" Hans röst var skarp, utmanande. "*Nå?*"

Jag tänkte: Det försiggår någonting här som jag inte förstår. Jag tror inte Simon förstår det heller och det oroar honom.

Simon sade långsamt, och de där kyliga ögonen var livfulla nu när de betraktade den yngre mannen: "Du har delvis rätt. Stora män vet vart de är på väg; ja då, och de når fram, men det är väl snarare så att de driver på sig själva utan uppehåll än att de mejar ner hela oppositionen? Och jag skulle tycka att Polonius var en gammal prosaisk tråkmåns? Du förde honom på tal, inte jag. Jag håller inte med honom, men gör honom åtminstone rättvisan att titta på slutet av citatet! 'Var trogen mot dig själv och därav följer ... att du mot ingen man kan bliva falsk.' Om att vara trogen mot sig själv innebär att man ignorerar andra människors krav så går det inte ihop, eller hur? Nej, vår verkligt stora man - vår Sokrates - följer inte hänsynslöst ett rakt spår. Han vet vad ändamålet är, ja då, och han viker inte bort från det, men hela vägen dit räknar han med allt annat och alla andra som är i hans väg. Han ser det hela som ett mönster och ser sin egen plats i det." Jag tänkte högt och citerade: " 'Jag är delaktig i mänskligheten'?"

"Just det."

"Vad är det?" sade Nigel.

"Ett citat från John Donne, en skald som blev domprost i Saint Paul. Det här är ur en av hans betraktelser ... 'Ingen människa är en ö, hel i sig själv.' Han har rätt. När allt kommer omkring är det vår plats i mönstret som betyder något." "Ja, men konstnären då?" sade Nigel nästan ursinnigt. "Han är annorlunda, det vet du att han är. Han drivs av ett tvång: om han inte kan göra det han vet att han *måste* göra med sitt liv kunde han lika gärna vara död. Han måste krossa världens likgiltighet eller också själv krossas mot den. Han kan inte rå för det. Skulle han inte vara urskuldad även om han gjorde nästan vad som helst för att nå sin bestämmelse, ifall hans konst verkligen var värd det?"

"Ändamålet helgar medlen? Som praktisk tillämpning - aldrig", sade Simon. "Aldrig, aldrig, aldrig."

Nigel lutade sig framåt i stolen och hans röst stegrades åter av upphetsning: ”Hör nu, jag menar inte något hemskt som – som förbrytelser eller mord eller något liknande! Men om det inte fanns någon annan väg –”

Jag sade: ”Vad i fridens namn tänker ni göra? Stjäla åsnan?”

Han svängde runt mot mig så häftigt att jag trodde han skulle falla av stolen. Sedan gav han plötsligt till ett skratt som i mina öron lät mycket hysteriskt. ”Jag? Gå till Iōánnina och skriva en bok om det? Jag? Aldrig! Jag skulle bli dödsförskräckt för vargarna!”

”Det finns inga vargar”, sade Simon i lätt ton, men han iakttog Nigel noga och jag såg en skymt av oro i hans ansikte.

”Sköldpaddorna då?” Han grep flaskan igen och vände sig mot mig. ”Lite mer ouzo? Inte? Simon? Håll fram ditt glas. Visste ni, miss Camilla, – jag har glömt bort ert efternamn – att det finns sköldpaddor som springer omkring här bland bergen? Vilda. Tänk att stöta på en sån när man är ensam långt ute i ödemarken.”

”Jag skulle springa benen av mig”, sade jag.

”Vad *är* det, Nigel?” frågade Simon bortifrån fönsterkarmen.

För ett ögonblick undrade jag faktiskt vad som skulle hända. Nigel hejdade sig mitt i en rörelse med flaskan i ena handen. Han var stel. Ansiktet blev ännu rödare, sedan vitt under den flagnande solbrännan. Hans fula, spatelformade fingrar kramade om flaskan som om han tänkte slänga den. Hans ögon såg disiga ut. Så vek hans blick undan från Simons och han vände sig om för att ställa ner flaskan. Han sade med underligt dov röst: ”Ursäkta mig. Jag uppför mig illa. Jag var lite beruskad innan ni kom, det är det enda.”

Sedan vände han sig mot mig igen med en sådan där snabb, kantigt stel rörelse som kom honom att likna en liten tafatt pojke.

”Jag undrar vad ni tänker om mig. Ni måste tycka att jag är en riktig schajas, men jag har varit lite ur gängorna. Jag – jag är nyckfull helt enkelt. Det är stora konstnärer.” Han flinade förläget mot mig och jag log tillbaka.

”Det är som det ska vara”, sade jag. ”Och alla stora konstnärer måste kämpa hårt för att vinna erkännande. Det blir så mycket underbarare när det sen kommer, om det blir under livstiden förstås, och jag är säker på att ni kommer att få uppleva det.”

Han hade lagt sig på knä och drog fram en skamfilad mapp som låg under sängen. Jag lade märke till det där febrila hos honom och såg att han darrade på händerna. ”Här”, sade han.

”Jag ska visa mina teckningar. Säg om ni tycker de har något värde. Säg vad ni tycker.” Han drog fram en bunt papper ur mappen.

Jag sade matt: ”Men mitt omdöme är inte till någon nytta. Jag vet verkligen inte mycket om sånt där.”

”Här.” Han stack en teckning i handen på mig. ”Det är en av dem som Simon talar om. Och den här.” Han lutade sig bakåt mot hälarna och gav Simon en blick som nästan kunde ha varit hatfull. ”Jag ska vara trogen mot mig själv, Polonius. Det kan du ge dig tusan på att jag ska. Även om det innebär att inte vara trogen mot någon annan. Jag är inte delaktig i mänskligheten, som din gamla prästvän uttrycker det. Jag är min egen. Nigel Barlow. Och en vacker dag ska du bli varse det, du och alla de andra. Hör du det?”

”Jag hör”, sade Simon stillsamt. ”Får vi nu se vad du har gjort.”

Nigel sköt över en teckning till honom och gav mig sedan en handfull. ”Den här. Och den här. Och den här och den här och den här. De kommer väl aldrig att ställa till med någon sensation, men med lite hjälp och en smula tur är de tillräckligt bra för att jag ska kunna skapa mig ett namn ... Är de inte det?”

När jag tittade ner på teckningarna i mitt knä var jag medveten om Nigels stirrande blick. Trots de häftiga och vilda orden hade det där uttrycket av sårbarhet kommit tillbaka, och vid den sista frågan hade den överdrivet emfatiska rösten fått en naiv och ängsligt undrande ton. Jag märkte att jag med löjlig iver hoppades att teckningarna skulle vara bra.

Det var de. Hans stil var säker och kraftfull men ändå känslig. Varje linje var ren och exakt och nästan skrämmande verkningsfull; han hade lyckats få fram inte bara form utan volym och struktur genom enkla medel med ett minimum av krusiduller. Tekniken påminde på något sätt om den bleknade förfiningen hos en franskt blomsterstycke, kombinerad med det skarpa, fina och ändå virila anslaget i en Dürerteckning. Några teckningar var bara utkast, men en del hade han lagt ner större möda på. Det fanns snabbskisser av ruiner – ett parti av ett sönderfallet valv med skarpt markerade cypresser som utropstecken bakom; Apollons kolonner, klara och rena; en förtjusande teckning av tre granatäpplen på en kvist med glansiga, slokande blad. Det fanns flera skisser av olivträd, vackert vridna stammar med kronor som av silvermoln. I träd- och blomsterstudierna använde han färg, tunna lavyrer av nästan kinesisk subtilitet.

Jag tittade upp och såg honom iaktta mig med den där ängsliga, valpaktiga blicken från vilken all stridslystnad hade försvunnit. ”Men Nigel, de är underbara! Jag sa att jag inte visste mycket om sånt här, men jag har inte på åratal sett något som jag har tyckt så mycket om!”

Jag reste mig upp ur stolen och satte mig på sängen, bredde ut teckningarna omkring mig och studerade dem. Jag tog upp en av dem; det var en teckning av en grupp cyklamen som stack upp ur en liten skreva i en kal klippa. De strukturala skillnaderna mellan kronblad, blad och klipparti var vackert framhävda. Nedanför blommorna växte i samma skreva resterna av en stenpartiväxt som jag kom ihåg att jag hade sett överallt i Grekland; den var uttorkad och dammig och höll på att smulas sönder mot klippan. Ovanför den såg cyklamenblommans vingliknande kronblad rena och spröda och friska ut.

Över min axel sade Simon: ”Nigel, den där är ju strålande. Den har jag inte sett förut.”

”Nej, det kan du ju inte ha gjort. Jag gjorde den ju i dag”, sade Nigel bryskt och gjorde en snabb rörelse som om han tänkte rycka den åt sig. Sedan tycktes han komma ihåg, liksom jag gjorde, att han hade sagt att han inte hade arbetat den dagen, för han blev så där eldröd igen och lutade sig bakåt mot hälarna med ett generat uttryck i ansiktet.

Simon låtsades som vanligt om ingenting. Han lyfte upp teckningen och studerade den. ”Hade du tänkt använda färg i den? Varför ändrade du dig?”

”Helt enkelt därför att det inte fanns tillgång till vatten.” Och han tog ifrån Simon papperet och stoppade tillbaka det i mappen på golvet.

Jag sade lite plötsligt: ”Kan jag få se på porträtten?”

”Ja visst. Här är de – mina levebrödsteckningar.” Det var en underlig ton i hans röst och jag såg Simon kasta en skarp blick på honom igen.

Det var en hel bunt porträtt, gjorda i ett helt annat maner. Detta var effektfullt på sitt sätt. Den strikta måttfullheten i hans teckningskonst var verkningsfull även i de grova, dramatiska och kraftigt betonade linjerna. Hans strålande teknik var här lätt och ledig, den skickliga blandningen av några schablondrag till en formel. På sätt och vis kunde originalen till porträtten också ha varit schabloner. Det Nigel hade gjort var naturligtvis att hitta "typer" och att återge dem, men medan några av dessa var skönjbart levande personer kunde andra ha varit abstraktioner av välkända "hellenska typer", tagna från statyer eller vasmålningar eller till och med ur fantasin. Där fanns ett stiligt huvud som kunde ha föreställt Stephanos, men det hade ett stilistiskt och överarbetat drag som en illustration till en serie grekiska myter. Ett flickansikte, till största delen ögon och med djupa skuggor framkallade av en slöja, kunde ha haft mottot: "Grekland: Porten till Orienten." Ett annat porträtt - som typ mer välbekant för mig och därför kanske mer levande - var en ung kvinna med Juliette Gréco-ansikte, stora, vilsna ögon och trumpen mun. Nedanför det var en teckning av ett manshuvud, som i sin tur var rent stilistiskt men som på något underligt sätt var fängslande. Huvudet, som satt på en kraftfull hals, var runt och täckt med täta lockar som gick långt ner i pannan som på en tjur. Håret växte tätt ner förbi öronen, nästan ner till käkbenet, precis som man kan få se på de gamla vasmålningarna, och dessa polisonger var skarpt och konventionellt tecknade som de hårda lockarna på en skulpterad kind. Överläppen var kort och båda läpparna tjocka och spänt uppåtdragna vid mungiporna i det stela halvmåneleende som alltid syns på statyerna av Greklands arkaiska gudar.

Jag sade: "Simon, titta på den här. Det här är det äkta 'arkaiska leendet'. När man ser det på gamla söndervittrade statyer av Hermes och Apollon tycker man det är overkligt och konstlat. Men jag har faktiskt sett det hos män här och där i Grekland."

"Är den också ny?" frågade Simon.

"Vilken då? Jaså den. Ja." Nigel kastade en hastig blick upp på honom, tvekade och tycktes sedan avstå från sina undanflykter, vilka de nu kunde vara. ”Jag gjorde den i dag.” Han tog ifrån mig teckningen och studerade den ett ögonblick. ”Den är kanske för konventionell i alla fall. Jag gjorde den halvt ur minnet och den har blivit lite för lik en vasmålning. Nå ja ...”

”Det är ju Phormishuvudet upp i dagen”, sade Simon.

Nigel tittade hastigt upp. ”Ja, det är det ju faktiskt! Det har du rätt i. Jag undrade just vad det påminde mig om. Jag tänkte kanske undermedvetet på det. Men det är i alla fall en ’typ’ till samlingen, och som Camilla säger kan man fortfarande få se det där underliga, stela leendet på sina håll. Jag har också sett det. Intressant.”

”Vad är Phormishuvudet?” frågade jag.

Simon sade: ”Det är ett huvud som hittades i Olympia, såvitt jag minns, och man antar att det föreställer Phormis, som var skådespelsförfattare. Det huvudet har skägg och det här har inte det, men annars har det samma kraftiga, breda kinder och täta lockar och det där typiska leendet.”

Jag skrattade. ”Tänka sig att det fortfarande vandrar omkring här bland bergen. Det får mig att känna mig omogen och ny och mycket, mycket västerländsk. Men det där ansiktet –”

Min hand svävade ovanför Juliette Gréco-flickan.

Simon skrattade. ”Det där är sannerligen verkligt och absolut mycket västerländskt”, sade han. ”Det där är vår oförlikneliga Danielle, inte sant, Nigel? Henne tänker du väl inte stoppa in bland de ’hellenska typerna’?”

”Danielle?” sade jag. ”Å, då *är* hon fransyska då? Jag tyckte väl hon såg ut att vara det.”

Nigel hade tagit ifrån Simon teckningen och höll på ätt stoppa undan den också. Han sade med dov röst: ”Hon var här som sekreterare åt en kille vid franska skolan.”

”Franska skolan?”

”För arkeologi”, sade Simon. ”Det är den som har ’rätten’, eller vad de kallar det, att göra utgrävningar här i Delfi. De arbetade här igen helt nyligen – det talades om någon försvunnen skattgömma ganska högt uppe på berget. Du kommer att få se en massa utgrävningsplatser på båda sidor om vägen, men allt de hittade där var romerskt.”

”Jaha. Moderna saker.”

Han log. ”Just det. Och de var tvungna att ge sig i väg, för jag tror att pengarna började tryta. En del av deras arbetare är fortfarande kvar för att snygga upp – det är lastbilar och verktyg och en massa annat som ska bort. Men arkeologerna har gett sig i väg tyvärr.”

Jag såg Nigel kasta en blick på honom från sidan och jag kom plötsligt att tänka på något som Simon hade sagt till mig tidigare. ”Han har varit här i Delfi lite för länge och syltat in sig med en flicka som inte var särskilt bra för honom.”

Jag sade: ”Ja, jag hade gärna velat se dem i arbete. Och tänk så spännande det skulle vara om någonting kom i dagen!”

Han skrattade. ”*Den* sortens spänning tror jag är mycket sällsynt! Alla dessa långa år av arbete går till största delen åt till att flytta tonvis med jord ett par meter och sen skovla tillbaka allting igen. Men jag håller med dig om att det skulle vara en fantastisk upplevelse. Och vilket land! Såg du den där strålande saken av negern och hästen som några arbetare grävde upp när de höll på att laga kloakledningarna på Omoniatorget för några år sen? Tänk bara vad man skulle undra över vad man eventuellt kunde hitta varje gång man började gräva i sin trädgård eller plöja på bergssluttningen! För till och med Körsvennen –" Han tystnade och vred runt cigarretten mellan fingrarna, som om han beundrade den blå rökslingan som ringlade sig upp från den.

Nigel tittade upp. "Körsvennen?" Hans röst lät fortfarande underlig och lite lömsk. Han låg alltjämt på knä på golvet och höll på att skjuta in teckningarna i mappen i någon sorts ordning. "Körsvennen?" upprepade han mekaniskt som om han hade tankarna på annat håll.

Simon tog ett bloss på cigarretten. "Hm. Han grävdes inte upp förrän artonhundranittisex, långt efter det att de stora fynden hade gjorts. För inte länge sen läste jag Murrays 'Den grekiska bildhuggarkonstens historia' och jag undrade varför författaren hade så lite att säga om Delfi, ända tills jag insåg att han inte hade fått veta hälften ens när han skrev sin bok artonhundranitti. Vem vet vad som fortfarande kan finnas där uppe i de underliga skrymslena under träden?"

Nigel hade lutat sig bakåt mot hälarna och hans händer rörde sig obestämt och tafatt bland teckningarna. Om de verkligen var hans levebröd tyckte jag att han var ovanligt vårdslös med dem.

Nu tittade han upp och samtidigt föll teckningarna ur händerna på honom.

"Simon." Det var den där spända, upphetsade rösten igen.

"Ja?"

"Jag tror att jag –" Så tystnade han tvärt och vred på huvudet. Ateljéns ytterdörr hade öppnats och stängts med en smäll. Snabba fotsteg närmade sig längs korridoren.

Till min förvåning blev Nigel vit som ett lakan. Han snurrade runt mot mig, sopade resolut ner resten av teckningarna från sängen och samlade sedan hastigt ihop dem för att skjuta in dem i mappen på golvet.

Lika resolut kastades dörren upp.

En flicka stod i dörröppningen och överblickade det ostädade och fullpackade lilla rummet med ett uttryck av liknöjdhet och avsmak. Det var porträttets Juliette Gréco-liknande flicka. Utan att ta cigarretten ur mungipan sade hon i släpigt lättjefull ton: ”Hej Simon, älskling. Hej, Nigel. Och du ligger på knä och ber böner över min bild? Tja, du har blivit bönhörd. Jag har kommit tillbaka.”

IX

> Ty flickan, nej, jag menar kvinnan här,
> tog jag emot som skepparn tar en last,
> en frakt som är en fara för min själ.
>
> SOFOKLES: Kvinnorna från Trachis

Danielle var av medellängd, spensligt byggd och hade gjort det mesta (eller det värsta, beroende på tycke och smak) av sin figur genom att pressa in den i ett par stuprör till jeans och en mycket tätt åtsittande, tunn yllejumper, som inte gav anledning till undran över något annat än hur i all världen hon kunde få den formen och den ställningen på brösten. De var mycket höga och mycket toppiga och det var det första man lade märke till hos henne. Det andra var ansiktsuttrycket, som var mycket likt den uttråkade, vilsna minen på Nigels porträtt. Hon hade ovalt gulblekt ansikte. Ögonen var mycket stora och mycket svarta och hade ett drag av trötthet, vilket allt framhävdes av en omsorgsfullt lagd ögonskugga i en blandning av brunt och grönt. Hon hade långa uppåtböjda ögonfransar, och mot dem silade den blå röken från cigarretten, som verkade fastklistrad vid hennes underläpp. Hon hade ljust läppstift, vilket såg underligt och effektfullt ut mot den gulbleka hyn och de stora mörka ögonen. Håret var svart och rakt och avsiktligt ovårdat, klippt på det där vanvettigt raffinerade sättet som gav ett intryck av att det hade knipsats av i mörkret med en böjd nagelsax. Hon utstrålade föraktfull världströtthet. Hennes ålder kunde ha varit vad som helst mellan sjutton och tjugofem. Hon såg ut som hon hoppades att man skulle uppskatta den till något över trettio.

Jag bör kanske påpeka här att hennes ovanligt långa ögonfransar var helt äkta och mycket vackra. Detta i händelse att någon skulle tycka att min beskrivning av Danielle tyder på fördomar. Den enda anledning till fördomar som jag då hade var uttrycket i Nigels ansikte. Han låg kvar där på knä på golvet med de klumpiga händerna fulla av utsökta teckningar, och han vände ansiktet mot dörren och sade ”*Danielle!*” med en sprucken ung röst som omedelbart och mycket hänsynslöst förrådde honom.

Han petade tafatt in teckningarna i mappen och reste sig.

Efter den där första hälsningen hade hon ignorerat honom. Och mig hade hon bara givit ett kyligt ögonkast. Hennes blickar hängde vid Simon.

Hon sade igen: ”Hej!” Jag vet inte hur hon bar sig åt, men hon fick faktiskt det där enkla enstaviga ordet att låta sensuellt.

”Hej”, sade Simon utan att låta det minsta sensuell. Han såg bara en liten aning road ut och även vaksam, vilket förargade mig. Varför det gjorde det kan jag inte förklara och jag försökte inte heller göra det just då.

Nigel sade hest: ”Vad gör du här? Jag trodde du hade lämnat Delfi?”

”Det hade jag också. Men jag kom tillbaka. Ska du inte be mig stiga in, lilla Nigel?”

”Jo visst. Kom in. Det är underbart – jag menar jag väntade dig inte. Kom in. Sätt dig.” Han rusade fram och drog ut den bästa stolen – den som jag hade lämnat. Men hon gick förbi den och fram mot Simon, som stod borta vid fönstret. Hon gick mycket tätt intill honom. ”Jag sover här i ateljén, Simon. Jag är trött på Turistpaviljongen och dessutom har jag inte råd med det nu. Du har väl inget emot att jag kommer hit … Simon?”

”Inte det minsta.” Han tittade förbi henne på mig. ”Det är visst bäst jag presenterar dig. Camilla, det här är Danielle, som du nog har gissat. Camilla Haven – Danielle Lescaux. Som jag sa var Danielle här en tid tillsammans med franska skolan. Hon var Hervé Cléments sekreterare. Du har säkert hört namnet. Det var han som skrev ’Sentida fynd i Delfi.’”

”Den boken läste jag långt innan jag kom hit. God dag”, sade jag till Danielle.

Hon gav mig ett hastigt stirrande ögonkast och en nätt och jämnt hövlig nick. Sedan vände hon sig om och med något som såg ut som mycket medveten grace satte hon sig på andra ändan av sängen, så långt från mig som möjligt, drog de slanka benen in under sig och lutade sig bakåt. Hon lade huvudet på sned och gav Simon en lång blick med halvslutna ögon.

”Jaså, ni har talat om mig?”

Nigel sade ivrigt: ”Det var ditt porträtt – det där som jag gjorde av dig.” Med en av sina otympliga handrörelser pekade han på den fullproppade mappen, som låg bredvid mig på sängen.

”Jaså, det.”

”Det är mycket bra, tycker ni inte det?” sade jag. ”Jag kände igen er med detsamma ni kom in.”

”Mm. Nigel är en mycket begåvad gosse, det vet vi nog.” Hon gav honom ett leende som bara var en skugga av det som hon hade skänkt Simon. Sedan sträckte hon lättjefullt ut handen och drog ut några blad ur mappen. Jag såg Nigel göra en liten häftig rörelse, liksom till ofrivillig protest, så sjönk han ner i den orangefärgade smärtingstolen med händerna dinglande mellan de knotiga knäna.

”Ja, det är nog ett ganska bra porträtt. Har jag verkligen så där stora ögon, Nigel?” Hon bläddrade igenom teckningarna: porträttet av henne själv; det som vi hade kallat ”Phormishuvudet”, med de täta lockarna och det strama leendet; cyklamen; och en teckning som jag inte hade sett ännu och som föreställde en mans huvud och axlar. ”Blommor?” sade Danielle. ”Får du *betalt* för att göra sånt här, Nigel? *Vem är det här?*”

Hon ställde frågan med så plötsligt förändrad röst att jag ryckte till. Jag såg Simon vrida på huvudet, och Nigel hoppade nästan till. ”Vem? Jaså, den där. Det är en karl som jag såg på Parnassos i dag. Strax innan du kom sa vi just att han var ganska lik en arkaisk –”

”Nej, nej!” Hon hade hållit i teckningen av Phormishuvudet och i en annan teckning. Nu släppte hon tvärt den förra och sköt fram den senare. ”Inte den där. Den här.”

Någonting i hennes röst tydde på att hon måste anstränga sig att lägga band på sig, och jag såg till min förvåning att hon darrade på handen. Men när jag sade ”Får jag titta?” och lutade mig fram och försiktigt tog teckningen ifrån henne lät hon mig göra det utan att protestera. Jag tittade intresserat på den och granskade den sedan närmare. Den föreställde huvudet och den nakna halsen på en ung man. Ansiktet var vackert, men det hade inte Nikos livfulla och mycket grekiska skönhet; detta hade ett frånvarande, bistert, kanske lite sorgset uttryck. Han var inte alls någon ”hellensk typ”, tänkte jag, men det var någonting hos honom som var besynnerligt välbekant. Det framgick dock att han inte skulle ingå i Nigels porträttgalleri. Det här var det enda porträtt jag hade sett där Nigel hade använt sin ”blomsterteknik”, som jag skulle vilja kalla den. Det var utfört i hans egen stil; det var skirt, elegant och förtrollande vackert.

”Men *Nigel* …” sade jag. ”Simon, titta på den här!” Danieller lät de andra falla ner på sängöverkastet. Hon tycktes plötsligt ha tappat intresset och frågade bara: ”Gjorde du de där i dag?”

”Ja.” Och Simon hann bara kasta en blick på teckningen innan Nigel slutgiltigt och den här gången effektivt sopade in varenda teckning i mappen igen och sköt in den under sängen. Han såg uppjagad ut och verkade lika harmsen som för en stund sedan. Men Danielle utvecklade inte ämnet. Hon lutade sig bakåt och sade i sin vanliga, lätt uttråkade ton: ”Herregud, Nigel, tänker du inte ge mig något att dricka?”

”Jo visst.” Nigel störtade sig över ouzoflaskan, ställde ner den igen så att den vickade och nästan föll omkull och rusade sedan bort för att skölja ett glas i tvättstället.

Jag ställde ifrån mig mitt glas och gjorde en ansats att resa mig. Men i samma ögonblick fångade jag Simons blick och jag tyckte att han skakade lätt på huvudet. Jag satte mig till rätta igen.

Han tittade ner på flickan. ”Jag trodde du hade gett dig i väg, Danielle? Har inte grävargänget packat ihop?”

”Jo då. Vi kom till Aten i går kväll och jag tyckte verkligen det var skönt att få komma tillbaka till civilisationen igen, men jag hade ett förfärligt uppträde med Hervé och så tyckte jag att jag lika gärna kunde stanna kvar i Delfi tillsammans med …”Hon log plötsligt och visade en rad mycket vita tänder. ”Ja, stanna kvar i Delfi. Så här är jag nu igen.”

Nigel sade: ”Menar du att du fick sparken?”

”Det kan man ju kalla det.” Hon betraktade honom ett ögonblick genom cigarrettröken, så vände hon sig mot mig. ”Simon uttryckte sig lite för fint nyss”, sade hon. ”I själva verket var jag förstås Hervé Cléments älskarinna.” ”

Danielle!”

”Sjåpa dig inte, Nigel!” Hon ryckte otåligt på axlarna. ”Låtsas inte att du inte visste det.” Sedan till mig: ”Men han började bli lite tråkig.”

”Verkligen?” sade jag hövligt.

Jag tyckte att blicken under de långa ögonfransarna var beräknande. ”Ja, faktiskt. Det blir de alla förr eller senare, tycker ni inte det också? Tråkar aldrig män ut er, Camilla Haven?”

”Ibland”, sade jag. ”Men det gör faktiskt kvinnor också ibland.”

Det gick totalt förbi henne. ”Jag hatar för resten kvinnor”, sade hon rättframt. ”Men Hervé började verkligen gå mig på nerverna. Även om han inte hade slutat med grävningarna här och rest tillbaka till Aten skulle jag ha varit tvungen att lämna honom.” Hon blåste ut ett långt rökmoln, vred på huvudet och tittade upp på Simon. ”Så jag åkte tillbaka hit. Men jag måste bo här i ateljén. Jag får klara mig själv nu, så jag har inte råd med Turistpaviljongen eller något annat ställe heller för den delen ...” Hon log ett långsamt leende med blicken alltjämt riktad mot Simon. ”Så jag får finna mig i att ligga hur som helst.”

På något underligt sätt lyckades hon uttala de där sista enkla orden som om de innebar att hon skulle komma att dela säng med en sadist och att denne var Simon. Jag kände åter ett ryck av intensiv irritation. Jag visste att jag borde ha tyckt synd om Danielle eller till och med känt mig road av henne, men det var på något sätt omöjligt. Jag började misstänka att hon inte alls försökte ge sken av en rörande mogenhet; denna *weltschmerz* var inte någon pose, den var äkta och ganska påfrestande. Det var också det trötta uttrycket i de stora, vilsna ögonen. Men det medlidande som jag borde ha hyst med henne kände jag i stället med Nigel, som nu ivrigt höll på att torka glaset. Han sade hastigt:

”Det är underbart att ha dig här igen. Det vet du. Och det är klart du ska bo i ateljén. Det tycker vi bara är trevligt och här kommer du att ha det bra. Det är bara jag och Simon och en holländsk målare –”

”En holländsk målare?”

Simon sade i blid ton: ”En tjugoårig pojke som har gått från Iōánnina och är mycket, mycket trött.”

Hon tittade upp på honom under de fantastiska ögonfransarna. ”Å.” Hon slängde den halvrökta cigarretten i tvättfatet, där den låg och pyrde. ”Ge mig en cigarrett till, Simon.” Han lydde. ”Camilla?”

”Tack”, sade jag.

Nigel trängde sig förbi mig med ett glas till tre fjärdedelar fyllt med ren ouzo. ”Här har du, Danielle.” Han såg ängslig, koncentrerad ut. Det var som om han bar den heliga graal. Hon tog emot glaset och gav honom ett bländande leende. Jag såg att han blinkade till och rodnaden på de solbrända kinderna djupnade. ”Nigel, älskling. Det är så roligt att vara här igen.”

”Danielle –” Han gjorde en klumpig rörelse i riktning mot henne, men hon undvek den och höjde glaset mot honom medan hon lutade sig bakåt på sängen.

”*Gia sou*, sötnos ... Men du dricker ju inte med mig.” Det hela borde ha varit fullt alldagligt men det var inte det. Uttrycket i pojkens ansikte var naket, värnlöst. Han vände sig om, grep flaskan och fyllde på sitt tomma glas. Men han hade inte hunnit vända sig om mot flickan igen förrän hon gäspade, sträckte på sig, böjde den långa halsen bakåt och sträckte ut ena handen mot Simon. Hennes naglar var mycket långa och mycket röda. Hon lät fingrarna smeksamt glida nerför hans ärm. ”Det är faktiskt så, förstår du”, sade hon, alltjämt i den där uttråkade, sammetslena tonen, ”det är faktiskt så att jag är Simons flicka. Är jag inte det, Simon?”

Jag måste ha hoppat upp från sängen flera centimeter. Simon tittade ner genom röken från sin cigarrett och sade lättjefullt: ”Är du? Jag är naturligtvis förtjust. Men då kanske du kan tala om för mig varför du beställde en bil åt mig i Aten i morse?”

Handen stelnade och drog sig snabbt undan. Den smärta kroppen vred sig på sängen i en häftig rörelse, den första omedvetna hon hade gjort sedan hon kom in. Den var inte det minsta sensuell. Den uttryckte enbart förskräckelse. ”Vad talar du om?”

”Bilen som du beställde i mitt namn i morse. Den som du skulle ha hämtat utanför Alexandros.”

Blicken ur de svarta ögonen höll fast hans ett ögonblick, sedan vek den undan. ”Jaså, den.” Rösten var åter lugn och beslöjad. ”Hur fick du reda på det?”

”Kära Danielle, du beställde den åt mig, inte sant? Och du hämtade den aldrig. Det är klart att personalen på Alexandros kontaktade mig.”

”Men det är omöjligt! Hur kunde de veta något om det?” Nu tittade hon bistert på honom.

”Det kan göra detsamma. Säg bara varför du gjorde det.”

Hon ryckte på axlarna och drack ouzo. ”Jag ville komma tillbaka till Delfi. Och så hyrde jag som sagt en bil. Och eftersom ingen i Grekland tar notis om en kvinna uppgav jag ditt namn.”

”Och sa att det gällde liv och död?”

”Va? Dumheter. Det är klart att jag inte sa.” Hon skrattade. ”Du är så dramatisk, Simon.”

”Kanske det. Det här är en dramatisk plats också. Den går en i blodet. Men du hyrde alltså bilen.”

”Ja.”

”Och kom hit utan den.”

”Ja.”

”Varför det?”

Därför att en idiotisk flicka vid namn Camilla Haven redan hade tagit den, tänkte jag missmodigt. Varför kunde inte Simon låta den saken vara? Av någon anledning hade jag inte större lust att beblanda mig med Danielle Lescaux. Och hon hade all rätt att vara arg på mig om hon hade hyrt den där eländiga bilen – i vilket namn det vara månde – och sedan varit tvungen att ta buss till Delfi. Hon såg inte trött eller misslynt ut, men hon hade tydligen kommit mycket sent och det var antagligen mitt fel.

”Varför?” sade Simon.

Hon sade buttert: ”Därför att Hervé erbjöd mig att ta jeepen. Det var bekvämare.”

Utan att tänka mig för sade jag: ”Jag visste väl att jag hade sett er förut! Ni var flickan i jeepen som körde om mig strax före Thebe. Det minns jag mycket väl. Ni körde på fel sida av vägen.”

Hon gäspade och tungan stack fram mellan hennes tänder. Hon tittade inte ens på mig. ”Antagligen. Jag tycker det blir mer spännande då.”

Simon sade: ”Då kom du ju hit långt före Camilla. Var har du varit?”

Hon sade nästan ilsket: ”Vad spelar det för roll? Lite varstans.”

Jag sade: ”I Itéa?”

Danielle satte sig häftigt rakt upp på sängen. Hon spillde ut lite ouzo. ”Vad pratar ni om?” Jag såg ett hastigt uttryck av förvåning glida över Simons ansikte, sedan återkom den välbekanta, uttryckslösa masken. Med lätt bultande hjärta tänkte jag: *Han är intresserad. Det här betyder någonting.*

Jag sade: ”Jag såg jeepen i Itéa nu i kväll. Den stod parkerad bredvid ett hus som ligger i en olivdunge strax utanför byn. Först nu kom jag att tänka på att det var samma jeep. Nu minns jag. Det hängde en liten paljettdocka på vindrutan – där det brukar hänga en ikon. Jag kommer ihåg att jag la märke till det när ni passerade mig i närheten av Thebe.” Hon drack inte. Röken från den där evinnerliga cigarretten ringlade sig uppåt i en slöja som dolde uttrycket i hennes ögon. ”Nu i kväll? Hur kan ni vara så säker på det? Var det inte mörkt?”

”Jo då. Men det stod en man med en ficklampa och mixtrade med motorn och ljuset föll på paljettdockan. Sen tändes ljuset inne i huset.”

”Å.” Hon tog en stor klunk ren ouzo. Den tycktes inte påverka henne det minsta. ”Tja, det var väl samma jeep då. Jag var där nere tillsammans med … någon jag känner.” Åter det där tonfallet, den där blicken upp mot Simon. Nigel iakttog henne som en herrelös hund. Sedan tillade hon – liksom av en häpnadsväckande impuls av barmhärtighet, tyckte jag: ”Jag åker alltid ner till Itéa på eftermiddagarna. Det har jag gjort i flera veckor. Jag åker dit och badar. Det vet Nigel.”

Nigel svarade omedelbart, nästan som om den sista meningen hade varit en vädjan om bekräftelse. ”Visst vet jag det. Men – for du verkligen dit i dag innan du ens kom hit upp?”

”Mm.” Hon gav honom ett litet bländande leende. ”Du var ju ute, inte sant?”

”Ja.”

”Jag tänkte just det också. Och jag hade med mig en present till Elena från Aten, så –”

”Elena?” sade Nigel hastigt.

”Min väninna i Itéa. Hon badar ofta på samma ställe som jag, så jag följde med henne hem sen.”

”Å!” sade Nigel.

Jag tyckte hon betraktade honom en sekund innan hon vände sig mot mig igen. ”Och ni då, Camilla Haven? *Ni* for alltså ner till Itéa först, innan ni kom hit upp?”

”Jag kom hit först för en timme sen. Jag är här på ett tillfälligt besök bara. Jag bor på Apollon.”

”Men ni for direkt till Itéa.” Orden var nästan skarpa och lät så anklagande att jag skyndade mig att säga: ”Jag tog in på hotellet först.” Sedan tillade jag: ”Jag for till Itéa för att leta reda på den som hade hyrt bilen.”

Det var tyst ett litet ögonblick. ”Den – som hade hyrt bilen?” upprepade Danielle.

”Ja. Jag – det var jag som körde hit bilen från Alexandros på Omoniatorget. Jag – jag letade efter den monsieur Simon som påstods ville ha den.”

Hon lutade sig bakåt på sängen, blåste ut ett litet rökmoln och såg på mig genom det. ”Jaha ... jag förstår. Det var alltså ni som körde dit min bil? Ni?”

”Ja”, sade jag besvärat. ”Jag satt på Alexandros när mannen från garaget kom och han trodde det var jag som skulle ha bilen. Han gav mig nyckeln och sa att det var angeläget och att monsieur Simon ville ha bilen körd till Delfi så fort som möjligt. Jag – vi missförstod varandra alldeles och han försvann och lämnade nyckeln kvar hos mig och jag hade ingen aning om adressen till garaget. Jag visste inte vad jag skulle göra, men jag ville ju själv så gärna komma hit och – tja, han hade envisats med att det gällde liv och död och –"

"Å, är det den där visan igen", sade Danielle.

"Ja, det är det." Jag tillade: "Det var ju skönt att jag tydligen inte har ställt till besvär för er i alla fall. Ni måste ha kommit hit långt före mig. Ni körde som sagt om mig före Thebe."

Hon sade i riktigt skarp ton: "Och varför måste ni köra till Itéa för att hitta Simon?"

"Det behövde jag inte heller. Jag – tja, han hittade mig utan vidare. Men eftersom inte han heller visste något om bilen var det inte till någon hjälp. Vi for dit för att leta efter en annan Simon, en viss Simonides som har ett bageri nära biografen."

"Det ligger inte ute i olivskogen", sade Danielle.

"Nej. Jag gick för att titta på pilgrimsvägen."

"Pilgrimsvägen?" sade hon oförstående.

Simon sade: "Ja. Den borde du verkligen känna till, Danielle."

Hon sade hastigt: "Varför det?"

"Flicka lilla. Därför att du har arbetat här som sekreterare åt en arkeolog."

"Älskarinna", sade Danielle automatiskt.

Nigel sade plötsligt bakom mig: "Om du ändå kunde låta bli att säga så där."

Hon öppnade munnen som för att säga något dräpande men stängde den igen och gav honom ett av sina långsamma leenden. Jag tittade inte på honom. Jag sade snabbt: "Danielle, jag är verkligen mycket ledsen för det här med bilen. Det var nog så – ja, jag tyckte att jag handlade rätt men jag förhastade mig nog lite. Jag hoppas inte det ska bli något trassel nu, för –"

"Det var ni som körde hit den." Hon vred på huvudet och gav

mig en smal blick genom den ringlande röken. ”Så ni får behålla den.”

Jag tittade på henne ett ögonblick. Sedan sade jag långsamt: ”Tja, det är väl inte mer än rättvist.”

”Det var ingen som bad er köra hit den. Jag vill inte ha den. Nu får ni dras med den och jag hoppas ni har råd att betala den.” Hon vände sig bort och snärtade i väg aska mot tvättstället. Den föll ner på golvet i stället.

Det blev en kort tystnad. Jag sade försiktigt: ”Vem ska jag betala till?”

Hon vände hastigt ansiktet mot mig igen. ”Vad menar ni?”

”Precis det jag sa.”

”Tja, till mig förstås. Sa de inte att handpengarna var betalade?”

”Jo, det sa de.”

”Nå, då så.”

Jag reste mig och tog min handväska. ”Det förvånar mig bara lite att ni inte stannade till vid garaget när ni hade fått jeepen och avbeställde bilen. Om ni har så ont om pengar som ni säger att ni har tycker jag de där handpengarna skulle ha kommit väl till pass. Ja, jag förstår inte varför ni över huvud taget hyrde den där bilen. Det är billigare att ta bussen. Ni kanske kan låta mig få kvittot och adressen till garaget?”

Hon lät vresig när hon svarade: ”I morgon. Jag vet inte var jag har det just nu.”

”All right.” Jag vände mig mot Nigel och log. ”Nu måste jag faktiskt gå, Nigel, annars börjar det bli ljust innan jag kommer i säng. Tack så hemskt mycket för ouzon och för att jag fick se teckningarna. Jag tycker de är underbara – det menar jag uppriktigt; och den där sista - ja, den är ett mästerverk. Och det är inte struntprat; det är sant. God natt."

Simon hade rest sig upp. När jag vände mig om för att gå gjorde han en rörelse som för att följa efter mig, men Danielle for upp från sängen med en snabb vrickning på kroppen som en orm. Hon kom att stå mycket tätt intill honom.

"Simon" - klorna låg på hans arm igen - "jag har rummet som ligger längst bort och det är något fel med duschen där. De förbaskade kranarna droppar och jag kommer aldrig att kunna somna. Tror du att du kan ordna det åt mig?"

"Sånt där är jag inget vidare på. Och jag ska för resten följa Camilla hem nu och sen -"

Jag sade stelt: "Jag behöver absolut inte följas hem. Jag hittar så bra själv."

"- och sen måste jag gå tillbaka och hämta bilen. Vi lämnade den nedanför templet."

Nigel hade öppnat dörren för mig. Jag kastade en blick bakåt på Simon. Danielle klamrade sig fast vid hans arm. "Det behöver du verkligen inte ha besvär med. Det är jag som är ansvarig för bilen - som Danielle påpekade."

Han tittade lätt roat på mig. Jag bet mig i läppen och sade: "All right. Det - det är mycket snällt av dig."

"Inte alls. Om bilen beställdes i mitt namn är jag också på sätt och vis ansvarig för den. Det kan man väl nästan säga, Danielle?"

Hon kastade en förintande giftig blick på mig under de långa ögonfransarna, sedan höjde hon på dem igen och såg på honom. Hennes röst var honungslen. "Inte precis. Men om du känner det så ... Då kommer du och lagar de där kranarna sen, va? De är faktiskt hemskt irriterande."

”Det blir för sent”, sade Simon. ”God natt. God natt, Nigel, och tack ska du ha. Vi ses.”

Vägen ner till hotellet var mycket brant och knagglig och tog ungefär tolv minuter att gå, och vi koncentrerade oss på att inte bryta benen och att inte tala om Danielle. För mig var det förra lättast.

Vid hotellet sade Simon: ”Camilla.”

”Ja?”

”Strunta i det där.”

Jag skrattade. ”All right.”

”Jag medger att du har rätt att känna dig djupt och innerligt uppbragt. Nå, känns det bättre nu?”

”Mycket.”

”Oroa dig inte för den där sabla bilen. Jag ville inte gå närmare in på saken när hon – ja, där uppe i ateljén, men nu när bilen ändå är här tycker jag själv det är skönt att ha den, så tänk inte mer på det.”

”Jag vill inte att du ska betala för – för mina dårskaper”, sade jag bestämt.

”Jag vill inte att vi ska diskutera det nu”, sade Simon lugnt. ”Du borde sova nu. Det har varit en lång dag för dig och i morgon kommer det antagligen att bli ännu tröttsammare.”

”Jag måste antagligen ge mig i väg i morgon.”

”I morgon? Jösses, inte kan väl ilskan vara så djup?”

”Nej, det är inte det. Men det kan hända att jag inte får något rum på hotellet.”

”Å, det hade jag glömt. Men, hör du, kan du inte flytta upp till ateljén? Nu har du ju sett den. Det är enkelt där men det är rent och mycket bekvämt. Och nu verkar det ju” – det blev skrattrynkor kring de grå ögonen – "som om du har fått en som kan vara förkläde åt dig."

"Jag ska tänka på det", sade jag utan större entusiasm.

Han tvekade, så sade han: "Det hoppas jag du vill. Jag – ge dig inte i väg i morgon, är du snäll. Jag har hoppats att du skulle följa med mig."

Jag stirrade på honom. "Men – jag trodde du skulle gå upp på Parnassos med Stephanos?"

"Det ska jag också. Jag vill att du ska följa med. Vill du det?"

"Men Simon."

"Vill du?"

Jag sade med hes röst: "Det är ju vansinnigt."

"Jag vet. Men så är det."

"Det är ju helt och hållet din privatsak. Bara därför att jag – jag tvingade dig att ta del av mina besvärligheter betyder inte det att du måste be mig springa i hälarna på dig."

Det roade uttrycket var där igen. "Nej. Vill du?"

"Ja. Naturligtvis."

"Det blir en lång vandring. Säkert en dagsmarsch. Om de inte kan låta dig stanna kvar på hotellet kan jag ringa till Aten åt dig och ordna så att du får bo i ateljén. Vad säger du om det?"

"Ringa till Aten?"

"Det är akademin för de sköna konsterna som äger ateljén och du är lika lite som jag någon erkänd konstnär. Du får komma in som studerande."

"Å, ja visst. Och Danielle?"

Han log. "Arkeologer räknas kanske. Om hon uppger mitt namn när hon vill hyra en bil refererar hon säkert till Hervé när hon vill ha ett rum i ateljén."

"Antagligen. Ja, vill du vara snäll och ringa till Aten åt mig så kan jag kanske flytta in i morgon kväll. Hur dags ska vi ge oss i väg?"

"Jag kommer och hämtar dig halv nio." Han log hastigt mot mig. "God natt, Camilla. Och tack ska du ha."

"God natt."

När han vände sig om för att gå sade jag innan jag hann hejda mig: "Du glömmer väl inte att du ska gå och laga de där kranarna?"

"Kranar tråkar ut mig", sade Simon stillsamt. "God natt."

X

> Karaktär finns i ett stycke, om i en persons ord eller handling en viss avsikt ådagalägges; en god karaktär, om avsikten är god. Detta kan vara fallet hos vem som helst. Ty även en kvinna eller en slav kan vara en god karaktär …
>
> ARISTOTELES: Om diktkonsten

Nästa morgon vaknade jag tidigt, så tidigt att när jag märkte att jag hade svårt att somna om igen beslöt jag mig för att stiga upp och gå och titta på ruinerna på egen hand innan dagens äventyr började. Jag log lite skevt för mig själv när jag samtidigt kom att tänka på att jag ännu inte hade postat brevet till Elizabeth. När jag var klar att lämna rummet fiskade jag upp det ur väskan, öppnade det och skrev hastigt till ett postskriptum:

”Skrev jag att det aldrig händer mig någonting? Det började från och med i går. Om jag får leva skall jag skriva och berätta för dig vad du går miste om.

Hälsningar, Camilla."

Solen sken redan klart och varmt trots att klockan bara var lite över sju. Jag gick bygatan fram för att posta brevet, sedan vek jag in på den branta väg som gick mellan terrasserade gator till bergssidan ovanför.

Vägen bestod av en bred trappa, begränsad av vitkalkade väggar från vilka solljuset återkastades. Det redan bländande vita skenet dämpades överallt av grönska; från varenda vägg och vartenda tak ringlade sig vinrankor och klängormbunkar, klart skära och scharlakansröda pelargonier och skimrande kaskader av ringblommor och *Rudbeckia hirta*. Vid mina fötter gick hönor och pickade och sprätte. Då och då steg jag åt sidan när en åsna eller en mula noga och försiktigt trippade nerför trappan, medan en beslöjad bondgumma, som följde efter den, log och stillsamt hälsade "God morgon".

Trappan ledde till slut upp ovanför byn till bergssluttningen, där högar av klappersten och kantsten visade att en ny väg höll på att byggas. Jag följde den med försiktiga steg, iakttagen av vänligt och nyfiket stirrande arbetare, och innan jag ens var medveten om att jag hade kommit så långt befann jag mig bortom det sista huset och uppe på den öppna sluttningen ovanför ateljén.

Det var en brant backe och solen brände. Stigen ledde längs foten av en låg klippvägg, som vid denna tidiga timme kastade en smal skugga. Jag hittade en flat stenhäll i en skuggig vrå och satte mig för att pusta ut efter promenaden.

Stigen som jag satt vid tycktes vara en fortsättning på den som Simon och jag hade följt kvällen före. Den passerade ovanför ateljén, sluttade sedan ner till klungan av pinjer, som jag kom ihåg, och stupade därefter ännu brantare ner mot själva tempelområdet. Inte långt från den plats där jag satt kunde jag se ateljén – nedanför mig nu och till höger om stigen – klumpig och fyrkantig och ful på den uthuggna platån. Bortom den svävade och skimrade dalen med olivträd i det väldiga, genomskinliga och avlägsna ljuset, och ännu längre bort låg berg efter berg och slutligen havet.

Så fångades min uppmärksamhet av något som rörde sig i närheten av ateljén.

Någon var lika tidigt på benen som jag. Jag hörde hasande fotsteg komma uppför stigen som ledde upp från platån. Sedan fick jag syn på honom, en mager, ljushårig gestalt som bar på en ryggsäck och med snabba steg men nästan ljudlöst vandrade upp mot stigen där jag satt i skuggan. Han hade inte tittat åt mitt håll; han var på väg mot klungan av pinjer ovanför templet och förflyttade sig snabbt bort från mig.

Han nådde stigen. Han var ungefär sjuttiofem meter från mig, nära stängslet som inhägnade gravplatsen. Han stannade och vände sig om, liksom för att hämta andan och titta på utsikten.

Jag tänkte just resa mig upp och ropa till honom när någonting i hans beteende fångade min uppmärksamhet och jag satt kvar. Han hade tagit ett par snabba steg bakåt och åt sidan och stod nu i skuggan av en pinje. Det brutna skuggmönstret snärjde in och dolde honom så att han blev osynlig, camouflerad. Han stod där blickstilla och han tittade inte på någon utsikt; han höll huvudet framåtböjt som om han studerade marken framför sig, men plötsligt förstod jag att han lyssnade. Han rörde sig inte. Det enda ljud som hördes denna vackra, strålande morgon var pinglandet från en getskälla på andra sidan dalen och en tupps galande nere i byn. Inget ljud från ateljén; inte en rörelse.

Nigel lyfte huvudet och såg sig omkring, alltjämt med de där försiktiga, smygande rörelserna. Det var alldeles tydligt att han inte ville att någon skulle följa efter honom, vart han nu var på väg, och med tanke på Danielle förstod jag honom. Och jag tänkte inte heller hindra hans flykt. Jag log för mig själv och stannade där jag var. Jag trodde inte att han skulle se mig om jag inte rörde på mig och det gjorde han inte heller. Han vände sig plötsligt om och skyndade sig vidare uppåt mellan pinjerna mot området ovanför, där det gamla stadion låg och ovanför det stigen som ledde förbi Faidriadema och upp till övre delen av Parnassos.

Jag lät honom få ett par minuters försprång innan jag reste mig och fortsatte. Snart var jag också inne i skuggan av pinjerna och till höger om mig hade jag det fallfärdiga stängslet och snåret av förtorkat ogräs som omgav gravplatsen.

Jag vet inte riktigt vad som kom mig att göra det, men det var på något sätt som om historien med Michael Lester redan var min personliga angelägenhet. Jag öppnade den knarrande grinden och gick in mellan gravstenarna. När jag till slut hittade den var jag tvungen att långsamt stava mig igenom inskriptionen för att vara säker på att det var den rätta.

mixaea aeςthp

Detta främmande kors, en främmande gravskrift ... Och i mina öron klingade Simons röst, alltjämt i en ton av krav: ”Min bror Michael.” Och bakom den kunde jag höra ekot av andra röster, andra krav: ”Kvinnan i mitt hus, en kusin till Angelos, broder till Michael...” ’Ingen människa är en ö, hel i sig själv.’”

Jag stod där i den varma morgontystnaden och tänkte på Simon. I dag var jag engagerad i Simons sökande. Jag hade också uppfyllt ett krav. Han skulle gå och titta på den plats där Michael hade dött och han ville ha mig med sig.

Och jag? Varför hade jag sagt att jag ville följa med? Jag hade sagt att det var vansinnigt och det var det också … Men jag hade en underlig känsla av att jag själv, helt bortsett från Simons behov av mig, hade ett rent personligt behov. Jag hade också någonting att finna.

En fågel, liten och brokig som ett fladdrande löv, flög genom den varma stillheten. Jag vände mig om och gick tillbaka mot grinden mellan de dammiga gravkullarna.

Nu tänkte jag inte på Simon utan på mig själv. Inte på mitt jag, den identitet som jag hade känt det så nödvändigt att hävda när jag skickade tillbaka Philips ring, utan på den identitet som jag så lätt hade lagt mig till med dagen före och som jag tydligen ännu inte kunde lägga av. Inte Camilla Haven utan bara ”Simons flicka”.

Jag gick hastigt ut genom grinden och skyndade mig nerför stigen tills jag kom ut ovanför det stora tempelområdets ruiner.

Jag har redan skrivit nog om Delfi, och det är sannerligen inte lätt att skriva om den platsen. Den kramar hjärta och sinnen torra. Ögon och öron och andaktsfullhet är det enda som behövs här.

Jag promenerade långsamt nerför sluttningen i solen. Här stod det lilla granatäppleträdet i en spricka i teaterns marmor. Dess blad prasslade inte nu utan hängde stilla och mörkgröna. Frukterna var brandgula och skinande som kristallkulor. Här var den halsbrytande trappan … Och här teaterns scen där Simon hade stått och talat kvällen före; jag kunde se märket i mitten, varifrån ens röst slungades högt upp på bergssidan. Och nu trappan till tempelplatsen – det där måste vara Alexandermonumentet – och det här tempelgolvet.

De sex stora kolonnerna stod som eldslågor mot dalens väldiga djup.

Det syntes inte en människa. Jag gick tvärsöver tempelgolvet och satte mig på kanten med ryggen mot en av kolonnerna. Marmorn var varm. De förvittrade kapitälerna ovanför mitt huvud var levande av snabba svalvingar. Långt nedanför mig skimrade olivträden längs dalen. I bakgrunden låg Helikon, blått, silverglänsande, grått som Afrodites duvor. Överallt hördes sångfåglar, för Delfi är ett naturskyddsområde. Någonstans på avstånd pinglade fårskällor …

Klockan var bara åtta när jag lämnade min plats och gick nerför den heliga vägen från templet till utkanten av området, där en tät rad av pinjer avskiljer det från vägen nedanför. Jag följde stigen under pinjerna och gick sedan ner till museet, som ligger i en vägkrök. Jag tyckte att jag redan hade varit uppe och i farten så länge att jag blev förvånad över att finna dörrarna stängda fortfarande. Det satt en man i guideuniform under träden på andra sidan vägen, så jag gick dit för att tala med honom.

”Museet?” sade han som svar på min förfrågan. ”Tyvärr öppnas det inte förrän halv tio. Men vill ni ha en guide nu till ruinerna?”

”Inte i dag, tack”, sade jag. ”Jag har just varit där uppe. Men i morgon kanske, om jag är kvar i Delfi då … Är ni här i morgon?”

”Jag är alltid här så här dags.” Han hade mörkt, skarpskuret ansikte och förvånansvärt blå ögon. Han såg sofistikerad ut och han talade engelska mycket bra.

Jag sade: ”Jag skulle vilja se Körsvennen.”

”Naturligtvis.” Han log och blottade kritvita tänder. ”Men det finns annat också här i Delfi.”

”O ja, det vet jag, men är inte han det första alla tittar efter på museet?”

”Naturligtvis”, sade han igen. ”Om ni följer med mig i morgon ska jag visa er hela museet också.”

”Det skulle jag gärna vilja.” Jag tvekade. ”Säg – jo, jag undrar om ni känner den unga engelska konstnären som bor uppe i ateljén? Mager och ljushårig med ett litet skägg?” ”Ja, jag känner honom. Han har varit i Delfi ganska länge, inte sant?”

”Jag tror det. Brukar han – har han varit mycket på museet?”

”Ja då. Han går ofta dit för att teckna. Har ni sett några av hans teckningar, *kyria?* De är mycket bra, verkligen mycket bra.”

”Han visade mig några stycken i går kväll, men jag tror inte det var några av statyerna och antikviteterna. Jag kan tänka mig att han skulle lyckas mycket bra med dem. Har han gjort några teckningar av Körsvennen?”

”Ja visst. Ni sa ju själv att han är det första man tittar efter. Och så litet som det här museet är måste han ju vara vår *pièce de résistance.*”

”Var han – la ni märke till om konstnären var här i går?”

Guiden verkade inte alls förvånad över detta sällsamma förhör. Hans erfarenhet av turister måste ha gjort honom oerhört tolerant. Han skakade på huvudet. ”Det tror jag inte. Jag var här hela dan, men han kan ju ha varit här medan jag var uppe i ruinerna. Den turen tar nästan en timme. Om ni vill träffa honom så hittar ni honom säkert i ateljén ovanför templet. Det är där de håller på att bygga den nya vägen.”

”Jag träffar honom kanske senare.” Jag ansåg det vara dags att sluta detta speciella förhör. ”Vad är det för ny väg de gör där uppe ovanför byn? Vart ska den gå?”

”Till stadion. Har ni sett det?”

”Inte ännu.”

”Det ligger högt ovanför tempelplatsen. Det är många turister som kommer till Delfi som aldrig ser det därför att vägen dit är så brant. Det är mycket vackert - bara den gamla ovala kappkörningsbanan med raderna av åskådarplatser, precis som det var i antiken, och med utsikten - det är alltid den där utsikten över olivträden och dalen och havet. Så nu gör de en riktig landsväg för att turisterna ska kunna komma dit med bilar och bussar."

Jag undertryckte min förtrytelse över att ännu en ursprunglig och vacker sevärdhet skulle invaderas av bilar och bussar och sade: "Å, jaså. Ja, allting som kan föra pengar till Grekland är förstås bra. Är ni infödd här i Delfi, *kyrie?*"

"Nej. Jag är från Tenos."

"Å. Då - då var ni kanske inte här under kriget?"

Han log. "Nej. Jag hade fullt upp att göra på min ö."

Min ö. Där var det igen. En man från Tenos.

Då skulle han inte komma ihåg Michael Lester. Det var möjligt att han aldrig hade hört talas om honom. I alla händelser fick jag inte låta det gå för långt, inte längre än vad Simon väntade sig av mig. Jag sade bara: "Det förstår jag."

Han rullade en cigarrett med snabba, skickliga rörelser.

"*Då* behövdes det verkligen inte några guider i Delfi, *kyria*. Då var det ingen som brydde sig om templet och det heliga området och Körsvennen! Man kan nog säga att det var synd - om folk hade haft tid att komma hit, precis som man kom hit när oraklet fanns och Delfi var världens centrum, skulle de säkert ha fått sina tvister lösta." Den där snabba, sofistikerade blicken och det plötsliga leendet igen. "Det, förstår ni, är vad jag alltid säger när jag visar mina turister omkring. Det är ett mycket effektivt svammel. Delfis amfiktyoniska förbund. Nationernas förbund. Förenta nationerna. Mycket effektivt."

"Det tror jag säkert. Tar ni också med det där om striderna

mellan Delfi och dess grannar och skovlingen av Krissa och monumenten över atenarnas segrar över spartanerna och spartanernas segrar över atenarna och det argiviska monumentet som placerades på den plats där det skulle reta spartanerna mest och –"

"Ibland." Han skrattade. "Jag får visst ta mig i akt när jag ska visa er omkring i morgon, tror jag."

"Å, det behövs inte. Jag läste bara på min läxa ordentligt innan jag reste hit. Det blir mycket mer spännande om man *vet* vad som hände här. Jag tittade på en del fotografier också." Jag tvekade igen. "Körsvennen ...", sade jag långsamt.

"Vad är det med honom?"

Jag hade en resehandbok med mig; "Kortfattad guide över Delfi", hette den, och på pärmen var det ett fotografi av den berömda statyns huvud. Jag höll fram boken. "Här är han. Jag har hört så mycket om honom, men jag kan inte låta bli att undra om jag verkligen kommer att tycka om honom. De där ögonen; de har inläggningar av onyx och vit emalj, inte sant? Och ögonfransarna är långa och är av metall? Jag erkänner att de ser levande ut men – ja, titta, ni ser kanske vad jag menar?" Jag pekade på fotografiet. "Den där låga pannan och den kraftiga hakan; det är inte direkt något vackert ansikte, eller hur? Och ändå säger alla att han är så underbar."

"Det kommer ni också att göra. Inget fotografi kan göra honom rättvisa. Det är samma sak med den store Hermes i Olympia. På fotografier ser han feminin ut, marmorn är för slät och skiner som tvål. Men när man får se statyn i verkligheten tappar man nästan andan."

"Jag vet. Jag har sett den."

"Vänta då tills ni får se Körsvennen. Det är en av de stora statyerna i Grekland. Vet ni vad som slår mig först av allt varje gång jag ser honom igen – vilket händer varje dag?"

"Nej. Vad då?"

"Att han är så ung. All den där värdigheten, den där gracen, och så är han så ung. Man trodde förr att han var ägare till spannet – loppets vinnare – men nu sägs det att han antagligen var körsven åt någon annan som ägde vagnen."

Jag sade tveksamt: "I Pausanias' beskrivning av Delfi finns det visst en passus om en bronsvagn med en naken 'charens herre' som kanske hade en körsven, en yngling av god familj. Inte sant?"

"Jo, det tror jag bestämt. Men det kan knappast syfta på vår Körsven, *kyria*; det har konstaterats att han antagligen begravdes vid en jordbävning år trehundrasjuttitre före Kristus och att han inte grävdes fram igen utan av misstag byggdes in i – vad är det ni kallar det? – hållmuren ('jordhållaren' är det grekiska ordet) som uppfördes för att förhindra att stenar och jord begravde templet igen."

"Stödmur", sade jag.

"Å, tack. Stödmuren. Jo, förstår ni, vår Körsven hade försvunnit några århundranden innan Pausanias kom till Delfi."

"På så sätt. Det visste jag inte."

Han hade slutat rulla cigarretten. Han stoppade in den mellan läpparna och tände den och spottade samtidigt ut några lösa tobaksflarn.

Han sade: "Nu påstår de att Körsvennen var en del av en segergrupp, uppförd av en viss Gelon, vinnaren av en kapplöpning, men det är omöjligt att veta vad som är det riktiga. Det var så mycket som försvann och förstördes och stals under århundradens lopp att sanningen om våra fynd bara är gissningar. Och Delfi drabbades hårt därför att det var så rikt. Man räknar visst med att det fanns sextusen monument här – det är i alla händelser det antal inskriptioner som har kommit i dagen " Han log och blottade sina bländvita tänder. "Jordskredet som kom och dolde Körsvennen var ett gudarnas verk, för det hindrade plundrarna från att lägga beslag på honom. Fokerna skövlade hela området knappt tjugo år efter det att han hade begravts, och längre fram förstördes eller stals naturligtvis oräkneliga skatter."

"Jag vet. Sulla och Nero och de andra. Hur många bronsstatyer anses det att Nero förde till Rom?"

"Femhundra." Han skrattade igen. "Jag märker att jag nog blir tvungen att hålla tungan rätt i munnen i morgon i alla fall!"

"Å, jag läste bara på lite, som sagt, alldeles innan jag reste hit. Och det är så mycket –"

Ett plötsligt oväsen och en kanonad av röster någonstans bakom museet kom mig att rycka till, och jag tystnade och kastade en blick över axeln. "Vad i all världen är det?"

"Ingenting. Bara litet missämja mellan arbetarna."

"Lite missämja? Det låter som ett större krig!"

"Vi har nog tyvärr alltid varit ett krigiskt släkte. Jo, det är bråk mellan arbetarna i dag. Det är fortfarande folk kvar från de franska arkeologernas utgrävningar – själva utgrävningarna är avslutade men en del arbetare har stannat kvar för att röja upp och ta bort skenorna som transportvagnarna gick på och lite annat sånt där. En mulåsna gick vilse under natten och nu har de upptäckt att det saknas några verktyg och så anklagar de vägarbetarna för stöld och då – ja, som ni hör är det lite missämja."

"Några verktyg och en mulåsna?" Jag lyssnade på uppståndelsen ett ögonblick. Det lät som slaget vid El Alamein i stereofonisk återgivning Jag sade lätt ironiskt: "De har kanske inte hört talas om Amfiktyoniska förbundet och freden i Delfi."

Han log. ”Kanske inte.”

”Men nu måste jag faktiskt gå. Jag meddelar er om jag kan följa med er i morgon. Ni sa ju att ni var här vid den här tiden?”

”Alltid.”

Jag fick en skarp, inre vision av ett liv där man – alltid – befann sig på den lugna och fridfulla Delfivägen i den tidiga morgonsolen. ”Om jag kan komma ska jag försöka vara här senast klockan åtta. Om jag inte kan –”

”Det spelar ingen roll. Om ni kommer ska jag med nöje visa er omkring. Om inte gör det detsamma. Bor ni på Apollon?”

”Ja”

”Det är trevligt där, va?”

”Förtjusande.” Jag tvekade ett ögonblick och tittade på museets stängda dörr. Han iakttog mig genom cigarrettröken med sina listiga och kallsinniga blå ögon. Jag sade: ”*Kyrie* … ni var förstås inte här under kriget, men ni vet väl ändå vad det blev av statyerna och allt det andra i museet? Körsvennen till exempel? Var fanns han? Var han gömd?”

”Inte direkt. Han var i Aten.”

”Å. Jaså, på det viset.”

En skranglig svart bil stannade bakom mig. Simon log mot mig över dörren och sade: ”God morgon.”

”Å, Simon! Är jag sen? Har du varit tvungen att leta efter mig?”

”Båda frågorna besvaras med nej. Jag var uppe tidigt och de sa att du hade gått hit. Har du ätit frukost?”

”För länge sen.”

”Jag förstår inte varför folk ska behöva anlägga den där avskyvärt självbelåtna tonen varje gång de lyckas inmundiga frukost före klockan åtta”, sade Simon. Han lutade sig fram och öppnade dörren för mig. ”Kom, så ger vi oss i väg. Men du vill kanske köra själv?”

Jag brydde mig inte om att svara utan slank hastigt in bredvid honom i framsätet.

När bilen hade kommit runt vägkröken och ökade farten på raksträckan nedanför templet sade jag utan någon inledning: ”Körsvennen var i Aten under kriget. Antagligen gömd någonstans.”

Han gav mig en hastig blick. ”Å. Ja, det vore ju inte så underligt, eller hur?” Jag såg att han log.

Jag sade nästan urskuldande: ”Nå ja, du har ju i alla fall dragit in mig i det här.”

”Ja, det har jag visst gjort.” En liten paus. ”Gick du ner genom templet i morse?”

”Ja.”

”Jag tänkte just att du skulle göra det. Jag brukar själv gå dit nästan varje morgon vid sextiden.”

”Inte i dag?”

Han log. ”Nej. Jag tänkte att du skulle vilja vara i fred där.”

”Du är mycket –” började jag men hejdade mig. Han frågade inte vad jag hade tänkt säga. Jag sade, inte helt ovidkommande: ”Tappar du aldrig tålamodet, Simon?”

”Varför i all sin dar frågar du det?”

”Och jag som trodde du var tankeläsare!”

”Å. Tja, låt mig se … Apropå i går kväll?”

”Det gissade du lätt. Ja visst. Nigel var oförskämt fräck mot dig. Blev du inte arg?”

”Arg? Nej.”

”Varför inte det?”

”Jag tror inte jag skulle kunna bli arg på Nigel, för han är ganska olycklig. Livet är inte lätt för honom och till råga på allt måste han falla för den där flickan och hon har ställt till ett sabla trassel för honom. Men i går kväll –" Han gjorde en paus och jag såg åter de där rynkorna av bekymmer kring hans ögon. "I går kväll var det något på tok. Något verkligt allvarligt, menar jag; inte bara Nigels gamla vanliga utslag av nerver och temperament och misslyckad begåvning och så den där lilla häxan som har honom säkert fast på kroken och bara leker med honom. Det var något mer än det."

"Är du säker på att han inte var lite berusad bara? Det sa han att han var."

"Det är möjligt. Men det ingår säkert i bilden; han dricker inte mycket i vanliga fall och i går bälgade han i sig en hel del, trots att han i likhet med dig inte tycker om ouzo. Nej, det var absolut något mycket allvarligt och jag skulle ge mycket för att få veta vad det var."

"Efter vad jag förstår berättade han ingenting för dig när du hade kommit tillbaka till ateljén? Jag fick det intrycket att han tänkte tala om något just när Danielle kom och avbröt honom."

"Ja, det gjorde jag också. Men jag träffade honom inte sen. Hans rum var tomt när jag kom tillbaka. Jag väntade en stund men till slut gick jag och la mig. Jag hörde inte när han kom."

"Han höll kanske på att laga kranarna", sade jag lite syrligt.

"Det tänkte jag också på. Men det gjorde han inte. Danielles dörr stod öppen. Hon var inte heller inne. Jag tror de tog en promenad eller gick ner i byn för att få något mer att dricka eller något liknande. Och när jag steg upp i morse hade Nigel gett sig i väg."

Jag sade: "Han gick upp på berget. Jag såg honom."

"Såg du honom?"

”Ja, vid sjutiden. Han gick upp förbi gravplatsen och de där pinjerna och det verkade som om han tänkte fortsätta uppåt.”

”Ensam?”

”Ja. Det föreföll faktiskt som om han var mycket angelägen om att ingen skulle upptäcka honom. Jag gav mig inte till känna och jag tror inte han såg mig.”

Simon sade: ”Nå ja, vi får hoppas att han arbetar lite i dag så att han får ur sig det där som han går och bär på. Jag träffar honom väl i kväll.” Han tittade hastigt på mig och log. ”Gjorde du några andra upptäckter i morse?”

”Bara en till”, sade jag innan jag hann tänka mig för.

”Och det var?”

Jag talade om det för honom utan vidare. ”Det var bara något som jag plötsligt kom på. Vi talade om det i går kväll med Nigel. Det är något som vi får lära oss från barndomen, men det har aldrig riktigt gått upp för mig förrän nu.”

”Vad är det?”

”Det där citatet från ’din gamla prästvän’, som Nigel kallade honom.”

”Jaså, det.” Han var tyst en stund, sedan citerade han det med låg röst, liksom halvt för sig själv: ”’Ingen människa är en ö, hel i sig själv; varje människa är en del av kontinenten, en del av fastlandet; om en jordkoka spolas bort av havet blir Europa mindre, på samma sätt som om en udde spolas bort, på samma sätt som om dina vänners eller ditt eget jordagods spolas bort. Varje människas död försvagar mig, ty jag är delaktig i mänskligheten; låt därför aldrig höra efter för vem klockan klämtar; den klämtar för dig …’ Det är strålande ord, inte sant? Man borde tänka på dem lite oftare.”

Bilen saktade farten och svängde ut för att passera en liten grupp av tre åsnor som trippade i dammet längs vägkanten. På den som gick främst satt en gammal gumma på tvären; hon hade en slända i vänstra handen och en spinnrock i den högra och medan hon red spann hon oavbrutet den vita ullgarnstråden utan att titta på den. Hon hälsade leende på oss med en nick när vi körde förbi.

Simon sade: "Vad var det som kom dig att tänka på det där i morse?"

Jag tvekade, sedan sade jag tonlöst: "Michaels grav."

"Jag förstår." Och det trodde jag också han gjorde.

Jag sade: "Det är det här förbaskade landet. Det påverkar en - andligt och fysiskt och moraliskt också, tror jag. Det förflutna är så levande och nutiden så intensiv och framtiden så hotfullt nära. Det är som om ljuset tänder liv i en dubbelt så intensivt som någon annanstans. Det är antagligen därför grekerna har kunnat uträtta underverk och kunnat uthärda tjugo generationers slaveri, som skulle ha krossat vilket annat folk som helst. Man kommer hit och tror att man ska titta på en massa sägenomspunna ruiner och pittoreska bönder och så upptäcker man -" att Jag tystnade.

"Att vad?"

"Nej. Jag pratar strunt."

"Det är bra strunt. Fortsätt. Vad upptäcker man?"

"Man upptäcker att Michael Lesters grav är lika gripande och betydelsefull som Agamemnons grav i Mykene, eller som Byrons eller Venizelos' eller Alexanders. Han och såna som han är en del av samma bild." Jag var tyst en stund och sade sedan uppgivet: "Grekland. Hur tusan kommer det sig att det påverkar en så?"

Det dröjde lite innan han svarade: "Jag tror hemligheten är att det tillhör oss alla - oss västerlänningar. Vi har lärt oss att tänka enligt dess normer och att leva enligt dess lagar. Det har gett oss nästan allt som vår värld har av betydenhet. Sanning, logiskt tänkande, frihet, skönhet. Det har gett oss vårt andra språk, vår tankegång, vårt andra hemland. Vi har alla vårt eget fädernesland - och Grekland."

Vi svepte runt en vägkrök och framför oss öppnade sig den djupa dalen så att ett stort, runt berg framträdde i all sin skönhet, silvergrönt, blåådrigt, molngrått.

"Ja, åt fanders med allt det andra", sade Simon. "Titta på det där berget framför oss. Det är Helikon. *Helikon*. Och så undrar du varför det här landet påverkar en?"

"Inte nu längre", sade jag.

Och vi sade ingenting mer förrän vi kom till Arákhōva och fann Stephanos och Niko väntande på oss på kaféet i hörnet.

"Tycker ni om mina strumpor?" frågade Niko.

"De är förunderliga", sade jag sanningsenligt. I det där landskapet var de verkligen något att förundras över. De hade en uppseendeväckande chockrosa färg och verkade självlysande. De flammade mellan bergstigens varma vitnade stenar som neonskyltar mot en klar himmel.

"De lyser upp", förklarade Niko.

"Jag ser det. Var har ni köpt dem?"

"I Aten. Det är sista skriket från New York."

"Reser ni ofta till Aten?"

"Nej. Jag började arbeta där när jag var fjorton år. Jag var pickolo på Akropol Palace Hotel."

"Jaså. Var det där ni lärde er engelska?"

"En del. Jag har också läst engelska här i skolan. Talar jag bra?"

"Mycket bra. Varför stannade ni inte i Aten?"

"Det är bättre här." Niko tittade bakåt längs stigen som vi

följde. Långt nedanför oss hade Arákhōva krympt ihop till ett leksaksvattenfall av färgade tak. När Niko vände sig mot mig igen verkade han nästan förbryllad. ”Här finns det ingenting. Inga pengar. Men det är bättre här. Arákhōva är min by.” Åter den där blicken. ”Tycker ni jag är tokig? *Ni* kommer från London där det finns mycket pengar. All greker är lite tokiga, va? Men ni tycker jag är dum som lämnade Aten?”

”Det finns en sorts gudomlig galenskap hos alla de greker jag har träffat”, sade jag och skrattade. ”Men ni är inte tokig, Niko. Det är absolut bättre här, vare sig det finns pengar eller inte. Man ska aldrig bo i en stad om man inte är tvungen till det. Jag bor inte i London. Jag bor långt därifrån i en liten by, precis som ni.”

”Som Arákhōva?” Han var ytterligt förvånad. Jag hade för länge sedan upptäckt att England innebar London för alla greker och ingenting annat. Det väldiga London med gator av guld och portar av ädelstenar.

”Inte riktigt som Arákhōva.”

”Och det är er by precis som Arákhōva är min?”

Jag sade: ”Inte precis, Niko. Tyvärr har vi nog förlorat den sortens känsla. Hur långt är det till den här platsen som vi är ute efter?”

”Är ute efter? *Oriste?*”

”Som vi ska till. Den plats där Michael dog.” Jag sade det tyst med en blick på Simons rygg. Han gick några meter framför oss tillsammans med Stephanos.

”Det är ungefär en timme kvar. Mer kanske. Den ligger närmare Delfi än Arákhōva. Det är en … vad heter det nu igen, en ihålig plats, en Han tystnade och gjorde en urholkande gest.

”En ravin? Som den här?”

”Just det. En ravin där stenarna har fallit ner vid foten av en klippa. Min farfar hittar vägen. Han säger att den ligger mot nordväst – det vill säga inte mot Delfi och Arákhōva utan mot Amphissa. Den här stigen går utmed bergets framsida, så vi ska lämna den och klättra upp mot klipporna där ravinen är. Jag tror det fanns en djurstig där för många, många år sen men nu finns det ingen. Jag vet inte hur långt det är. Jag har aldrig varit där, jag. Men farfar hittar dit. Är ni trött?"

"Nej. Det är ganska varmt men jag är inte trött."

"I Grekland", sade Niko tankfullt och betraktade mig, "är kvinnorna mycket starka."

Jag tänkte på bykaféerna där glatt sysslolösa män samlades dagarna i ända. "Jag kan tänka mig att de måste vara det", sade jag.

"O ja." Niko missförstod mig, antagligen avsiktligt. "I Grekland är männen hårda. Mycket hårda."

Just i det ögonblicket lyckades Niko verkligen på något sätt se mycket hårdför ut. Hans självsäkra och överlägsna hållning och den blick han gav mig var den tydligaste möjliga invitation till den sortens suggestiva munhuggning som medelhavsländernas män tycks älska. Men man kunde gott vara två om att leka missförståndsleken. Jag sade glatt: "Så om vi möter Angelos' vålnad på berget kommer jag att känna mig alldeles säker i ert sällskap, Niko."

"Va?" Han kom av sig för ett ögonblick. "A, ja visst! Ja, det är klart ni kan känna er säker när jag är med! Jag skulle döda honom. Han hjälpte till att döda min farfars fars brorson Panos, så det är klart att jag skulle döda honom. Och det skulle inte vara svårt" – den överlägsna hållningen gav vika för Nikos egen ungdomliga och naiva entusiasm – "för han är gammal och jag är ung."

”Ja, han är väl minst fyrti år”, instämde jag. ”Och hur gammal är *ni* egentligen?”

”Jag är sjutton.”

Jag sade lögnaktigt: ”Verkligen? Jag trodde ni var mycket äldre.”

Han gav mig ett belåtet, bländande leende. ”Trodde ni det? Trodde ni verkligen det? Och hur gammal är ni, vackra miss?”

”Niko! Inte får man fråga en dam om hennes ålder! Jag är tjugofem.”

”Så gammal? Men ni ser inte ut att vara tjugofem”, sade han storsint. ”Det är en härlig ålder, va? Akta, här är det svårt att gå. Ta mig i handen, miss.”

Jag skrattade. ”*Så* gammal är jag i alla fall inte. Och jag är faktiskt inte ett dugg trött. Bara varm.”

Det var mycket varmt. Medan vi oförtrutet vandrade vidare mot nordväst gassade solen till höger om oss och kastade skuggor, skarpa och hårda som grafit, längs den vita bergssidan. Stigen som vi gick på kunde knappt kallas en stig. Den ledde tvärsöver en sluttning på den stora bergväggen och var inte brant, men den var mycket ojämn och en del av stenarna var vassa. Vi hade för länge sedan lämnat alla träd bakom oss, och berget, där ingen pinje eller cypress nu bröt enformigheten, sträckte ut ett stort utsprång av glödande vitt från den höga och hårda blå himlen ner till den uttorkade flodfåran djupt nedanför oss till vänster. Bortom detta döda vattendrags vindlingar höjde sig berggrunden igen, nu tätt omslu ten av kraftiga koboltfärgade skuggor. Högt ovanför svävade tre fåglar, så högt att det gjorde ont i ögonen att titta på dem, och de kretsade runt långsamt och med orörliga vingar som små leksaker i osynliga trådar. Jag tyckte jag kunde höra deras svaga, melodiska läten. Ingenting annat bröt tystnaden utom skrapandet och trampet av våra fötter och ljudet av våra andetag.

Stigen gick rakt upp till något som såg ut som en vägg av nerfallna stenar och klippblock och där slutade den, utplånades. Stephanos, som gick främst, hade stannat och vänt sig om för att tala med Simon, som gick strax bakom honom. Han sade någonting och pekade mot stenbarrikaden.

Det såg ut som om det hade varit ett jordskred, en stor ström av röd och ockrafärgad jord som hade stelnat redan medan den ännu rann nerför den branta sluttningen. Den var som broddad med sönderbrutna klippblock och stora vita plattor av nerrasad kalksten. Längre nerför bergssluttningen bredde den ut sig som ett rött floddelta. Enorma stenblock hade slungats med ner, låg liksom vårdslöst slängda av en arg guds hand, och täppte till den smala flodfåran.

Stephanos hade lämnat stigen och började ganska mödosamt ta sig uppför den branta sluttningen bredvid stenbarrikaden.

”Är det här vi ska lämna stigen?” frågade jag.

Simon vände sig om. ”Nej. Den fortsätter. Allt det här ligger bara tvärsöver den. Om vi följer efter Stephanos en bit upp kommer vi till ett ställe där det är lättare att komma över.”

”Det måste ha varit ett ordentligt oväder”, sade jag medan jag betraktade virrvarret av sten och jord framför oss och de gigantiska stenblocken långt nedanför.

”Inte oväder. Jordbävning”, sade Simon och skrattade åt min häpna min. ”Ja, man glömmer bort sånt där, inte sant? Det här är som sagt ett vilt land. Och jag tror att det här är ett särskilt utsatt område. Det har varit en hel rad jordskalv här i trakten. Det är ett rent under att det står en enda pelare kvar av de gamla templen och byggnaderna. Kan du klara dig själv?”

”Ja då, tack. Jag behöver ingen hjälp. Jag måste visa mig på styva linan för Niko.”

”Jaha – gör det för oss båda då ... Här är det. Det är här vi ska gå över. Det verkar ju ganska stabilt men var försiktig i alla fall.”

Vi tog oss långsamt fram över lämningarna efter jordskalvet. När vi hade kommit högre upp såg jag att ett stort stycke av klippväggen ovanför oss hade slitits loss och slungats ner. Det hade splittrats i stora vita spjutspetsar, mot vilka de mindre skärvorna låg hopade i avlagringen av mörkröd jord. Vi hasade oss nerför denna besvärliga ramp mot stigen, som låg fri på andra sidan.

”Det verkar som om Jordskakaren har vänt på sig i sömnen”, sade jag, ”och tydligen inte för så länge sen heller. Sprickorna ser ganska nya ut, inte sant?”

Stephanos måste ha förstått andemeningen av vad jag sade. Han hade stannat på stigen för att invänta oss och nu talade han till Simon. ”Vad säger han?” frågade jag.

”Han säger att det var två eller tre mindre skalv – det här var för resten ett mindre skalv – för ungefär tolv år sen. Lite längre bort har det skett mycket kraftigare förskjutningar i berget. Han säger att man måste ha varit på den här delen av Parnassos nästan dagligen för att fortfarande kunna hitta när man väl har lämnat stigen. Han säger också att det ställe vi ska till har förändrats helt och hållet sen han hittade Michael där. Det var bara en öppen plats vid foten av en låg klippa och nu är den omgiven av nerfallna klippblock och bildar liksom en ravin eller håla.”

Stephanos nickade när han hade slutat. Han gav mig en blick under sina ståtliga vita ögonbryn. Han ställde en fråga till Simon.

”Är du trött?” frågade Simon.

”Nej då.”

Simon log. ”Trötta inte ut dig alldeles nu bara för att rädda Englands ära, är du snäll.”

”Nej, det gör jag inte heller. Det är bara så varmt.”

Ett par chockrosa strumpor lyste till bredvid mig när Niko hoppade ner från stenbarriären och landade på stigen, skickligt som en get. Han drog upp en vattenflaska ur sin ryggsäck och skruvade av locket. ”Ta lite vatten, miss.”

Jag drack med förtjusning. Flaskan luktade ammoniak, precis som en åsna, men vattnet var gott och fortfarande ganska kallt.

”Grekiska bondkvinnor”, sade Niko medan han betraktade mig med sin klara blick, ”kan gå i flera timmar i den svåraste terräng utan mat och vatten.”

”Det kan kameler också”, sade jag och skruvade fast locket på flaskan och lämnade tillbaka den. ”Tack, Niko, det var underbart.”

”Det var ett nöje, vackra miss.” Niko vände sig mot Simon och räckte fram flaskan. Hans min och gest uttryckte på något sätt den ömmaste omsorg.

Simon log och skakade på huvudet.

”Då så”, sade Stephanos och vände sig om för att fortsätta. Han och Simon tog åter ledningen och Niko och jag bildade eftertrupp.

Klockan måste ha varit bortåt tolv när vi närmade oss ravinen.

Vi lämnade stigen ett stycke bortom stenbarriären och vände upp mot en kal öken av berggrund och torr jord, alltjämt i Stephanos' säkra kölvatten. Ibland traskade vi upp i sienafärgad jord, farligt överströdd med små vassa stenar, och ibland vandrade vi lättare över stora sågtandade flak av fast klippmark. Solen stod som högst på himlen och hettan var intensiv. Den kom luften att dallra tills hela berggrunden tycktes vibrera. Om det inte hade blåst den svala vind som ständigt drar fram på den höjden skulle det ha varit outhärdligt.

När vi hade tillryggalagt två tredjedelar av vägen till ravinen, och därmed också den svåraste sträckan, hade jag kommit in i andra andningen och vandrade utan större besvär. Jag tyckte att jag hävdade det engelska kvinnosläktet ganska bra.

"De grekiska bondkvinnorna", sade Niko bredvid mig, "brukade bära stora bördor av ved och vindruvor och annat just den här vägen. Regelbundet."

"Om ni berättar en enda sak till om grekiska bondkvinnor", sade jag, "så skriker jag och lägger mig ner och går inte ett steg till. För resten tror jag er inte."

Han log. "Det är inte sant", medgav han. "Jag tycker ni är alldeles underbar."

"O då, så snällt av er!"

"Och mycket vacker också", sade Niko. "Vill ni ha ett äpple?"

Och han fiskade upp ett äpple ur fickan och gav mig det, inte olikt en Paris som överlämnar priset till Afrodite. Det kändes på något sätt som om hans uttryck av intensiv och bländad beundran hade prövats förut och befunnits ha sin verkan.

Det hade fortfarande sin verkan. Jag kände mig uppiggad. Jag skrattade och tog äpplet och tackade honom, och sedan uppstod ett litet lustigt intermezzo därför att varken han eller Stephanos ville låta mig äta det med skalet på, och Niko ville skala det åt mig och Stephanos hade kniven, och greker som de var kastade de sig in i en livlig diskussion om detta medan Simon skalade äpplet och sedan räckte mig det.

"Till den skönaste", sade han.

"Konkurrensen är ju inte så hård", sade jag. "Men tack i alla fall."

Kort därefter nådde vi vårt mål.

XI

Den marken mottar inga fotspår.
 Blott bitter sten består den av …

EURIPIDES: Elektra

Ravinen låg inte särskilt högt uppe. Själva Arákhōva ligger nästan niohundra meter över havet och vi hade inte kommit mer än mellan tvåhundrafemtio och trehundra meter upp sedan vi lämnade byn. Vi befann oss fortfarande bara bland utlöparna av Parnassos' väldiga högland, men det var som om vi hade gått vilse och befann oss tusentals kilometer från närmaste ort. Ända sedan byn tonade bort och försvann ur sikte hade vi inte sett någon levande varelse utom ödlorna och gamarna, som gav så melodiska läten ifrån sig högt uppe i den bländande luften.

Platsen var egentligen inte någon ravin. Den var en djup håla urholkad ur en rad låga klippor som bildade krönet på en brant, drygt kilometerlång bergsrygg ungefär som kammen på en hästhals. På avstånd såg klipporna tämligen obrutna ut, men när man kom närmare kunde man se att de hade rämnat och splittrats i ojämna nischer och utsprång, där åtskilliga vinterflöden hade banat sig väg nerför bergssidan.

Här och där syntes spår av en våldsammare och mer omfattande kraftutveckling. Jordbävningar hade ryckt loss stora stycken ur klippformationerna, hade urholkat kalkstenen och slungat ner enorma mängder sönderfallna klippstycken så att en lång sträcka av bergssluttningen nedanför de naggade klipporna var täckt av ett löst och bitvis farligt stentäcke.

När vi närmade oss kanten av detta vek Stephanos åt sidan och tog en kort, brant omväg som förde oss upp ovanför klippväggen, och vi närmade oss raden av klippspetsar via en lång sluttning som slutligen ledde fram till själva randen.

Så stannade den gamle mannen, stödde sig på sin stav och väntade på att vi skulle hinna ifatt honom.

Simon stod bredvid honom och tittade ner.

”Är det här?”

”Ja, här är det.”

Det kunde ha varit ett stenbrott, tålmodigt uthackat ur klippväggen under oräkneliga år. Det hade antagligen tagit fem sekunders jordbävning för Jordskakaren att riva upp det där halvcirkelformiga ärret i klippan och slunga ner spillrorna framför den i alltjämt överväldigande väggar av naggade stenblock. Jordbävningen hade åstadkommit en tämligen cirkelrund håla, ett slags oregelbunden krater, ungefär sjuttio meter i diameter, som i norr avgränsades av den klippa vi stod på och som för övrigt var nästan helt omgiven av väldiga sektioner av kringkastade block.

Mitten av kraterbottnen var fri men de kringstående väggarna var på nu välkänt sätt överhopade med rödbrun jord och stenskärvor. På våren, tänkte jag, var det säkert mycket vackert där, för det var en skyddad plats och jag kunde se de förtorkade resterna av några frökrympta växter och buskar där den smältande snön och sedan regnet måste ha givit liv åt någon alpin vegetation. Nedanför oss växte en liten vacker grön en, ihärdigt fastklamrad, och alldeles bredvid mina fötter stod två täta buskar, som tycktes vara järnekar men som underligt nog bar ekollon med kolossala svepeskålar, som var taggiga som sjöborrar.

Till höger, på västra sidan av ravinen, syntes något som tycktes vara den enda vägen ut. Det var en öppning i stenväggen mot vilken den släta kraterbottnen höjde sig i en stenig ramp. Bortom och nedanför denna "port" tyckte jag mig kunna se resterna av en gammal stig som ledde väster ut och försvann runt ett bergsutsprång.

Stephanos märkte vart jag tittade. "Det var där han gick."

Han talade förstås grekiska och Simon översatte för mig, för tillfället bara brottstycken och mer sammanhängande senare; men även här återger jag den gamle mannens ord direkt som de föll.

"Det var den vägen han gick, nerför den gamla stigen mot Amphissa. Den kommer fram ovanför ett nerlagt stenbrott nära Amphissavägen, bakom olivdungarna." Han tystnade och tittade ner på hålan nedanför våra fötter. Ingen sade något. Solen gassade i nacken på oss och jag kände mig plötsligt mycket trött.

Så började den gamle mannen tala igen, långsamt, tankfullt. "Jag kom fram just här på toppen av klippan. Den såg annorlunda ut då, förstår ni ... Här där vi står var det en smal klippspets som såg ut som en kattand. Det försvann vid jordbävningen, men då var den ett landmärke som till och med en atenare måste ha sett. Och nedanför klippan fanns det då ingen sån här håla med murar och en port som en fästning. Det var bara klippa och nedanför några stora stenblock och ett stycke öppen berggrund. Det var där som jag såg dem, Michael och Angelos. Och platsen är inte övertäckt. Det vet jag, för jag markerade den. Det var där." Staven pekade. Nästan mittpå den släta, bländande stenytan kastade en liten stenhög, ett rös, en liten triangelformig skugga. "Jag satte upp den där senare", sade Stephanos, "efter det att jordbävningen hade raserat klippan. Platsen var så förändrad att man inte kunde känna igen den." Det blev tyst igen, så sneglade han på mig. "Vi går dit ner nu ... Vill ni säga åt damen att vara mycket försiktig, *Kyrie* Simon? Stigen är brant och bara avsedd för getter, men det är den kortaste vägen."

När Simon vidarebefordrade varningen till mig såg jag att det faktiskt gick en stig ner till ravinen. Den började alldeles bredvid oss, mellan de två järneksbuskarna, och slingrade sig brant ner till botten av hålan, förbi ytterligare några tovor av järnek och de dammiga resterna av några tistlar. Det måste ha varit den stigen som hunden hade rusat nerför när den anföll Angelos. Och sedan hade Stephanos sprungit ner till Michael som låg döende i solen ...

Solen stod så högt att den lyste ner över nästan hela ravinbotten. Men just där klippstigen mynnade ut kastade ett utsprång en behaglig blå skugga. Jag stannade där och satte mig med ryggen mot den varma stenen. Stephanos fortsatte framåt utan att stanna och Simon följde efter. Niko slängde sig ner bredvid mig på den dammiga marken. Jag hoppades att han inte skulle säga något och det gjorde han inte heller. Han bröt av en bit av en död tistel och började rita mönster i dammet. Han ägnade inte mycket uppmärksamhet åt det han ritade; hans intensiva blick lämnade inte de två andra männen.

Stephanos förde Simon tvärsöver ravinbotten och stannade

bredvid det lilla röset. Han pekade på det och började tala snabbt. Hans hand rörde sig och gestikulerade ett tag och pekade sedan åter på röset. Jag kunde nästan se den döende mannen som låg där i den brännande solen, herden som kom fram till randen av klippan där en spets stack upp som en kattand, hunden som rusade nerför den ringlande stigen, mördaren som vände sig om och störtade ut genom ”porten” och nerför stigen mot Amphissa och havet …

Sedan vände sig Stephanos tungt om och traskade tillbaka till den plats där vi satt. Han sjönk ner bredvid mig med en suck och sade några korta ord till Niko, som tog fram ett hopknycklat paket cigarretter och räckte honom en. Han gav farfadern eld, vände sig sedan mot mig med ett strålande leende och bjöd också mig på en cigarrett. Vi rökte under tystnad.

Simon stod fortfarande i mitten av ravinen, men han tittade inte ner på röset där hans bror hade dött. Han hade vänt sig om och lät den där kyliga, värderande blicken långsamt följa ravinens sidor: den nerrasade stenvägg som inneslängde oss – de stora sektioner som hade fallit utåt från klippväggen och nu utgjorde ravinens två sidoutsprång, hopade i plattor och kilar mot klippans gamla massiva sten – den runda öppningen till en grund grotta som låg synlig i det urholkade segmentet, en grotta som hade varit djup innan framsidan av klippan fallit ner så att dess skrymslen kom i dagen …

Min cigarrett var mild och löst stoppad och hade liksom en smak av get; det var någonting hos den vackre Niko, tänkte jag, som gång på gång förde tanken till de lägre stående djuren. Jag hade rökt min cigarrett till hälften och Niko hade rökt slut på sin när Simons skugga avtecknade sig bredvid oss.

”Vad sägs om lite lunch nu?” frågade han.

Den något spända stämningen – som Stephanos hade skapat, inte Simon – upplöstes och vi åt och småpratade som om det hade varit en vanlig picknick. Min trötthet försvann snabbt tack vare vilan i den sköna skuggan och den härliga, bastanta mat som vi hade köpt i Arákhōva. Vi hade franskbröd – lite torra efter att ha legat i Nikos ryggsäck – med stora skivor kallt lammkött som pålägg; tjocka skivor saftig ost; en påse full med oliver, som kändes som om de kommit solvarma direkt från trädet, men som hade fått värme av Niko; hårdkokta ägg; någon sorts kompakt och mycket söt tårta med färska körsbär i; och en mängd vindruvor, som också var varma och såg lite duvna ut men som hade en ljuvlig, solmättad smak.

Jag lade märke till att Simon alltjämt såg sig omkring medan han åt. Hans blick återvände gång på gång tankfullt till den nyligen sönderfallna klippan bakom oss och han sade: ”Blev det så här av den där jordbävningen strax efter kriget, som ni talade om?”

Stephanos svarade genom en munfull tårta: ”Ja, just det. Det var tre eller fyra jordskalv det året. Det var nittonhundrafyrtisex. Byarna påverkades inte men en massa klippblock försköts här uppe.” Han nickade mot klippan. ”Det var inte bara här det blev så. Utmed hela den här kammen finns det platser där jordskalven och sen vädret rivit loss bitar ur berget. Det som jordbävningen påbörjar tar det inte lång tid för is och snö att fullborda. Det finns en tre, fyra, fem såna här hålor där det inte finns mycket kvar av den ursprungliga klippväggen. Bara getstigen som vi gick nerför … Där har själva klippan inte förändrats, men som ni ser ligger stenblocken hopade högt upp som en ruinkyrka. Jo då, *Kyrie* Simon, som jag sa så måste man ha gått här dagligen förut för att kunna hitta vägen nu.”

”Och den där klippspetsen till exempel som stod där uppe förut?”

”Har jag berättat om den? Ja visst, det gjorde jag ju, det minns jag nu. Den var inte så hög, men den tjänade som landmärke på flera kilometers håll. Det var den som ledde mig till Michael den där dan. Han kände till en grotta här, sa han, nära Kattanden, och han tänkte hålla sig gömd där tills den tyska attacken var över. Jag kom upp med mat till honom och försökte övertala honom att återvända till Arákhōva så att han kunde få sitt sår omskött. Men det har jag ju redan berättat.”

Simons blick hängde vid den blottlagda grottans grunda absid. Han kisade, liksom mot solen, och hans ansikte avslöjade ingenting. ”En grotta? Den där? Den var säkert tillräckligt djup innan hälften av den föll bort.”

Stephanos ryckte på sina kraftiga axlar. ”Jag vet inte om det var den där. Det är möjligt. Men det är fullt av grottor här, förstår ni. Vissa delar av Parnassos är håliga som vaxkakor. En hel armé skulle kunna gömma sig där.”

Simon hade tagit fram sina cigarretter. ”Jag tror i alla fall att jag ska ta mig en titt här omkring. En cigarrett, Camilla? Se här, Niko, fånga den …” Han reste sig långsamt och stod och tittade ner på den gamle mannen som satt tungt där i skuggan. ”Och ni bar Michael härifrån till Delfi?”

Stephanos log. ”Det var för fjorton år sen och jag var yngre då. Och vägen till Delfi är mycket kortare än den som vi gick hit. Men den är brant, för Arákhōva ligger närmare fyrahundra meter högre än Delfi. Det var därför vi startade från Arákhōva i dag.”

”Jag tycker ändå att det var – tja, en riktig bragd. Och nu tänker jag snoka omkring lite. Jag vill titta närmare på den där grottan. Det verkar som om det är en liten öppning till på baksidan av den. Följer ni med eller vill ni vila?"

"Jag följer med."

"Niko?"

En snabb, smidig rörelse och Niko var på fötter och borstade dammet av byxorna. "Jag kommer. Jag har mycket bra syn, jag. Om det finns någonting att se kommer jag att se det. Jag kan se i mörkret lika bra som en katt, så om det finns en inre grotta ska jag leda er dit, *Kyrie* Simon."

"Vi följer era strumpor", sade Simon lätt ironiskt och Niko flinade. De lysande strumporna rörde sig springande tvärsöver ravinen och fördunklades i skuggan av grottmynningen. Stephanos reste sig långsamt. Simon tittade ner på mig och höjde frågande på ögonbrynen.

Jag skakade på huvudet och han och Stephanos lämnade mig sedan och följde efter de grälla strumporna i långsammare takt. En pelarformig skugga uppslukade dem.

Jag rökte ut cigarretten och fimpade den, satte mig sedan till rätta och kopplade av och njöt av skuggan och tystnaden och det bländande, varma skenet utanför mitt skuggiga hörn. Männen var utom synhåll, antingen inne i grottan eller någonstans bortom högarna av massiva stenskärvor, som låg utmed bortre sidan av ravinen. Jag kunde inte höra dem nu. Tystnaden var intensiv, tät som hettan. Jag var en del av den, där jag satt på min sten, orörlig som en ödla.

Någon rörelse, verklig eller inbillad, högst uppe på klippstigen fångade min uppmärksamhet och jag vände mig om för att titta, förstrött undrande om Niko hade hittat någon väg tillbaka till toppen av klippan medan jag satt där och halvsov. Men där syntes ingenting, bara solen som hamrade på det vita berget. Skuggorna, purpur- och antracitfärgade och röda, tycktes dallra. Mot dessa våldsamma mönster av ljus och skugga avtecknade sig järnekarnas grönska och den svala, kurviga enen, som stack ut från klippväggen i en båge, och de var uppfriskande som ljudet av en källa. Jag kom plötsligt ihåg att jag på vägen ner hade skymtat annan grönska också nedanför oss, men den hade jag knappt lagt märke till under den riskabla färden nerför den branta stigen.

Där det fanns grönska måste det ju i september finnas vatten ... kallt vatten, inte ljumt som i Nikos vattenflaska som luktade get. Den tanken kom mig att ivrigt resa mig upp. En skugga fladdrade åter till på toppen av klippan, men jag lade knappt märke till den. Jag hade blicken riktad mot hörnet nedanför den smala, krökta enen, där något klart smaragdgrönt skymtade fram som en hägring ...

Jag gjorde en lov kring kanten av ravinen och tog mig försiktigt fram mellan de enorma, nerfallna klippblocken. Jag gled in mellan två skrovliga stenar som mina kläder fastnade i, böjde huvudet för att komma under ett kalkstensutsprång som stöttade klippan som en strävbåge – och där var gräset. Färgen var så överraskande och så vacker efter de bländande skiftningar som solen och berget åstadkom att jag måste ha stått alldeles stilla och stirrat på gräset en hel minut. Det flöt i ett tjockt och måleriskt band av grönt mellan två stenblock, som var helt rödstrimmiga av järnhaltigt vatten. Men nu fanns det inget vatten. Det fanns kanske någon källa, tänkte jag, som var beroende av periodiska regnskurar uppe på topparna; gräset växte kanske hastigt upp direkt efter en skur och vissnade vid soluppgången nästa dag ... Det var självt som en liten svalkande vattensamling, ”en grön tanke i en grön skugga”, och kändes fuktigt svalt att ta på. Det gav detta hörn av ravinen en friskhet som det skuggiga klippartiet inte hade haft.

Jag satte mig belåten ner med händerna tryckta mot marken och det mjuka gräset stack upp mellan mina fingrar. Mitt i det gröna växte små blommor, ljusblå klockor som var som blåklockor i miniatyr. De växte också uppe på själva klippväggen, och under de senaste tio åren hade de spritt sig och slagit rot överallt mellan de sönderfallna klippstyckena. Bara i det här fuktiga hörnet blommade de fortfarande, men jag kunde se vissnande klungor av fröbärande stjälkar överallt mellan stenarna. Andra alpina växter hade också funnits här; det stod någonting med ett blekt, luddigt blad och en smal, vissnad stjälk som stack upp som en kolobritunga; ett knippe klängen som hade torkat i sexkantiga mönster så att de såg ut som buntar av brunt ståltrådsnät; ett litet exemplar av den ekollonbärande järneken, som målmedvetet hakade sig fast i en smal spricka. Så upptäckte jag plötsligt till min glädje ännu en blomma som inte hade dött av torka. I en skreva alldeles ovanför ögonhöjd växte en cyklamen. De blågröna och blekt ådriga bladen stod ut i stela, strikta kurvor på sina röda stjälkar. Det var ungefär ett dussintal svagt rosafärgade blommor och de klamrade sig fast vid den kala klippan som en flock fjärilar. Nedanför blommorna stod i samma skreva resterna av ännu en klippväxt, som var död och höll på att smulas sönder i torkan. I jämförelse med den såg cyklamenblommorna rena och fina och fräscha ut …

Det var någonting som låg och malde i mitt undermedvetna. Jag stirrade på blomman och märkte att jag tänkte på den holländske målaren och hans åsna, omgivna av de skrattande bypojkarna, och utan att veta varför undrade jag vad Nigel hade för sig nu.

Vi tog den kortare vägen hem.

Det visade sig att undersökningen av grottan inte hade givit något resultat, och Simon ville tydligen inte uppehålla Stephanos och Niko genom att utforska den grundligare. Vi gick ut från ravinen genom öppningen på västra sidan och tog oss nerför den branta sluttningen nedanför det lösa stentäcket.

Vi hade nästan nått botten av den uttorkade dalen nedanför bergsryggen när vi stötte på den knappt synliga stig som jag hade skymtat från toppen av klipporna. Även den var mycket svårframkomlig. Vi följde den med försiktiga steg ett hundratal meter och sedan delade den sig. Den högra förgreningen ringlade sig brant neråt och försvann nästan genast ur sikte runt ett klipputsprång. Den vänstra förgreningen gick ner mot Delfi. Vi följde den och efter bara något mer än halva den tid som färden ut hade tagit såg vi framför oss utkanten av höglandet och bortom det den öppning där Pleistosdalen banar sig väg ner till havet.

Stephanos stannade och sade något till Simon, som sedan vände sig mot mig.

”Stephanos tog den här vägen tillbaka, för han tänkte att du kanske var trött. Om du följer den här stigen kommer du direkt ner till Delfi. Den mynnar ut ovanför templet och du kan gå ner bakom Faidriaderna och sen genom stadion. Den sluttar brant ner till toppen av klippan, men om du bara går försiktigt är det inte farligt. Jag följer gärna med dig om du vill, men du kan omöjligt gå vilse.”

Jag måste ha sett lätt förvånad ut, för han tillade: ”Bilen står ju kvar i Arákhōva. Jag tänkte följa med Stephanos tillbaka och hämta den nu. Men det är ju onödigt att du ska behöva följa med hela vägen.”

Jag sade tacksamt: ”Å, Simon – den där bilen! Den hade jag alldeles glömt bort. Jag förstår faktiskt inte varför du ska behöva ta hela ansvaret för mina dumheter, men jag måste erkänna att jag är förfärligt glad om du vill göra det! Tala inte om det för Niko, men jag börjar allt längta efter att få komma hem nu."

"Ja, härifrån tar det inte lång tid för dig och det är nerförsbacke hela vägen. Nej, för tusan, jag följer med dig i alla fall."

"Det ska du absolut inte göra, för då måste du ju tillbaka till Arákhōva sen för att hämta bilen. Jag kan omöjligt gå vilse den här korta biten och jag ska nog gå försiktigt, det lovar jag." Jag vände mig om och sträckte fram handen mot Stephanos och tackade honom och gjorde sedan likadant med Niko. Det var likt Stephanos, tänkte jag, att praktiskt taget ignorera mig hela tiden och ändå göra en omväg på omkring en timme för att visa mig den närmaste vägen hem. Den gamle mannen nickade högtidligt över min utsträckta hand och vände sig bort. Niko fattade den med ett smältande ögonkast ur sina vackra ögon och sade: "Får jag träffa er igen, miss? Ska ni komma ofta till Arákhōva?"

"Jag hoppas det."

"Och ni kommer och tittar på mattorna i min systers butik? Mycket bra mattor, alla möjliga färger. Hemmagjorda. Det finns också broscher och krukor i bästa grekiska stil. För er är de billiga. Jag säger till min syster att ni är min vän, ja?"

Jag skrattade. "Om jag ska köpa några mattor och krukor går jag till er syster, det lovar jag. Och adjö nu och tack så mycket."

"Adjö, miss. Tack själv, vackra miss"

De lysande strumporna rusade i väg längs stigen efter Stephanos.

Simon log. "Hans farfar skulle klå upp honom om han bara förstod hälften av vad han sa. Om det finns något sånt som oskuldsfull lastbarhet så passar det i högsta grad in på Niko.

Något av Aten överflyttat på Arákhōva. Det är en fascinerande blandning, inte sant?"

"Ja, när den förekommer hos en så vacker varelse som Niko ... Men Simon, var det sant att du inte hittade någonting i grottan? Eller var det något du inte ville tala om när de andra hörde på? Såg du ingenting alls?"

"Ingenting. Det fanns en liten inre grotta men den var tom som en nyskurad kastrull ... Jag ska berätta mer sen; det är bäst jag följer med dem nu. Jag tittar in på Apollon och äter middag senare och då ses vi ju. Sen kan vi installera dig i ateljén. Du äter väl middag med mig?"

"Tja, tack så mycket –"

"Var försiktig nu bara. Vi ses till middan." Han lyfte handen och försvann i kölvattnet på de chockrosa strumporna.

Jag stirrade efter honom några sekunder men han tittade inte tillbaka.

Med en lätt känsla av förvåning kom jag plötsligt att tänka på att jag vid den här tiden i går inte ens hade träffat honom.

Jag vände mig om och började med försiktiga steg vandra ner mot Delfi.

XII

Grip henne! Kasta ner henne från Parnassos,
 Låt henne studsa nerför klippavsatserna,
 Låt klippspetsarna kamma ut hennes prydliga hår!

EURIPIDES: Ion

Det var sent på eftermiddagen och solen stod rakt framför mig när jag till slut kom ut på toppen av de stora klippor som höjer sig ovanför den heliga platsen i Delfi. Långt nedanför mig till höger låg tempelområdet, och dess monument och portiker och den heliga vägen såg små och mycket skarpt tecknade ut i solen, ungefär som de gipsmodeller som man ser på museer. Apollontemplets pelare var perspektiviskt förkortade och små som leksaker. Rakt nedanför mig låg klyftan med den kastaliska källan. Virrvarret av träd fyllde den som ett mörkt vattenfall. Bortom den trädfyllda klyftan återspeglades den sena eftermiddagssolen som en flamma mot den ena av Faidriaderna - Den flammande.

Jag tog några steg bakåt från kanten och satte mig på en sten.

På ena sidan om mig växte ett snår av ganska höga enar. Bortom och runt omkring detta sträckte sig som vanligt den dammiga, varma berggrunden. Stigen till stadion gick till höger förbi buskarna, men jag var trött och här uppe på klippan mildrades den alltjämt starka eftermiddagshettan av den svala brisen från havet.

Jag satt stilla med hakan i handen och tittade ner på tempelområdets drömmande marmorpelare, på den blå och silverskimrande dalen där hökar kretsade på låg höjd, på den stora klippan bredvid mig som flammade i solen ... Nej, tänkte jag, jag kunde inte lämna Delfi ännu. Inte ens om det innebar att jag måste sova i ateljén nära den outhärdliga Danielle för att spara ihop till det som jag var skyldig för bilen. Jag måste stanna i morgon - och i övermorgon och nästa dag också ... Hur många dagar skulle det ta innan jag hade börjat lära mig och se och erfara allt det som Delfi hade att bjuda på? Jag måste stanna. Och mitt beslut (förklarade jag hastigt för mig själv) hade ingenting med Simon Lester och hans angelägenheter att göra. Ingenting. *Inte det minsta.* I samma ögonblick kom jag på mig själv med att undra vad Simon hade för planer för morgondagen ...

”Vad gör ni här uppe?”

Frågan kom plötsligt tätt bakom mig. Jag vände mig häftigt om. Danielle hade kommit fram bakom enbuskarna. I dag var hon klädd i en vid scharlakansröd klockkjol och turkosfärgad blus som var öppen i halsen. Mycket öppen. Den oundvikliga cigarretten satt fastklistrad vid underläppen. Munnen lyste ljust skär mot hennes gulbleka hy. I dag hade hon målat naglarna skära också. Det såg underligt och lite smaklöst ut mot de smala bruna händerna.

”Nej men se - god dag”, sade jag vänligt. Om jag skulle bli

granne med henne i ateljén var det inte värt att åter visa irritation över hennes ohyfsade uppförande kvällen före.

Men Danielle hade inga sådana skrupler. Det var alldeles uppenbart att det inte ingick någon form av uppförande, vare sig dåligt eller gott, i hennes livsföring. Hon var helt enkelt den hon var, och om andra inte tyckte om det fick de i alla fall finna sig i det. Hon upprepade frågan med en skarp röst som lät som om hon verkligen ville veta hur det förhöll sig: ”Vad gör ni här uppe?”

Jag svarade i lätt förvånad ton: ”Sitter och tittar på utsikten. Och ni?”

Hon gick fram mot mig. Hon rörde sig som en mannekäng med framskjutna höfter och knäna tätt hoptryckta. Hon ställde sig mellan mig och randen av klippan i en sådan där attityd som man ser på modeteckningar – ena höften ut, fötterna ställda på tjugo över sju, den ena smala handen viftade med cigarretten. Nu skulle hon när som helst öppna munnen och sticka fram tungspetsen, det var jag säker på.

Hon sade: ”Det är långt att gå från källan. Särskilt när det är så här varmt.”

”Ja, inte sant? Är ni mycket trött eller gick ni bara direkt från ateljén runt toppen?”

Hon gav mig ett glittrande ögonkast. Jag kunde för mitt liv inte begripa varför hon kunde vara intresserad av vad jag gjorde där uppe, men det var hon tydligen. Och jag tänkte verkligen inte tala om för henne var jag hade varit. Det där var Simons pilgrimsfärd och ingen annans. Om han ville ha mig med var det hans ensak. Jag tänkte absolut inte säga något till Danielle.

Hon sade: ”Var är Simon?”

”Jag vet inte”, sade jag sanningsenligt. ”Letar ni efter honom?”

”Nej, inte precis.” Till min förvåning kom hon fram och satte sig knappt två meter från mina fötter. Hon svor ilsket på franska när en tistel fastnade på hennes höft, så satte hon sig graciöst till rätta på den dammiga marken och log mot mig. ”En cigarrett?”

”Tja, tack så mycket”, sade jag utan att tänka mig för.

Hon betraktade mig en stund under tystnad medan jag rökte och försökte låta bli att känna mig förargad över att jag nu knappast kunde resa mig och lämna henne, vilket jag helst hade velat göra. När man stöter på den här sortens människor, tänkte jag, varför håller man då så envist fast vid sina egna taburegler? Varför kunde mitt noggranna beteendemönster inte tillåta mig att resa mig upp – som Danielle utan tvivel skulle ha gjort i mitt ställe – och säga: ”Jag är uttråkad och ni är en liten ohyfsad slyna och jag tycker inte om er”, och sedan bara försvinna nerför berget? Men där satt jag och såg vänligt avvaktande ut och rökte hennes cigarrett. Jag måste erkänna att den var god – som nektar och ambrosia efter den jag hade fått av Niko. Jag undrade varför hon hade erbjudit mig olivkvisten och jag iakttog henne vaksamt. ”Jag fruktar danaerna även när de kommer med gåvor …”

”Ni var inte och åt lunch på Apollon.”

”Nej”, medgav jag. ”Var ni?”

”Var åt ni lunch?”

”Utomhus. Jag hade en picknick.”

”Med Simon?”

Jag höjde på ögonbrynen och försökte uppvisa kylig förvåning över utfrågningen. Det hade inte den minsta effekt. ”Med Simon?” upprepade hon.

”Ja.”

”Jag såg att han körde ut i bilen.”

”Gjorde ni det?”

”Hämtade han er någonstans?”

”Ja.”

”Vart åkte ni?”

”Söder ut.”

Det hejdade henne en halv minut ungefär. Sedan sade hon: ”Varför vill ni inte tala om för mig vart ni tog vägen och vad ni har gjort?”

Jag tittade lite hjälplöst på henne. ”Varför skulle jag det?”

”Varför inte?”

”Därför att jag inte tycker om att bli förhörd”, sade jag.

Hon begrundade detta. ”Å?” Hon spärrade upp sina stora trötta ögon och frågade: ”Varför? Har ni och Simon haft något särskilt för er?”

Uttalad av Danielle kunde den oskyldiga frågan bara betyda en sak. Jag sade häftigt: ”Herregud!” Så började jag skratta. Jag sade: ”Nej, det har vi verkligen inte. Vi åkte ner till Arákhōva och lämnade bilen där och sen gick vi tillbaka över berget mot Delfi. Vi hade matsäck med oss och åt på en plats där det är en härlig utsikt över Parnassos. Sen gick jag hemåt och Simon gick tillbaka för att hämta bilen. Om ni sitter kvar här en stund kan ni få se honom köra förbi där nere. Och ifall ni inte vet det kan jag tala om att bilen som ni hyrde är stor och svart. Jag vet inte vad det är för märke. Jag vet mycket lite om bilar. Räcker det? Och tack för cigarretten. Jag måste ge mig i väg.” Och jag släckte cigarretten, som jag hade rökt två tredjedelar av, och reste mig.

Hon gjorde en liten rörelse utan att resa på sig, en slingrande rörelse som en orm. Hon log upp mot mig. Cigarretten hade fallit ner från hennes underläpp och låg och rykte på marken bredvid henne. Hon gjorde ingen ansats att ta upp den. Hon fortsatte att le och visade sina vackra vita tänder, mellan vilka hennes tunga nu stack fram. ”Ni är irriterad på mig”, sade hon.

Jag kände mig plötsligt mycket gammal med hela den vuxna tyngden av mina tjugofem år. ”Kära barn”, sade jag, ”vad i all världen kommer er att tro det?”

”Det är bara det”, sade Danielle nerifrån marken, ”att jag är svartsjuk. För Simon.”

Jag kände en vild lust att vända mig om och springa, men den här spelöppningen gav mig knappast någon bra reträttmöjlighet. Jag helt enkelt bara lade av de flesta av de där vuxna åren på en enda gång och sade matt och barnsligt: ”Åhhh?”

Rösten från ormen på marken fortsatte: ”Alla män är för det mesta lika. Men det är något visst med Simon. Det känner nog ni också, inte sant? Mina älskare tråkar ut mig i allmänhet, men jag vill ha Simon. Det vill jag faktiskt.”

”Verkligen.”

”Ja. Verkligen. ”Rösten var fullkomligt tonlös. ”Och jag kan precis tala om vad det är hos Simon som –”

Jag sade skarpt: ”Nej, vet ni vad!”

Hon kastade en blick på mig. ”Ni är själv kär i honom, inte sant?”

”Var inte löjlig!” Jag märkte till min förfäran att jag lät nästan alltför bestämd. ”Jag känner honom ju knappt! Och dessutom är det här inte –”

”Vad spelar det för roll? Det tar två sekunder för mig att få reda på om jag vill ha en karl eller inte.”

Jag vände mig bort. ”Nej, nu måste jag gå”, sade jag. ”Vi ses väl igen senare. Adjö.”

”Ska ni träffa honom i morgon igen?”

Frågan framkastades likgiltigt med samma tonlösa röst; men det var inte bara likgiltighet. Någonting kom mig att stanna och vända mig om. Jag sade: ”Jag – jag vet inte.”

”Vad ska han göra i morgon?”

Absolut inte bara likgiltighet. ”Hur ska jag kunna veta det?” sade jag så kallt som möjligt innan det slog mig att jag mycket väl visste det. Han skulle med all säkerhet återvända till ravinen med detsamma för att leta efter Michaels hypotetiska grotta. Och lika säkert var det att han inte skulle vilja att Danielle rantade efter honom. Hela det här pinsamma samtalet tydde på att det var precis vad hon skulle vilja göra.

Jag sade i en ton som den som låter sin envise motståndare få en poäng: ”All right. Jag ska tala om det. Jag ska träffa honom. Vi ska åka till Levádeia över en dag. Det är hästmarknad där och en massa zigenare och han vill fotografera lite.”

”Å.” Hon tittade ut över dalen och kisade med ögonen mot solen. Sedan kastade hon åter en sådan där glittrande blick på mig. ”Men fy fasen så meningslöst”, sade hon.

Trots att jag nu hade vant mig vid henne lyckades jag inte behärska den lilla ilning av vrede som gick genom mig. Jag sade: ”Jaså, han kom inte och lagade kranarna i går kväll?”

De vackra ögonfransarna skälvde till och blicken mellan de smalnade ögonen var intensivt hätsk. ”Ni är allt mycket frispråkig, va?” sade Danielle.

”Det är mitt dåliga sätt”, sade jag. ”Ni får ursäkta. Och nu måste jag gå om jag ska hinna få ett bad före middan. Vi ses. Vet ni att jag ska bo i ateljén från och med i kväll?”

Hennes ögon vidgades. De uttryckte fortfarande antipati och nu också besvikelse, men underligt nog fick de plötsligt ett starkt drag av något som såg ut som kall beräkning. ”Det blir ju mycket lämpligt, inte sant?” sade Danielle och menade därmed det som endast hon kunde mena. Så förändrades åter uttrycket i hennes blick. Den gled över min axel och jag såg förvåning i hennes ansikte och även någonting annat.

Jag vände mig hastigt om.

En man hade kommit fram bakom enbuskarna. Han var tydligen grek - mörkhyad, med breda kindkotor, krulligt hår med stänk av grått och en liten smutsfläck till mustasch över en mun som var på en gång tunnläppad och sensuell. Han var av medellängd och kraftigt byggd. Jag gissade att han var omkring fyrtio år. Han var klädd i en grårandig, ganska sjabbig kostym och mörkt karmosinröd skjorta med cinnoberfärgad slips, en kombination som skulle ha varit ganska skärande om inte färgerna hade varit så menlöst urblekta.

"Å, hej på dig, Danielle", sade han. Han talade franska.

Det var som om han hade sagt rentut: "Saken är klar." Jag såg hur hennes uttryck av förvåning tonade bort och hon slappnade av. "Hej. Hur visste du att jag var här?"

Jag tänkte: Därför att ni nyss var tillsammans bakom enbuskarna och jag kom och störde er. Så sköt jag undan den tanken och tänkte i stället bistert att detta var resultatet av kontakten med Danielle. Fem minuter tillsammans med henne och inte ens en kvarts liter sibetparfym skulle kunna förljuva ens fantasi.

Danielle sade likgiltigt - alltför likgiltigt - nerifrån marken. "Det här är Camilla Haven. Hon var ute med Simon i eftermiddags och hon ska bo i ateljén i natt."

Mannen bugade sig och log mot mig. "*Enchanté*."

"Dimitrios", sade Danielle till mig, "är –"

"Guide", sade Dimitrios. "Var mademoiselle nere och såg på templet i eftermiddags?"

Som om ni inte hade suttit och lyssnat bakom enbuskarna, tänkte jag. Jag sade: "Nej. Jag var där tidigt i morse."

”Å. Och nu har ni gått hit upp på toppen av Faidriaderna för att se solen gå ner?”

Jag sade: ”Det dröjer väl ett bra tag ännu innan det blir mörkt?”

”Kanske inte så länge”, sade Dimitrios. Jag såg att Danielle vred på huvudet och tittade på honom. Hennes huvud var i jämnhöjd med mitt lår och jag kunde inte se hennes ögon på grund av de skymmande ögonfransarna. Någonting kröp längs ryggraden på mig som en insekt med iskalla fötter. Både mannen och flickan kom det att rysa i mig.

Jag gav mig själv en sådan där kraftig mental omruskning igen. ”Jag måste allt ge mig i väg nu. Om jag ska hinna få mig ett bad före middan och ordna med –”

”De här klipporna”, sade Dimitrios, ”kallas Faidriaderna, De lysande. Jag brukar alltid berätta Faidriadernas historia för mina turister. Mellan dem flyter den kastaliska källan, som har det bästa vattnet i Grekland. Har ni smakat på källvattnet, mademoiselle?”

”Nej, inte ännu. Jag –”

Han kom ett steg närmare. Jag stod mellan honom och klipprANDen. ”De står som vakter ovanför tempelområdet, inte sant? Det är nämligen precis vad de är. Och de inte bara skyddade det heliga området, de var också själva avrättningsplatsen. Folk avrättades på de här klipporna – för helgerån, mademoiselle. Visste ni det?”

”Nej. Men –”

Ännu ett steg. Han log – ett mycket charmfullt leende. Han hade behaglig röst. Jag såg Danielle lyfta huvudet där hon satt bredvid mig på marken. Hon hade blicken riktad mot mig nu, inte mot mannen. Hon log ytterst vänligt mot mig och hennes ögon såg för en gångs skull klara ut, inte det minsta trötta. Jag drog mig bort från honom ett par steg. Nu var jag någon meter från kanten.

Dimitrios sade plötsligt: ”Var försiktig.” Jag hoppade till och hans hand for ut och fattade varsamt om min arm. ”Ni är inte här för att avrättas som förrädare mot guden, mademoiselle.” Han skrattade och Danielle log och jag tänkte plötsligt vilt: Varför tusan kan jag inte rycka undan armen och springa min väg? Jag avskyr de där två och de skrämmer mig och här står jag därför att det inte är hövligt att gå medan den där vidriga karln pratar.

”Det är särskilt en historia som jag alltid brukar berätta för mina turister”, sade han. ”Det var en gång en förrädare som fördes hit upp för att avrättas. Det var två stycken som följde med honom fram till kanten – precis här – för att kasta ner honom. Han tittade ner – ja, mademoiselle, det är lång väg dit ner, inte sant? – och sen sa han till dem: ’Snälla ni, kasta inte ner mig med ansiktet före, låt mig falla med ryggen mot stupet.’ Man kan ju förstå hur han kände det, mademoiselle, inte sant?”

Han höll fortfarande handen om min arm. Jag försökte dra mig undan den. Den gled sakta upp till insidan av min armbåge. Jag lade märke till att hans naglar var avbitna ända in till köttet och att tummen var sårig och täckt med levrat blod. Så vände jag mig bort från honom och försökte befria min arm men hans grepp hårdnade. Han talade lite snabbare nu in i örat på mig: ”Och de kastade honom över kanten och när han föll –”

Jag sade andfådd: ”Låt mig gå. Jag har lite svårt för höga höjder. Var snäll och låt mig gå.”

Han log. ”Men mademoiselle –”

Så hördes Danielles röst, kall och lite gäll: ”Är det där dina turister, Dimitrios?”

Han gav till ett dämpat utrop. Handen släppte min arm. Han vände sig häftigt om.

Tre personer, en man och två kvinnor, kom långsamt vandrande längs stigen i riktning från Arákhōva. Kvinnorna var alldagliga, undersätsiga, medelålders; mannen var fetlagd och gick i kakishorts och hade en väldig kamera hängande över sin svettiga axel. De tittade på oss med ett likgiltigt uttryck i de röda ansiktena medan de traskade förbi som biffkor i rad, som knubbiga änglar.

Jag for i väg från klippranden som korken ur en flaska fin champagne. Jag brydde mig inte om att säga någon artighetsfras till Dimitrios och jag ropade inte ens adjö åt Danielle.

Jag rusade i väg efter de tre turisterna. Varken greken eller flickan gjorde någon ansats att följa efter mig och efter en stund saktade jag stegen och gick långsammare och försökte få kontroll över mina tankar. Om Danielle och hennes fördömde älskare – ty att greken var hennes älskare tvivlade jag inte ett ögonblick på – hade försökt skrämma mig av någon idiotisk anledning hade de verkligen lyckats. Jag hade känt mig både rädd och dum och det var en avskyvärd blandning. Men inte hade det väl varit något annat än det – ett fult trick och ett förvridet sinne för humor? Det var befängt att lägga in något mer i det. Jag hade gjort det bara därför att jag hade haft en fysiskt ansträngande och tröttsam dag. Jag tyckte illa om Danielle och jag hade visat det, och hon hade velat skrämma och förödmjuka mig därför att jag hade stört hennes tarvliga möte med greken bakom enarna. Och kanske också på grund av Simon …

Jag hade kommit fram till stadion. Den släta kappkörningsbanan låg tyst och tom i solen, inramad av raderna av marmorbänkar. Jag nästan sprang över den dammiga marken, skyndade mig vidare mellan startportens pelare och ner mot stigen som ledde till tempelområdet. Jag märkte att hjärtat fortfarande bultade i bröstet på mig och det spände i strupen. Stigen sluttade, stupade, slingrade sig förbi en källa där det droppade vatten och ledde tvärbrant ner till den släta vägen ovanför teatern. Där var mina tre turister. De traskade alltjämt makligt vidare och talade någonting obegripligt som kunde ha varit holländska. Det var också folk i teatern strax nedanför mig, och det satt människor på trappstegen och överallt på golvet i Apollontemplet. Det var alldeles ofarligt att stå där under träden och vänta på att hjärtat skulle lugna sig. Alldeles ofarligt ...

Den nedgående solen lyste guldglänsande på de fridfulla stenarna, blev aprikosfärgad, så bärnstengul, sedan liksom en underbar, genomskinlig lavering av ljus och fridfullhet. Ett bi flög förbi min kind.

Bredvid mig stod granatäppleträdet. Frukterna glödde i det mättade ljuset. Jag kom ihåg den svala beröringen av äpplet i min hand kvällen före och Simons röst som sade: ”Ät det snart, Persefone; sen måste du stanna i Delfi ...”

Nå ja, jag tänkte stanna också. Jag tänkte fortfarande stanna.

Någon sade mycket tydligt alldeles bredvid mig: ”Om du går ett stycke upp får jag det färginslag jag behöver.”

Jag hoppade till och såg mig omkring. För bara ett ögonblick sedan hade det inte synts en människa på stigen. Och det syntes fortfarande ingen där. Sedan såg jag långt nedanför mig en gråhårig man med en filmkamera. Han stod mitt i amfiteatern och filmade en sektion av bänkraderna. En ung kvinna, kanske hans dotter, gick långsamt uppför den branta trappan, vände sig ganska självmedvetet om och satte sig ner med ansiktet mot kameran. När han tog bilden kunde jag höra surret av filmkameran lika tydligt som om det var tätt intill mig. Det var han som hade talat och den underbara akustiken hade gjort resten. Om någon hade stått här ovanför teatern kvällen före skulle personen i fråga säkert ha blivit mycket överraskad över att ur tystnadens mörka brunn få höra det väldiga hämnderopet ur ”Elektra” …

Nu var min andhämtning normal igen. Helbrägdagöraren Apollon hade gjort sitt verk.

Jag gick lugn och sansad nerför trappan, över den solstekta teaterscenen, ner mellan de doftande pinjerna kring tempelplatsen och vidare längs stora vägen till hotellet.

När jag höll på att tvätta mig före middagen såg jag på min nakna arm en strimma torkat blod – blodet från Dimitrios' såriga tumme – men min enda reaktion var ett hastigt övergående äckel. Jag hade helt enkelt varit dum och inbillat mig saker och blivit rädd; det var det enda.

Men av någon underlig anledning bjöd det mig emot att gå ner till middagen innan Simon dök upp, och häpnadsväckande nog kände jag en intensiv önskan att slippa sova i ateljén den natten.

XIII

...ett ödsligt skri bland Delfis branter ljuder.

MILTON: Hymn till Kristi födelse

Klockan måste ha varit närmare tre på morgonen när någonting väckte mig. Mitt rum låg näst sist i den långa korridoren, närmast Danielles, och i motsatta änden, alldeles nära ytterdörren, hade de två männen sina rum. Den holländske målaren hade givit sig i väg samma dag, så det var bara vi fyra i ateljén.

En stund låg jag i det där tungt dåsiga tillståndet mittemellan sömn och uppvaknande, då det är så svårt att reda ut verkligheten från drömmens eftersläpande molnslingor. Någonting hade väckt mig, men jag kunde inte avgöra om jag hade hört ett ljud eller om det var själva drömmen som hade skrämt mig vaken. Det hördes inget ljud utanför. Delfis tysta luft omslöt oss. Jag tryckte åter kinden mot den hårda kudden - kuddarna i Grekland är alltid som tegelstenar - och beredde mig att glida in i sömnen igen.

Från rummet intill hördes ljudet av en rörelse och sedan knarret av sängen - två ljud som var så normala och självklara att de aldrig skulle ha hindrat mig från att somna om. Men sedan följde ett tredje ljud som fick mig att lyfta kinden från kudden och spärra upp ögonen i mörkret. Någon talade med mycket låg röst - en man.

Först kände jag mig generad över att ha lyssnat, sedan blev jag irriterad och slutligen äcklad. Om Danielle måste ha sin älskare hos sig på rummet ville jag inte bli utsatt för obehag och ligga sömnlös på andra sidan den alltför tunna väggen. Jag vände häftigt på mig och försökte få sängbotten att knarra så mycket som möjligt för att de skulle höra hur tunn väggen var, och sedan drog jag lakanet över huvudet - det var för varmt att ha filt - och höll för öronen för att utestänga de ljud som följde på viskningen.

Nu var sömnen definitivt borta. Jag låg stel under lakanet med ögonen vidöppna i mörkret och tryckte händerna mot öronen så hårt jag kunde. Inte för att jag var speciellt pryd, men det är inte särskilt behagligt att tvingas avlyssna någons högst privata förehavanden, och jag ville inte ha det minsta med Danielles privatliv att göra. Hennes offentliga liv var tillräckligt pinsamt.

Jag undrade hur den obehaglige Dimitrios hade kommit in i ateljén. Även om han bara var på besök hos Danielle gillade jag inte alls tanken på att han kunde komma och gå som han ville. Jag gissade att han hade klättrat in genom hennes fönster och i så fall skulle han förr eller senare försvinna samma väg. Och jag skulle säkert höra när han kravlade sig ut och hoppade så där en tre meter ner på klipplatån där ateljén låg. Jag väntade - rasande på Danielle för att hon utsatte mig för det här, rasande på mig själv för att jag brydde mig om det, rasande på Dimitrios för att han föll till föga för hennes avskyvärda självupptagenhet. Det var en vidrig situation.

Hur länge det dröjde innan det blev tyst i rummet bredvid vet jag inte. Det verkade som en evighet. Men så småningom blev allt tyst, bortsett från en del viskningar igen, och sedan hörde jag någon försiktigt röra sig över golvet. Jag väntade på ljuden av fönstret och det kattmjuka hoppet ner på marken utanför. Men de kom aldrig. I stället hörde jag dörren till korridoren öppnas och smygande steg passera min dörr.

Det kom mig att sätta mig rakt upp i sängen med ett nervöst ryck. Om Danielle ville släppa en karl in och ut ur sitt rum så var det en sak för sig. Men hon hade absolut ingen rätt att låta en karl som Dimitrios gå fritt omkring i ateljén. Hade hon – *hade hon verkligen?* – givit honom en nyckel?

Så dök plötsligt en annan tanke upp ur mörkret, en tanke som skar genom mitt medvetande.

Det var kanske inte alls Dimitrios.

Det var kanske Nigel.

Jag var ute ur sängen och hade stuckit fötterna i tofflorna och höll på att kränga på mig min lätta sommarkappa, som också tjänade som morgonrock, innan jag blev riktigt medveten om vad jag tänkte göra. Sedan skyndade jag mig tvärsigenom det lilla rummet, öppnade dörren mycket tyst och kikade ut i korridoren.

Detta är antagligen inte någon sympatisk passus. Det angick absolut inte mig om Nigel hade begivit sig till Danielles rum och fått det som han så uppenbart hade eftertraktat. Men när jag tänkte på honom fick jag en minnesbild, plötslig och klar och ren, av den ungdomliga ivern i Nigels ansikte; de sårbara ögonen och den svaga munnen och det löjliga pojkskägget. Och jag hade sett hans teckningar, visionerna av träd och blommor och sten som han hade tolkat så exakt och ändå med så lidelsefull skicklighet. Om detta också var Nigel … Jag måste få visshet. För all del, kalla det ren och skär kvinnlig nyfikenhet, men jag måste absolut få veta om den omöjliga Danielle verkligen kunde tillägna sig honom så där – om hon kunde få Nigel, som hon föraktade, att slösa bort sig själv i dyrkan av hennes lilla tarvliga helgedom.

Jag tror att jag helt ovidkommande tänkte att något måste göras för att hindra henne från att förstöra Nigel, och sedan tänkte jag, ännu mer ovidkommande, på Simon. Simon måste få veta det. Simon skulle veta vad som borde göras ...

Jag gled tyst ut ur mitt rum. Övre hälften av ytterdörren i andra änden av korridoren var av glas och utanför höll mörkret på att ge vika för gryning. Rutan var grå. Jag såg hans silhuett mot den.

Han var nästan längst bort i korridoren och stod utanför en dörr – Nigels dörr – som om han hade stannat där för att vänta på något. Jag tryckte mig intill väggen, men även om han hade tittat bakåt skulle han inte ha kunnat se mig där jag stod i mörkret. Jag höll mig stilla, tätt tryckt intill den kalla marmorväggen, och kände mig förödmjukad och arg och skamsen på samma gång och önskade att jag aldrig hade fått reda på något, önskade att jag fortfarande låg försänkt i famnsdjup sömn, önskade att jag kunde minnas Nigel genom hans arbeten och inte som nu genom Danielles små otydliga viskningar ... ”Alla män är för det mesta lika ... de tråkar ut mig ... jag vill ha Simon ... det vill jag faktiskt ... ”

Äntligen rörde sig silhuetten i bortre änden av korridoren. Han tog ett steg framåt och lade handen på dörrvredet. Så hejdade han sig ett ögonblick igen och stod med huvudet böjt som om han lyssnade.

Jag trodde att jag måste ha givit ifrån mig något ljud och att han hade hört mig, för jag såg nu att det inte var greken; silhuetten var för lång. Det var inte heller Nigel. Det var Simon.

Om jag hade varit i stånd att tänka skulle det plötsliga och våldsamma upproret i varenda nerv och muskel i min kropp och varenda blodsdroppe i min hjärna definitivt ha sagt mig hurdana mina känslor för Simon var. Men jag hann knappt fatta vad jag hade sett förrän nattens händelser blev betydligt verkligare och mycket bullersammare.

Simon sköt upp Nigels dörr. Jag såg att han sträckte ut handen som för att tända ljuset, men i samma ögonblick som han gjorde det skar strålen från en kraftig ficklampa genom mörkret och belyste ansiktet och bröstet på honom. Jag såg att han hejdade sig och ryggade tillbaka en aning, som om ljusstrålen var ett fysiskt slag mot ögonen, men det var bara en kort sekunds paus, bara som en kort anspänning före språnget. Innan han ens hunnit blinka en gång hade han kastat sig framåt mot ljusstrålen som skjuten ur en kanon. Jag hörde en stöt, en svordom, det snabba trampet av fötter på stengolvet, och därefter bröt ett helvetiskt oväsen lös inne i rummet.

Jag sprang ner genom korridoren och stannade i dörröppningen. Det lilla rummet tycktes vara ett pandemonium av våldsamt kämpande kroppar. I det virvlande, fladdrande ljuset från ficklampan såg de två männen enorma ut och deras skuggor höjde sig och dansade groteskt över tak och väggar. Simon var den längre och tycktes ha tillfälligt övertag. Med ena handen höll han om den andres handled och tycktes anstränga sig att vrida om mannens arm så att ficklampan skulle lysa på hans ansikte. Ljusstrålen svängde vilt hit och dit när den andre kämpade emot, och skenet svepte i skarpa, brutna bågar genom rummet. Det föll även på mig där jag stod i dörröppningen och det beskrev en lysande kurva över mina fötter och kanten på nattlinnet nedanför kappan. Någon brummade något obegripligt på grekiska och sedan hade mannen vridit loss sin arm ur Simons grepp och måttade med ett stön av ansträngning ett otäckt slag mot Simons huvud med den tunga ficklampan. Ännu medan ficklampan ven genom luften gjorde Simon ett kast åt sidan så att lampan träffade honom med ett dovt ljud nere på halsen. Den måste ha träffat en muskel, för hans grepp tycktes lossna och greken slet sig fri.

Det måste trots allt ha varit Dimitrios. Jag såg den undersätsiga kroppen och de breda axlarna i det fladdrande skenet innan Simon kastade sig över honom igen och ficklampan flög i en vid båge, slog emot väggen bredvid mig och rullade i väg någonstans till fotändan av sängen. Mörkret lägrade sig igen. Jag hade inte tid att undra över Dimitrios, varför han hade gått in i Nigels rum, varför Simon hade följt efter honom eller ens - vilket var det allra underligaste - varför Nigel själv inte var där, för de två männen hade gripit tag om varandra igen, tumlade förbi mig och hamnade med en våldsam stöt mot dörren till duschskåpet. Det knakade till när en träpanel gav vika; någonstans på golvet hördes den skarpa explosionen av krossat glas; en av de bräckliga stolarna föll omkull med ett kraschande ljud; sedan knakade och gnisslade sängresårerna när de två männen föll omkull på sängen.

Jag slängde mig ner på knä alldeles intill den böljande sängen och trevade vilt efter ficklampan. Jag hade hört den rulla någonstans åt det hållet - inte så långt väl? - en sådan där rullade i halvcirklar ... Å, där var den! Jag grep tag i den och trevade över metallen för att hitta knappen medan jag undrade om glödlampan hade gått sönder i fallet.

Det var en kraftig lampa och knappen var trög. Sängen, som gungade som ett fartyg i storm, for ut ett stycke från väggen på gnisslande trissor och for sedan tillbaka igen med en duns som måste ha skakat rappningen från väggarna. Resårerna knakade, spändes, slappnade igen med ett förfärligt ljud när männen gled ut på kanten och sedan föll ner på golvet.

Ett ögonblick av flämtande tystnad och sedan var de på fötter igen. En paus fylld av ljudet av tunga andetag. Jag rusade upp, alltjämt kämpande med ficklampan, och plötsligt lyste den till i min hand. För andra gången träffade skenet Simon mitt i ögonen. Och den här gången utnyttjade greken blixtsnabbt övertaget och utdelade ett slag ur mörkret in mot den bländande ljuskäglan. Simon föll med ett brak som kom rummet att skaka. Jag såg honom ramla med axeln mot sängkanten. Slaget måste ha förlamat honom tillfälligt men underligt nog fullföljde inte greken angreppet. Och han vände sig inte heller om för att ta itu med mig. Han stod med ryggen mot mig och ljusstrålen for ett ögonblick fladdrande över de kraftiga, tjurliknande axlarna, det mörka, krulliga håret ... Han såg sig inte ens om. Jag hörde honom flämtande väsa på franska: ”Släck den där förbannade lampan!”

Jag måttade ett slag mot hans huvud så hårt jag kunde.

Jag missade. Något varnade honom i samma ögonblick som slaget föll. Han vände sig inte om mot ljuset. Han slog till bakåt med krökt armbåge och träffade lampan, som flög i väg, och sedan gjorde han ett svepande slag med hela armen som träffade mig rakt över bröstet med en tung stöt, så att jag vacklade och föll omkull vid fotändan av sängen. Ficklampan hade för andra gången flugit i väg i en vid båge och slocknade igen. Samtidigt som jag föll såg jag i den sista borttonande ljusglimten att greken hade vänt sig om och var på språng mot dörröppningen med Simon tätt i hälarna. Och i dörröppningen stod Danielle fullt påklädd med uppspärrade, lysande ögon och halvöppen mun.

Hon drog sig bakåt för att låta mannen passera. Med en till synes sävlig rörelse som i själva verket var blixtsnabb tog hon sedan ett steg framåt och ställde sig i vägen för den framrusande Simon. Jag hörde den andre mannen springa upp genom korridoren mot hennes rum och det öppna fönstret samtidigt som Simon häftigt törnade emot hennes kropp. Jag hörde henne flämta till när han pressade henne hårt mot dörrposten. Han tvärstannade.

Det syntes bara de svaga konturerna av dem mot det grå ljuset i korridoren, men hon måste ha klamrat sig fast vid honom, för han sade med sträv och andfådd röst: ”Släpp fram mig!” och hon skrattade hest. En dörr slog igen i korridoren. Simon gjorde en häftig rörelse och jag hörde honom säga mycket dämpat: ”Hör du vad jag säger? Släpp mig annars gör jag dig illa.”

Jag hade inte ens hört honom låta upprörd förut; nu märkte jag, nästan med något av en liten chock, att han var arg. Danielle måtte inte ha fäst sig vid det, för jag hörde henne mumla med beslöjad och flämtande röst: ”Fortsätt och gör så där. Det är skönt ...”

Det blev en sekunds tystnad, sedan uppstod plötsligt en häftig rörelse i halvmörkret borta vid dörren. Flickan kastades åt sidan mot den andra dörrposten så våldsamt att hon gav ifrån sig ett litet skarpt skrik som dock mest uttryckte förvåning. Innan hon hann hämta sig hade Simon rusat tillbaka in i rummet och bort till fönstret och började rycka i hakarna.

Gångjärnen var rostiga och måste ha varit tröga. När fönstret gnisslande öppnade sig hörde jag som ett eko i andra änden av byggnaden gnisslet av rostiga gångjärn och dunsen när en tung kropp hamnade på marken. Fotsteg klapprade och tonade bort i mörkret.

Simon stod uppe i fönsterkarmen som en mörk skugga mot den grå himlen. Men innan han hann svinga sig ut och ner på marken hade Danielle störtat efter honom som en pil och huggit tag i hans arm.

"Simon ... Simon, låt honom gå, älskling, å, vilket bråk ..." Trots att han nyss hade varit så hård mot henne klamrade hon sig alltjämt fast vid honom medan hon vädjade till honom med den där rösten som under sina övertoner av sensualism kunde ha haft en anstrykning av fruktan. "Nej, Simon! Han var hos mig. Förstår du inte? *Hos mig.*"

Jag såg hans hand sjunka ner från fönsterhaken. Han vände sig om. "Va? Vad menar du?"

"Precis vad jag säger. Han var i mitt rum. Han var bara och besökte mig."

Jag sade där jag fortfarande satt på golvet bredvid sängen: "Det är sant. Jag hörde dem."

Jag hörde henne skratta igen, men det var inte det vanliga självsäkra skrattet. Simon skakade sig loss från henne som om hon inte existerade och hoppade smidigt ner på golvet. "Jaså, på så sätt. Nu är han i alla fall borta ... Camilla, hur är det med dig?"

"Bara bra. Finns det inget ljus någonstans?"

"Jag tror glödlampan är borttagen. Ett ögonblick bara." Det verkade som om han trevade i fickorna. "Vad gör du där nere för resten? Slog den där banditen till dig?"

"Ja, men det är inget fel med mig. Jag var bara – jag höll mig bara ur vägen." Jag reste mig lite ostadigt och satte mig på sängen samtidigt som Simon hittade tändstickorna och strök eld på en. Han tittade forskande på mig i det fladdrande skenet. Jag log lite matt upp mot honom. Så såg jag att han bara hade ett par grå flanellbyxor på sig. I skenet från tändstickan såg jag svetten glänsa på hans bröst och en skinande mörk blodstrimma hade runnit från ett sår långt ner på halsen, där ett djupt V av solbränna syntes. Han andades lite fortare än vanligt – inte mycket, bara en aning – och hans ögon hade för en gångs skull inte den där oberörda och roade blicken. Men tändstickan brann lugnt i den stadiga handen. Jag frågade ängsligt: "Men hur är det med dig då?"

"Å, bekymra dig inte om det. Resultatet blev ungefär oavgjort – tyvärr."

Danielle sade retligt: "Vad måste ni slåss för?"

Han sade kort: "Flicka lilla, han anföll mig. Vad skulle jag göra?" Han tände en tändsticka till och såg sig omkring i rummet efter glödlampan.

Jag sade: "Det var Dimitrios, inte sant?"

Simon gav mig en hastig förvånad blick när han tog upp glödlampan ur tvättfatet. Danielle vred på huvudet liksom av häpnad, sedan log hon sitt kattaktiga, smilande leende. "Jaså, ni kände igen honom? Men det var ju inte så underligt."

Simon hade dragit fram en av trästolarna och steg nu upp på den för att skruva fast glödlampan. Ljuset spreds plötsligt och avslöjade villervallan i det lilla kala rummet. Han steg ner från stolen och tittade på mig.

"Är det säkert att du är all right?"

"Absolut. Men Simon – var är Nigel?"

"Det har jag ingen aning om. Han har inte legat i sin säng, så mycket är säkert." Trots att sängen hade blivit så tillstökad låg lakanet fortfarande väl instoppat. Ingen hade sovit där. Simon tvekade, så vände han sig mot Danielle. Hon stod nära dörren och lutade sig mot väggen i en pose av lättjefull grace. Hennes ögon såg tunga och sömniga ut igen under de täta ögonfransarna. Hon hade tagit upp en cigarrett ur fickan och höll på att tända den. Hon lät den utbrända tändstickan falla ner på golvet. Hela tiden hade hon hållit sin smala, glittrande blick riktad mot Simon – hade låtit den glida över hela hans kropp.

Han sade tonlöst: ”Du säger att den där karln var hos dig. Hur kom han in?”

”Jag släppte in honom.”

”Genom dörren?”

”Nej. Genom mitt fönster.”

”Försök inte, Danielle. Ditt fönster sitter tre meter från marken. Kom inte och säg att du band ihop några lakan eller släppte ner ditt hår åt honom. Låste du upp dörren för honom eller har han egen nyckel?”

Hon blev förnärmad över kylan i hans röst och sade tjurigt: ”Jag begriper inte vad tusan det angår dig, men för all del – ja, jag låste upp dörren.”

”Det angår i högsta grad mig att den som besökte dig tydligen gick och snokade där han absolut inte hade rätt att vara. Och så är det den lilla detaljen att han kastade sig över mig i tydlig avsikt att skada mig, om inte något ännu värre. Vad gjorde han i Nigels rum?”

”Hur ska jag kunna veta det?”

”Han hoppade ut genom ditt fönster till slut. Han kunde ha tagit den vägen med detsamma. Varför gjorde han inte det?”

”Det var lättare att gå ut genom dörren och det bullrade inte så mycket. Nyckeln sitter i låset.”

”Varför gick han då in hit?”

Hon ryckte på axlarna. ”Han hörde kanske att du kom och rusade in hit så att du inte skulle se honom. Jag vet inte.”

”Men han kunde ju inte veta att det inte fanns någon i rummet.”

”Jag talade om för honom att nästan alla rummen stod tomma.

Han tog väl chansen bara. Och nu är jag trött på det här och trött på att bli utfrågad. Jag går och lägger mig." Hon rätade på sig, gäspade lojt och kokett som en katt, så att alla hennes vackra tänder och den skära tungan syntes. Sedan vred hon på huvudet och gav mig en fräck blick ur de stora, sömniga ögonen. Simon hade hittat ett hopknycklat cigarrettpaket i en av byxfickorna och hade givit mig en cigarrett. Han lutade sig över mig för att tända den. Han andades alldeles lugnt nu igen. Om det inte hade varit för såret som han hade fått av ficklampan och det tunna lagret av glänsande svett, som höll på att torka på hans hud, skulle man aldrig ha gissat att han för några minuter sedan hade kämpat för sitt liv i mörkret.

Danielle sade till mig i plötslig frän ton: "Vad gör ni här för resten?"

"Jag hörde något oväsen och gick hit."

Hon log. "Och åkte i golvet. Gjorde han er illa?"

"Inte så illa som jag gjorde honom, hoppas jag."

Hon såg förskräckt ut ett litet ögonblick och jag fick hastigt en liten löjlig känsla av tillfredsställde. "Va? Hur då?"

"Jag slog honom i nacken med ficklampan. Hårt."

Hon stirrade på mig en stund. Det var en mycket underlig blick.

"*Slog ni honom?*" Hon lät riktigt uppskakad. "Jag förstår inte – ni har ingen rätt ... Han är min älskare och om jag vill att han ska komma hit –"

Jag sade skarpt: "Han gjorde sitt bästa för att döda Simon. Och dessutom hade jag något otalt med honom."

Hon tittade nästan enfaldigt på mig. "Hade ni något otalt med honom?"

”Ja. Och verka inte så oskyldig, Danielle. Ni såg inte så oskyldig ut på Faidriaderna i eftermiddags.”

”Å – jaså.”

Hon andades ut. Simon sade skarpt: ”Vad talar ni om? Vad var det som hände?”

”Ingenting. Det var bara något Camilla inbillade sig. Hon tror att Dimitrios – å, det är så dumt så jag vill inte tala om det. Det var ett skämt. Och nu är jag trött på det här. Nu går jag.” Hon bara slängde den halvrökta cigarretten på golvet och vände sig hastigt om. Jag reste mig.

”Ett ögonblick bara”, sade Simon milt. ”Nej, gå inte än, Camilla. Vi glömmer bort Nigel. Danielle, har du en aning om var han kan vara? Sa han någonting i går kväll –?”

Hon sade fränt: ”Varför skulle jag veta vart den idioten gick? Jag vet det inte och jag bryr mig inte om det. För min del kan han lika gärna vara död.”

Jag sade: ”Jag tror jag vet vart han tog vägen.”

Simon höll på att badda såret på halsen med en näsduk. Jag såg att han höjde ögonbrynen. ”Du tycks veta en hel del.” ”Ja, det kan man säga.” Danielle hade stannat i dörröppningen och vred häftigt på huvudet. Hon lät inte alls road som han gjorde. ”All right, tala om det för oss då.”

Jag sade: ”Det är bara en gissning. Men – tja, Simon, du minns att vi talade här om Nigel och hans arbete och om att han borde hitta på något knep om den holländske pojken som gick från Iōánnina och allt det där?”

”Ja. Du menar väl inte att Nigel följt den där pojkens exempel, va?”

Jag sade: ”Det har stulits en mulåsna ovanför templet där utgrävningarna gjordes. Guiden talade om det för mig i morse –

igår morse, ska jag väl säga. Och som du vet såg jag Nigel tidigt samma morgon och han gjorde allt för att inte bli sedd –"

"Var då?" frågade Danielle.

"Alldeles här utanför ateljén."

"Åt vilket håll gick han?"

"Det såg jag inte. Det verkade som om han tänkte fortsätta uppåt Parnassos – mot stadion."

"Tja", sade Simon, "du har kanske rätt. Det är väl Nigels ensak vad han har för sig och han kände sig verkligen alldeles ur gängorna. Det är mycket möjligt att han har slitit sig lös för några dagar. Han vände sig om för att skölja den blodiga näsduken under vattenkranen. "Det är nog bäst att vi snyggar upp i hans rum och lämnar det sen. Det är blod på tvättfatet här och det ser visst inte särskilt snyggt ut på golvet. Vi får nog ta en titt på skadorna och göra vad vi kan."

Jag sade: "Bry dig inte om det. Jag ska göra i ordning tvättfatet. Men låt mig titta på det där såret först. Danielle, skulle ni vilja vara snäll och snygga till på golvet och plocka upp de där glasskärvorna?"

Hon gav mig en sådan där glittrande blick av motvilja, som den här gången var fullt berättigad. "Det där gör ni lätt själv. Jag är trött. Jag har ju inte sovit en blund ännu i natt, så jag behöver verkligen få lite sömn ..." Hon gäspade, gav mig ännu en blick ur de halvt hopknipna ögonen, lämnade rummet tämligen snabbt och stängde dörren efter sig. Min blick mötte Simons i spegeln. Jag sade: "Du ville ju bli av med henne, inte sant?"

"Du gör framsteg som tankeläserska. Jo, det stämmer." "Varför?"

Leendet försvann. Han vände sig om och tittade ner på mig.

Hans ögon var allvarliga, till och med dystra. ”Därför att allt det här ger mig en underlig känsla, Camilla.”

”En underlig känsla?”

”Ja. Det händer för mycket. Något är kanske rena tillfälligheter eller också är det tusan så betydelsefullt. Danielle och den här karln till exempel – och Danielle och Nigel. Jag har börjat undra.”

”Då hade jag rätt. Vänd dig om mot ljuset, så får jag titta på det där såret … Du ville inte att jag skulle fortsätta att tala om Nigel när hon hörde på?”

”Nej, just det.”

”Det är inte djupt men det blir säkert ett ärr och du kommer nog att bli stel i axeln. Har du något antiseptiskt medel inne hos dig? Du tror väl inte att han har gett sig upp i bergen med en Modestine?”

”Ja. Nej, menar jag. Nej, jag tror inte att han har gett sig ut på en tripp, men ja, jag har något antiseptiskt medel.”

”Glöm inte att stryka på det då. Såret är alldeles rent och det har slutat blöda.” Jag tog ett steg bakåt och tittade undrande på honom. ”Men vad har då Danielle och Nigel och den här greken med oss att göra – med dig, menar jag?”

Han sade långsamt: ”Den här greken – Danielles älskare – du sa att han hette Dimitrios?”

”Ja. Jag mötte honom i går på väg hem från ravinen. Han var tillsammans med henne ovanför Faidriaderna.”

”Å, jaså. Faidriaderna. Vad var det för resten som hände där? Vad var det du hade ’otalt’ med Dimitrios?”

”Nja, det var egentligen ingenting. Han var obehaglig på ett mycket otäckt sätt och pratade en massa om folk som kastades ner från klippan och så vidare. Vi stod alldeles nära kanten och han såg att jag inte tyckte om det och det roade honom – och Danielle också. Det var bara ett litet otäckt trick för att få mig att framstå i löjlig dager – vilket jag faktiskt också gjorde. Jag smet."

Det syntes en rynka mellan hans ögon. "Jag förstår. Säg, Camilla, har du inte kommit att tänka på något i samband med den här – Dimitrios?"

"Kommit att tänka på något? På vad då? Jag tycker inte om honom och jag tror – "Jag tystnade tvärt. Så sade jag i en lång utandning: "*Dimitrios!*"

"Just det. Minns du? Angelos hade en kusin som hette Dimitrios Dragoumis och han hade slagit sig ner i Itéa. I Itéa, märk väl."

"Och jag såg jeepen nere i Itéa ... Danielle hade kört direkt dit från Aten! Om det är samma Dimitrios ... då är Dimitrios Dragoumis Danielles älskare och det var hans hus jag såg. Hon var inte på besök hos någon väninna som hette Elena, hon besökte honom, och om den där jeepen är något att rätta sig efter kan jag slå vad om att hon var där när jag gick förbi huset!"

"Är du säker på att det var samma jeep?"

"Absolut. Som jag sa kände jag igen dockan som hängde framför vindrutan. Det var någon som höll på med motorn och det var inte Dimitrios, men jag har i alla fall en känsla av att vi är på rätt spår. Det är samma Dimitrios. Det skulle förklara varför Danielle är så förtvivlat intresserad av dig." Jag tillade: "Eller delvis åtminstone."

Han låtsades inte om tillägget.

"Nå ja, låt oss säga att vi är på rätt spår. Vad kommer vi då fram till ... Dimitrios Dragoumis är Danielles älskare. Vare sig det faktiskt finns någon som heter Elena eller inte är det alldeles riktigt att Danielle har tillbringat eftermiddagarna med att bada nere i Itéa. Hon berättade för mig en gång att hon hade hittat en liten enslig vik där vattnet var rent (det är smutsigt i själva Itéa) men hon ville inte tala om för mig var den låg. Jag skulle tro att hon träffade, inte 'Elena' utan Dimitrios på de där simturerna och slog sig i lag med honom. Han var kanske där och fiskade. Han är ju fiskare och har en kaik. Har jag inte berättat det för dig?"

"Han sa till mig att han var guide."

"Det finns ingen guide i Delfi med det namnet, såvitt jag vet. Och om han gjorde sig omaket att ljuga ..." Han avslutade inte meningen. Han stod och tittade tankfullt ner på sin cigarrett. "Nå ja, låt oss fortsätta. Dimitrios, Angelos' kusin, skickar Danielle till Aten för att hon ska hyra en bil åt honom - och det gäller liv och död. Det är med andra ord alldeles in i helsike bråttom."

"Jaha?"

Han lyfte blicken. "En dyr historia. Och han är fiskare. Varför skulle han vilja ha en bil?"

Jag satte mig på sängen igen. "Jag vet inte. Fortsätt."

Han knäppte tankspritt i väg en askpelare ner i tvättfatet.

"Danielle hyrde en bil åt honom men fick sen ett bättre erbjudande om en jeep av sin franska vän Hervé Clément och körde hit i den. Hon brydde sig inte om att meddela garaget, och hon hade inte uppgett Dragoumis' namn - och därför blev det allt det här idiotiska med 'monsieur Simon' och miss Camilla Havens störande men välmenta ingripande. Men Danielles handlingar tyder på någonting, inte sant?"

"Ja", sade jag långsamt. "Att det är något brådskande och hemlighetsfullt?"

"Alldeles riktigt. Och jag skulle väldigt gärna vilja veta vad det är som är så brådskande och hemlighetsfullt för Danielle och Dimitrios, Angelos' kusin", sade Simon.

XIV

Mod är något
alla människor beundrar. Tänk på vad det kommer att
betyda för ditt goda namn och mitt, om du gör detta.

SOFOKLES: Aias

En paus. En skalbagge vinglade in genom det öppna fönstret, slog emot väggen med en smäll som ett pistolskott och surrade ut i mörkret igen.

"Men – bilen då?" sade jag, tagande fasta på det som fortfarande var mitt personliga mysterium. "Varför bilen? Du sa att Dimitrios Dragoumis var fiskare. Varför skulle han behöva en bil från Aten och göra så mycket fånigt hemlighetsmakeri med den?"

"Det är just det", sade Simon. "Han är fiskare och han har en båt. Och nu har han en jeep – som han har fått från Aten och håller gömd hemma hos sig. Jag kan inte se annat än att det tyder på en sak: transport."

Jag sade med en röst som lät mycket underlig: "Brådskande,

hemlig transport ..." Så rätade jag häftigt på mig. "Men – *nej*, Simon. Det är ju vansinnigt."

"Varför det?"

"Jag förstår inte vad du syftar på – varför Angelos' kusin skulle behöva någon brådskande och hemlig transport. Menar du att du tror att Dimitrios har hittat Angelos' hemliga gömställe – vad det nu var Michael hittade på Parnassos? Och jeepen och båten ska vara till att – å!"

"Vad då?"

"*Mulåsnan!* Simon – mulåsnan!"

Han nickade. "Man kan inte köra upp på Parnassos med jeep. Mulåsnan stals den kvällen jag träffade Stephanos. Danielle körde upp jeepen samma dag. Jag kan slå vad om hur mycket som helst att Dimitrios' kaik snart kommer att ligga noga gömd i ett av de små inloppen bortom Amphissa."

Jag sade: "Stopp ett tag, Simon. Det där är ju bara gissningar. Det kan ha varit Nigel som tog mulåsnan. Han har gett sig i väg någonstans och vi talade med honom om den holländska pojken och –"

"Och det skulle ha varit mycket enklare för Nigel att köpa åsnan – som var mycket billig – av holländaren", sade Simon, "än att stjäla en mulåsna från arbetarna där uppe. Han har det inte alls så svårt ställt och *han* behöver verkligen inte vara så hemlighetsfull. Om han hade tänkt ge sig ut på en sån där tur skulle han väl tvärtom behöva publicitet."

"Ja, antagligen. Men han verkade i alla fall mycket hemlighetsfull när jag såg honom smyga i väg i går morse."

"Jaså? Men jag tror ändå inte att det var han som tog mulåsnan. Den försvann på måndagskvällen och då var Nigel här. Han gick förstås ut och promenerade med Danielle sen men jag tror knappt –"

Jag sade spänt: "Du har nog rätt. Det var inte Nigel. Jag kom just att tänka på något. När vi var nere i teatern och du deklamerade den där versen satt jag nästan uppe vid den översta bänkraden och jag hörde någonting röra sig uppför berget alldeles ovanför. Du vet hur man kan höra något utan att egentligen bli medveten om det, inte förrän senare när någonting annat påminner en om det. Så är det med det här också. Jag tänkte inte särskilt på det – om jag över huvud taget hörde något tänkte jag att det bara var vinden eller en bortsprungen get eller åsna eller något liknande. Men jag minns nu att jag hörde metall – ett klirrande ljud av metall som av en skodd hov eller broddarna på en känga."

Simon log svagt. "Djuren här är inte skodda. Har du inte lagt märke till det? Och invånarna använder espadriller med repsulor i bergen. Om du hörde något röra sig och det klirrade av metall var det säkert betslet på ett djur du hörde. Jag tycker det verkar som om du faktiskt hörde när mulåsnan stals. När vår vän Dimitrios ledde den uppför berget. Jojo."

Det blev tyst en liten stund. Sedan sade jag: "Men det kan inte vara riktigt, Simon. Det verkar alldeles orimligt. Det kan hända att Dimitrios verkligen har något sattyg i kikaren och att Danielle har ett finger med i spelet och det är möjligt att de faktiskt stal mulåsnan och hyrde bilen för att transportera någonting, men det kan helt enkelt inte vara Michaels 'skatt'!"

"Varför inte det?"

"Därför att det är för osannolikt att Dimitrios skulle ha tillbringat fjorton år eller så med att leta efter gömstället och så råka hitta det just nu. För all del, jag medger att han skulle kunnat leta i tusen år utan att hitta det, framför allt om han inte fick exakta upplysningar av Angelos – och det fick han antagligen inte, för du kan vara säker på att Angelos hade tänkt komma tillbaka när allting hade lugnat sig och han kunde lämna Jugoslavien och återvända hem. Han sa kanske inte alls något till Dimitrios. Dimitrios gissade kanske bara att Angelos hade gömt någonting och så visste han inte var han skulle börja leta. Men vad jag har svårt att tro på är att han skulle ha hittat Angelos' gömställe *nu*, just den här veckan när du är i Delfi. Det är för mycket av en slump och jag tror inte på det."

"Men är det verkligen så?"

"Vad menar du?"

Han sade långsamt: "Du har nog fått det om bakfoten. Tänk om de här två sakerna verkligen *har* hänt samtidigt: jag är här i Delfi och Dimitrios hittar Angelos' gömställe på Parnassos. Du kallar det slump. Jag kallar det orsak och verkan."

"Du menar –?"

"Att de två händelserna absolut har samband med varandra men inte av en slump. Dimitrios hittade gömstället, inte bara medan jag råkar vara här – utan helt enkelt *därför att* jag är här."

Jag sittrade upp på honom och drog med tungan över läpparna. "Du menar – att han följde efter oss upp till ravinen i går?"

"Just det. Han kan ha tagit reda på när vi skulle ge oss i väg och följt efter för att spionera."

Jag sade hest: "Det gjorde han. När jag satt där i ravinen och du var inne i grottan med de två andra tyckte jag att jag såg någonting röra sig uppe på klippan. Det kan ha varit någon som spionerade."

Hans blick blev skarpare. "Är du säker på det?"

"Inte riktigt. Men jag tyckte det var något som rörde sig och så tittade jag upp men såg ingenting. Jag hade solen i ögonen."

”Jaså. Nå ja, det kan ha varit Dimitrios. Och sen följde han efter oss ner för att möta Danielle på Faidriaderna. Det kan ha varit så.”

Jag sade: ”Jag gjorde henne lite orätt. Jag trodde att de hade varit tillsammans och att jag störde dem.”

”Han skulle knappast ha hunnit komma ner dit före dig. Terrängen är ganska öppen hela vägen och vi skulle ha sett honom.” Han tänkte en liten stund. ”Nå, om vi skulle ta och titta på händelseutvecklingen. Som du minns försökte Dimitrios fråga ut Stephanos – den enda som visste något bestämt om den plats där Michael dog – för att få reda på så mycket som möjligt om Michaels död. Men han fick inte ur Stephanos någonting. Kanske försökte han hitta platsen själv. Kanske lyckades han få någon liten ledtråd av sin kusin innan han lämnade landet. Men även om han hade fått noggranna instruktioner av Angelos skulle han ändå ha kunnat ströva omkring på berget hela den här tiden utan att hitta något. Alla kännemärken, som den där Kattanden till exempel, är borta och vad som helst skulle kunna ligga begravt under de där stenhögarna efter jordbävningen i fjorton år – fjortonhundra också för den delen – utan att upptäckas. Om Angelos själv levde och kom tillbaka hit skulle det vara precis lika svårt för honom.”

Jag sade nästan andlöst: ”Niko sa att det fanns vålnader på berget – ljus – minns du det?”

”Niko pratade en massa smörja, men det kan mycket väl hända att han talade sant på den punkten. Dimitrios kan ha blivit sedd när han gick och letade. Men för att fortsätta med historien – ponera att han *hade* letat hela tiden och inte lyckats lokalisera gömstället, och sen efter alla år fick han höra att jag, Michael Lesters bror, skulle komma till Delfi. Det skulle kunna bli hans stora chans. Det var ju högst sannolikt att Stephanos skulle visa mig, Michaels bror, platsen. När jag kom var Stephanos i Levádeia, men Dimitrios kunde lätt ta reda på när han skulle komma tillbaka. Det är ganska länge sen jag planerade det här besöket; Dimitrios kan ha vetat det och gjort noggranna förberedelser. Antag att vi har rätt och att han hade lagt märke till att Danielle körde ner med jeepen till Itéa nästan varje dag för att bada. Där hade han just ett sånt transportmedel som han behövde. Han vågade inte köpa eller hyra något fordon på orten; han är välkänd och folk skulle komma med frågor. Men det kunde inte vara svårt att bli bekant med Danielle och få henne att vara tyst - och att hjälpa till - med löfte om en andel av bytet. Sen återstod det bara att komma över något lastdjur och då kom Danielle väl till pass igen. Jag kan slå vad om att det var hon som tog mulåsnan; hon hade arbetat tillsammans med geologerna i flera veckor och hon visste precis var allting fanns och hur hon skulle få tag i det ... Vad är det?"

"Jag kom just att tänka på en sak. Det var inte bara en mulåsna. Guiden sa 'några verktyg och en mulåsna.'"

"*Gjorde* han?" Hans röst var fortfarande lugn men de ljusgrå ögonen glänste i det bruna ansiktet. "Jaså minsann ... Nå, verkar det här vettigt, tycker du? Eller skenar jag i väg för fort?"

"Ganska fort. Det är lite lösliga bitar du plockar ihop och inte är det mycket som håller samman dem, men det kan hända att de är hållfasta. Fortsätt."

"Var var jag? Jo: Dimitrios har allting klart för den dag då Simon Lester ska komma och leda honom rakt till det ställe där Michael dog. Men så har han - Dimitrios - otur."

"Danielles chef lämnar Delfi och hon måste också ge sig i väg - med jeepen?"

”Alldeles riktigt. Hon måste ha gett sig i väg på söndan och sen uppsökt garaget i Aten med detsamma och ordnat med hämtning av en bil nästa dag, så snart hon kunde bli fri från monsieur Clément.” Han log. ”Vi vet vad som hände sen. Hennes misstag. Men så hade hon tur igen när hon lyckades övertala Hervé att låta henne låna jeepen. Och hon kom tillbaka. Hon körde ner jeepen till Itéa. Vi vet inte om hon tog Dimitrios med sig upp den kvällen, men det gjorde hon antagligen. Hon – eller han – tog mulåsnan och en kofot eller något liknande från arbetarnas skjul ovanför templet, *et voilà*.”

Jag sade: ”Och det enda Dimitrios behövde göra sen var att vänta och följa efter oss. Enkelt.”

”Alldeles för enkelt. Jag borde ha tänkt på det efter det som Stephanos berättade för mig, men jag måste erkänna att det aldrig på allvar föll mig in – inte förrän jag såg vad jordbävningen hade åstadkommit där uppe – att någonting som Mick hade hittat fortfarande kunde ligga gömt där. Men så är det alltså. Du kan slå dig i backen på att han var där uppe i går, och det enda han behöver göra nu är att leta igenom en tämligen kort sträcka av berget och sen är han och Danielle rika för resten av sitt liv.” Han log ner mot mig. ”Jag erkänner att det inte är mycket som håller samman alla de har bitarna, men skulle det inte kunna räcka? Vi har vissa fakta och vi måste passa in dem någonstans med vetskapen om att Dimitrios har några onda planer.”

”Och han är kusin till Angelos ... Ja, jag förstår vad du menar. Men varför kom han hit i natt? Bara för att träffa Danielle igen?”

Han sade lugnt: ”Jaså, det ... Det var det jag menade när jag sa att allt det här ger mig en underlig känsla. Det som vi hittills har upptäckt – eller gissat, om du så vill – är ju enkelt och klart, men Nigel ...” Han gjorde en paus, vände sig om och kastade ut cigarrettstumpen genom det öppna fönstret. ”Nigel. Han kommer in i bilden någonstans och jag vill veta var.”

”Menar du att Dimitrios kom för att träffa *honom?*”

”Nej. Dimitrios kom hit för att leta efter något. Och jag skulle gärna vilja veta vad det var.” Han kastade en blick runt rummet. ”Och jag skulle gärna vilja veta var Nigel är.”

Jag sade: ”Teckningarna är borta.”

”Va? Å, de som satt på väggen. Ja visst ja. Nå, ju förr vi får reda på vad det är mer som är borta, dess bättre ...” Han började röra sig omkring i det lilla kala, ostädade rummet medan han talade. ”Vi får snart se om han tänkte – nej, bry dig inte om det, Camilla. Sitt stilla. Ett sånt här litet rum är snart genomletat, även om ett par gorillor har vänt upp och ner på allting först ...”

”Dimitrios tog i alla fall ingenting med sig”, sade jag.

”Nej, det gjorde han väl inte. Det hade han knappast tid till, skulle man kunna säga. Det är ju alltid en tröst i den här historien.”

”Danielle talade kanske sant ändå. Han gick kanske in hit för att gömma sig för dig när han hörde dig.”

”Aldrig i livet.” Han hade öppnat duschskåpet och rotade omkring där inne. ”Han skulle inte ha hunnit skruva loss glödlampan sen han hade hört mig. Det gjorde han så snart han hade kommit in i rummet, och det tycker jag tyder på att han hade något ärende här inne som skulle ta ett par minuter, och han ville förstås inte riskera att bli överraskad och igenkänd. Jag måste ha hört honom nästan med detsamma – jag hade legat vaken och undrat var tusan Nigel var, och så snart jag hörde någon röra sig steg jag upp. Det tog inte lång tid för mig att rulla ur sängen och kliva i byxorna och komma fram till dörren. Han hade inte stängt dörren helt – antagligen för att det inte skulle knäppa till i den –

och när jag såg en ficklampa lysa på andra sidan förstod jag att det inte var Nigel och då gick jag mycket försiktigt. När jag sköt upp dörren såg jag att ljuset svängde runt i rummet som om personen i fråga letade efter något. Det var det hela, för sen kastade han sig förstås över mig."

Jag skrattade. "Ja, du sa till Danielle att han anföll dig – vilket var lögn, min bäste herre. Jag såg dig nog – du rusade huvudstupa på den stackaren innan han ens hann säga god afton!"

Han log. "Och det hade jag all anledning till. Han snurrade runt när han hörde mig i dörren och drog kniv. Jag tyckte det var bäst att inte ge honom tid att fundera på att använda den."

Jag drog djupt efter andan. "Å – jag förstår. Du har allt rätt i fråga om det där med den underliga känslan. Det enda jag kan säga är att för att vara medlem av vårt stadgade och lätt malätna skrå är du – tja, ganska snabb, för att inte säga beslutsam, i dina reaktioner."

Han log fortfarande. "Två års hård och intensiv värnplikt vid Artists' Rifles – förutom det som Michael lärde mig alldeles inofficiellt, så att säga. Det bär frukt – dessutom tyckte jag skam till sägandes att det var roligt. Jag gillar ett rejält slagsmål ... Hör du, Camilla."

"Ja?"

"Alla hans saker är borta."

"Allting? Inte bara målargrejorna?"

"Allting, tror jag. Ryggsäcken – den brukar han ha hängande på den här kroken. Han har antagligen inte någon rakhyvel, men handduken och tvålen är också borta och de kläder han hade. Och i motsats till mig var han konventionell till och med i det här klimatet och använde pyjamas. Ligger den kanske nerstoppad under lakanet?"

”Det tror jag inte. Nej, den är inte här.”

Så sade han, och han lät på en gång förbryllad och lättad: ”Då var det hans avsikt att ge sig i väg. Jädrans kille, han kunde gott ha sagt till mig och besparat mig ett par sömnlösa timmar. Nå ja, han sitter åtminstone inte uppe på Parnassos någonstans med stukad fot, vad han nu annars kan ha gått och råkat ut för. Jag ska bara kontrollera att det inte är någonting här nere ... Å, där är ju grekens kniv. Jag tyckte jag hörde den flyga in under sängen. Och det där infernaliska oväsendet vi gjorde kom från Nigels så kallade papperskorg ... Herregud, vilken röra! Apelsinskal och pennavfall och alla de dåliga teckningar som han har kasserat. Jag tror faktiskt vi blir tvungna att betala för att slippa göra det här, Camilla lilla.”

”Snälla du, låt mig hjälpa dig.” Jag gled ner på golvet och samlade ihop en handfull papper. Jag lät dem falla ner i den käxburk som Nigel använde som papperskorg. ”Jag plockar upp det här. Se du om du kan laga den där stolen och rätta till bordet. Det är ingenting sönderslaget utom det där glaset och det är bäst vi låter det vara till i morgon och ser om vi kan få tag i en sopborste och – *Simon!*”

Han var i full färd med möblerna. Han svängde runt. ”Vad är det?”

”De här papperna ... Det är inte alls 'dåliga teckningar'. Det är – det är de färdiga sakerna, hans hellenska typer!” Jag bläddrade igenom dem. ”Ja, titta, här är de! Där är det där huvudet som liknar Stephanos lite och den leende som ser ut som en staty och det där måste vara den minoiska flickan som han berättade om – och här är herdegossen. Och fler ... Titta.” Jag bläddrade hastigt vidare. Jag var inte riktigt stadig på händerna. Så sade jag: ”Jag vet att han gjorde dem motvilligt och att han kände sig otillfredsställd, men inte har han väl råd att slänga bort dem bara, Simon? Vad i all världen –" Jag hejdade mig tvärt.

Simon sade skarpt någonstans ovanför mig: "Vad är det?"

Jag svarade med darrande röst: "Den här. Det här huvudet, det där underbart vackra huvudet. Den unge mannen med det säregna ansiktet. Och titta, han har rivit sönder den. Inte de andra teckningarna, bara den här. Den är riven mitt itu." Jag tittade ner på bitarna i mitt knä och sade dystert: "Han hade inte behövt riva sönder den. Den var så vacker."

Han böjde sig ner och tog bitarna och studerade dem en stund under tystnad.

Till slut sade han: "Vad finns det mer där? Inte blomsterstudierna väl?"

"Nej. Nej. Allihop är de där 'typerna', utom det vackra huvudet."

Jag hörde honom ta ett andetag liksom av lättnad, och när han talade igen förstod jag att han känt samma hastiga sting av fruktan som jag själv. "Vad det än var som fick honom att ge sig i väg så tror jag inte att vi behöver oroa oss alltför mycket. Det där depressionsanfallet har i alla fall inte fått honom att hitta på några galenskaper; han har tagit med sig de bra sakerna. Utom den här ..." Han drog isär fingrarna och lät pappersbitarna fladdra ner i mitt knä. Handlingen var som en axelryckning; en suck. "Tja, vi kan inte gissa oss till vad det är han går och ruvar på. Men jag blir glad när jag får veta det –"

Jag sade plötsligt: "*Cyklamen.*"

Han lät med ens mycket trött när han svarade: "Är den med där i alla fall?"

"Nej. Den är inte här. Det var inte så jag menade. Men jag kom just att tänka på något och jag tror det är viktigt. I går när vi var uppe i ravinen – Michaels ravin – såg jag en cyklamen som växte i en klippskreva. Jag tänkte inté på det just då – jag måste nog ha gjort det undermedvetet, tror jag, för jag vet att jag tänkte på Nigel när jag tittade på dem – men det var samma blomma som på teckningen. Sambandet gick som sagt inte upp för mig då, men nu när vi talade om hans teckningar såg jag den liksom för mig igen. Och det var samma. Det är jag säker på. Och det betyder att Nigel också har varit uppe i den där ravinen!" Jag tog ett djupt andetag. "Om *Nigel* hade hittat Angelos' grotta skulle det förklara en del av det han sa på måndagsnatten! Simon, Nigel var i den där ravinen och om du frågar mig påstår jag att Nigel hittade grottan! Och Angelos' skatt låg fortfarande kvar!"

Simon sade med hård och skarp röst: "Så om Nigel hittade någonting i ravinen måste han ha gjort det på måndan. Han gjorde den där teckningen på måndan."

"Ja, och han sa att han inte hade arbetat alls – tills vi upptäckte att han hade gjort Phormishuvudet och cyklamen!"

Han sade långsamt: "Det kan vara så. Jag gick med honom ett stycke dit uppåt på söndan. Han kan ha gått tillbaka ensam sen och råkat komma rakt på platsen. En sån där rent otrolig slump, men sånt händer. Herregud, tänk om han gjorde det?"

Vi stirrade på varandra. Jag sade: "Och i går morse såg jag honom ge sig i väg igen – och han såg mycket hemlighetsfull ut. Simon, det var kanske *Nigel* som tog mulåsnan. Vi har kanske fel i fråga om Danielle. Nigel försöker kanske själv flytta det där som han har hittat, vad det nu är."

Simon sade med en sträv röst som var allt annat än oberörd: "Och om han gör det? Om han har stött på den där sabla greken under tiden? Glöm inte bort att han är insyltad i det här också."

"Han arbetar kanske ihop med greken", sade jag.

"Kanske det."

Jag sade: "Simon, var inte så orolig. En sak är tydlig: det var hans avsikt att ge sig i väg. Han har röjt upp här och slängt bort det som han inte ville ha. Vad han än har i kikaren, och även om han har kommit i lag med Dimitrios, så har han gett sig i väg av egen fri vilja. Han har kanske råkat in i något olagligt, eller i bästa fall något omoraliskt, men han ville det själv och – ja, du kan verkligen inte vaka över honom så till den milda grad, eller hur?"

Han tvekade, så log han plötsligt. "Kanske inte. Åtminstone inte förrän det blir ljust."

Jag sade, mer som ett påstående än en fråga: "Du tänker förstås ge dig dit upp."

"Ja visst. Det hade jag tänkt under alla omständigheter, men nu blir jag tvungen till det."

"När ger vi oss i väg?"

Han såg ner på mig ett ögonblick. Den där outgrundliga masken hade lagt sig över hans ansikte igen. Jag vet inte vad jag väntade mig att han skulle säga. Jag vet vad nio män av tio skulle ha sagt – och Philip skulle ha sagt det minst två gånger.

Simon sade det inte alls. Han sade bara: "Jag kommer och väcker dig. Och nu är det bäst du går och lägger dig. Vi måste starta tidigt."

Jag reste mig. "Tar du med dig Stephanos och Niko?"

"Nej. För det första skulle det ta för lång tid och för det andra, om det finns någonting där som Nigel och eller Dimitrios inte redan har hittat och forslat bort, vill jag inte ha några vittnen förrän jag vet vilken roll Nigel spelar och vems egendom det är. Om det är vapen och pengar kan äganderätten bli en ganska delikat fråga under nuvarande omständigheter."

”O, ja visst. Det hade jag inte tänkt på.”

”Och nu följer jag dig tillbaka till ditt rum … Jag har förresten inte tackat dig för att du slog vår vän Dimitrios i skallen åt mig.”

”Jag skulle aldrig ha kommit i närheten av honom”, sade jag sanningsenligt, ”om han inte hade trott att jag var Danielle. Och jag missade för resten.”

”Det var i alla fall duktigt gjort.”

Han öppnade dörren och jag gick förbi honom ut i den kyliga korridoren.

”Vi fick lära oss en hel del”, sade jag stillsamt, ”under den hårda tiden på Saint Trinian’s.”

XV

Tala om för kejsaren att det lysande citadellet har
störtat till marken. Apollon har inte längre någon
fristad, inte något lagerträd eller någon talande
källa. Till och med rösten har upphört att flöda.

ORAKLET I DELFI till kejsar Julianus

Klockan kunde inte ha varit mycket över sex när Simon väckte mig. Jag hade sömnigt svarat ”Kom in” på hans knackning innan jag kom ihåg att jag inte längre var på hotellet och att det därför sannolikt inte var städerskan som kom med en kopp te. I samma ögonblick som jag vred på huvudet och med alltjämt sömntunga ögon tittade mot dörren öppnades den. Simon kom inte in men jag hörde hans röst.

”Camilla.”

”Mmm? å – Simon. Ja?”

”Tror du att du orkar stiga upp nu? Vi måste nog se till att komma i väg. Jag har kaffe färdigt på en primus, om du vill ha när du har klätt på dig."

"Mycket gärna."

"Bra." Dörren stängdes. Jag flög upp ur sängen, alldeles vaken nu, och började snabbt klä på mig. Från mitt fönster kunde jag se morgonens solsken glida som aprikosblom över Cirphisbergets runda topp.

Det var fortfarande svalt i mitt rum och det var jag tacksam för. Jag var inte fullt så glad åt det iskalla vattnet från kranen – båda kranarna – men att tvätta sig i Delfi är under alla omständigheter något av en botgöring; vattnet är hårt som pimpsten och ungefär lika nyttigt för huden, men nu gjorde det mig helt och definitivt klarvaken, och det var med sprittande känsla av nya äventyr som jag till slut skyndade mig bort till Simons dörr och knackade på.

"Kom in."

Jag lade märke till att han inte ansträngde sig att tala lågt nu, och han måste ha sett ett frågande uttryck i mitt ansikte när jag steg in, för han tittade upp från primusen som han höll på med och sade kort: "Danielle gick ut för en timme sen."

"Å?"

"Jag följde efter henne ända ner till den övre vägen. Jag såg inte vart hon gick i byn, men jag såg en jeep köra i väg norr ut."

"Det betyder att hon ska till Itéa eller ännu längre bort, åt Amphissa till, inte sant?"

"Ja. Kaffe?"

"Det ska bli härligt. Simon, det här luktar underbart. Franskbröd också? Du är verkligen mycket effektiv."

"Jag gick till bageriet när jag hade sett Danielle ge sig i väg. Här är socker."

”Tack. Vart tror du hon har farit?”

”Det vete gudarna och det är inte stor idé att försöka gissa. Antagligen för att hämta Dimitrios i Itéa – men om jeepen var i Delfi verkar det underligt att han inte tog den i natt när han lämnade ateljén. Hur känner du dig i dag?”

”Bara bra, tack. Och du själv? Hur är det med axeln? Är du säker på att du inte blev skadad någon annanstans?”

”Ja då. Och den är nästan inte alls stel. Jag känner mig mogen för vad som helst.”

Han satt på sängkanten med en kaffekopp i ena handen och ett franskbröd i den andra och såg lika avslappnad och obesvärad ut som vanligt. ”Och du då?” sade han. ”Är du mogen för ditt stora äventyr?”

Jag skrattade. ”Jag kan knappt tro att jag för två dagar sen satt och skrev till min väninna att det aldrig hände mig någonting. Är det Goethe som säger någonstans att vi borde vara försiktiga med vad vi ber gudarna om, för de skulle kunna villfara det? Jag bad om äventyr och det verkar som om jag har blivit bönhörd.”

Han log inte. En lång stund tycktes han fundera över vad jag hade sagt, sedan sade han riktigt allvarligt: ”Jag borde faktiskt inte låta dig följa med.”

Jag frågade inte varför. Jag drack mitt kaffe och såg solljuset flytta sig en aning och nudda vid kanten av fönsterkarmen. En fjäril svävade i luften och svepte sedan neråt och slog sig ner på en solbelyst sten. Vingarna rörde sig sakta, som svart sammet med strimmor av guld.

Simon sade: ”Missförstå mig inte. Jag tror inte att vi – att du är i någon fara; men det blir en ansträngande dag, framför allt efter gårdagen och den här natten. Den enda faran är att vi helt oväntat kan råka stöta på Dimitrios, som säkert är där uppe, men om vi bara är försiktiga kan vi nog undvika det. Jag tror inte han väntar sig att vi ska komma. Han tror antagligen att i och med att jag nu har sett platsen så är saken ur världen för min del."

"Jag sa i alla fall till Danielle att vi skulle till marknaden i Levadeia."

"*Gjorde* du? Det var bra. Visade hon något intresse?"

Jag log. "Ja, hon visade intresse. Hon frågade mig rakt på sak vart du skulle ta vägen i dag. Jag – tja, tyvärr misstrodde jag henne av princip och ljög för henne." Jag ställde ifrån mig kaffekoppen. "Det var nog lika bra. Dimitrios kommer säkert inte att hålla utkik efter oss."

"Utmärkt", sade Simon. "Det finns förstås egentligen ingen anledning att han skulle vänta sig att jag skulle gå dit upp igen, eller hur? Han vet inte att jag känner till att det finns en 'skatt'. Om Michael hade skrivit hem om det borde Dimitrios väl nästan ha tänkt sig att jag skulle ha kommit för länge sen. En cigarrett?"

"Tack."

Han lutade sig fram och höll upp tändaren åt mig. "Nej", sade han, "jag tror att Dimitrios ser min resa hit som en pilgrimsfärd; och den är över nu. Så mycket bättre. Men vi måste ändå vara mycket försiktiga. Med lite tur kan vi få se vad som försiggår och vilken roll Nigel spelar - och sen kan vi tänka på eventuella förstärkningar." Han log mot mig när han reste sig från sängen och sträckte sig efter ryggsäcken. "I alla händelser ska vi inte oroa oss. Är förutsättningarna bara lika kan jag nog klara av vår vän Dimitrios. Och jag är verkligen inte rädd för Nigel. Även om han har syltat in sig i någonting för pengars skull skulle han aldrig i livet göra några våldshandlingar för snöd vinning. Det tror jag i alla fall inte."

"Inte jag heller."

”Förutom de där två är det Danielle.” Det där snabba leendet igen. ”Tja, jag vill inte gärna svära på att jag precis skulle kunna ’klara av’ Danielle, men låt oss säga att jag inte är rädd för henne.”

”Det kan hända att vi misstar oss på dem”, sade jag. ”Det är kanske ingen där uppe utom Nigel.”

”Det är möjligt” – han packade ryggsäcken medan han talade: fler färska franskbröd, frukt, choklad, vatten; spartansk färdkost men inte mindre lämplig för det – ”det är mycket möjligt att vi misstar oss på Dimitrios och Danielle, men för ögonblicket bekymrar jag mig i alla fall inte om Michaels ’fynd’ annat än om Nigel har något med det att göra.” En blick. ”Och du är alldeles övertygad i fråga om de där blommorna på teckningen?”

”Absolut.”

”Nå, det är åtminstone en sak som vi kan vara säkra på i en labyrint av gissningar. Vi vet i själva verket inte ett skvatt om Dimitrios och Danielle, men vi vet att Nigel har varit i den där ravinen och vi vet att han var våldsamt upphetsad över någonting samma natt. Och Dimitrios kom hit för att söka igenom Nigels rum av någon anledning. Vi får ta fasta på det så länge och låta resten ge sig själv … Är du klar att starta?”

”Ja.”

”Då ger vi oss i väg.”

Morgonsolen stod redan varm ovanför våra huvuden, men stenarna var ännu svala efter natten. Stigen förbi gravplatsen var så bred att vi kunde gå bredvid varandra.

Simon sade: ”Det enda jag hoppas i dag är att – om du har rätt – vi stöter på Nigel och ser vad han har för sig och lyckas knacka in lite vett i hans unga dumma skalle innan han råkar in i någonting som han inte kan klara sig ur. Och i förbigående – det här är stigen till stadion – och i förbigående hittar grottan också.”

Han hade stannat där den smala stigen vek av och väntade på att jag skulle gå före honom. Jag stannade också och tittade rakt på honom. ”Säg mig en sak. Varför låter du mig följa med?”

För andra gången sedan jag hade lärt känna honom verkade han egendomligt villrådig. Han tvekade som om han sökte efter de rätta orden.

Jag sade: ”Förutsatt att du inte vill ha Stephanos och Niko med. Men du skulle komma fram mycket fortare och klara dig mycket bättre ensam, *Kyrie* Lester, och det vet du. Du vet också mycket väl att om vi verkligen stöter på Dimitrios kan det bli en högst kritisk situation. Varför låter du mig inte stanna hemma och fortsätta med min stickning?”

En pinjegren kastade en skuggstrimma över hans ansikte, men jag tyckte mig se ett leende bakom de ljusgrå ögonen. ”Du vet skälen mycket väl, *Kyria* Haven.”

”Skälen?”

”Ja.”

”Tja, det första vet jag. Jag önskade mig ett äventyr lite för intensivt, så jag kan förbaskat väl möta det som kommer, och fyra ögon ser bättre än två om vi vill hitta Nigel och grottan?”

”Det stämmer inte riktigt. Jag hade för mig att du letade ganska intensivt efter något för egen räkning.”

Jag vände mig häftigt om och gick före uppför den smala stigen mellan pinjerna. Jag sade efter en stund: ”Det gjorde jag kanske.” Så efter ännu en stund: ”Du – märker ganska mycket, va?”

”Och du vet det andra skälet.”

Det var skuggigt under pinjerna, men det hettade ändå i mina kinder. Jag sade: ”Så?” och blev sedan rasande på mig själv, för den där stavelsen tycktes inbjuda till ett svar. Jag tillade hastigt: ”Ja, jag kan visa dig var den där cyklamen är naturligtvis.”

”Naturligtvis”, sade Simon vänligt.

Vi hade kommit fram till stadion. Vi korsade de sneda skuggorna från startporten och lämnade träden. I järnekarna och cypresserna bakom oss pilade fåglar av och an och sjöng. Fågelsången ekade och steg upp mellan kalkstensklipporna.

Vi gick över stadionplatsen under tystnad och följde den branta stigen som ledde upp till Parnassos' klippiga områden.

Vi såg ingen på vår väg upp till ravinen.

Stigen var lätt att följa nästan hela vägen från Delfi, och bortsett från en enda öppen sträcka kort efter det att vi hade lämnat toppen av Faidriaderna slingrade den sig utmed klippiga dalgångar, som skulle ha erbjudit gott om gömställen i händelse av fara. Men den varma öknen av sönderfallna klippblock verkade lika öde som dagen före. Vi tillryggalade korta etapper och gick ganska fort, men rastade ofta i skuggan för att hämta andan och överblicka den kringliggande terrängen för att se om det fanns något misstänkt.

När vi höll på att bana oss väg uppför en brant uttorkad vattenfåra tittade jag uppåt till höger och såg äntligen raden av klippor som omgav ravinen. Simon, som gick före mig, stannade och vände sig om.

”Jag tror vi väntar här och äter. Titta, det är en bra plats i skuggan mellan de där två stenblocken. Vi syns inte där och vi kan hålla ett öga på dalen och klipporna ovanför. Jag vill gärna vara alldeles säker på att det inte finns någon i närheten innan vi ger oss dit upp.”

Jag satte mig tacksamt på den plats han pekade ut och han tog fram mat ur ryggsäcken. Franskbröden smakade inte fullt så gott som de hade gjort i den svala morgonen, men allteftersom jag åt började jag må allt bättre. Det ljumma vattnet var en välsignelse och frukten var rena ambrosian …

Jag lät Simon sköta vakthållningen. När jag hade ätit satte jag mig behagligt till rätta mot stenen med ögonen halvslutna mot solen och han tände en cigarrett åt mig. Han visade inga tecken till brådska eller otålighet eller ens nyfikenhet. Vi rökte under tystnad och jag såg hans blick röra sig nästan likgiltigt över landskapet, upp till ravinen, längs klippväggen, nerför det lösa stentäcket, tillbaka till ravinen.

Så uppfattade jag en rörelse alldeles i utkanten av mitt synfält.

Jag vred häftigt på huvudet med ögonen vidöppna nu. Jag kunde inte se någonting. Men det var någonting som hade rört sig; det var jag säker på. Jag skulle just röra vid Simons arm när jag såg det igen; det var som om en av stenarna i det lösa stentäcket hade rört sig … En get. Det var bara en get. När den fortsatte framåt och tog form mot virrvarret av stenar såg jag att det var flera, en, två, tre stycken, och de följde instinktivt och målmedvetet någon urgammal färdväg. Jag satt och undrade lite förstrött om de hade någon herde med sig eller om de kanske hade kommit bort från flocken när jag tyckte att jag hörde ljudet av en flöjt långt borta ovanför klippväggen. Nästan i samma ögonblick som jag hörde den och ansträngde mig att uppfatta tonerna dog ljudet bort och jag avfärdade det som en hörselvilla. Den spröda, avlägsna tonen hade varit rent pastoral, någonting ur en myt om Arkadien, nymfer och herdar och panflöjter och gröna dalar. Men detta var Parnassos, hemmet för mer skräckinjagande gudar.

Jag slappnade av igen och betraktade cigarrettröken som ringlade sig upp i solen. Jag minns att jag inte alls tänkte på dagens göromål. Jag tänkte på Parnassos och gudarna som bodde där och Simon …

Jag kastade en förstulen blick på honom. Han tittade nästan drömmande upp mot klipporna. Han såg ungefär lika spänd och vaksam ut som under femte timmen av en skolcricketmatch. Han fångade min blick och log och rörde lättjefullt på handen för att slå askan av cigarretten. Jag sade: ”Vad tänker du på?”

”Jag undrade bara om det var någon människa tillsammans med de där getterna. Jag tror inte det.

”Jag tyckte jag hörde en flöjt någonstans där uppe”, sade jag, ”men det var väl bara inbillning. Hörde du någonting?”

”Nej. Men det är möjligt. Jag tror inte att de där tre strövar här uppe för sig själva. Du måste ha mycket god hörsel. Jag har inte hört ett ljud.”

Han fimpade cigarretten, reste sig och sträckte ner ena handen mot mig. ”Ska vi gå dit upp nu? Jag tror vi kan vara lugna, men jag har inte lust att gå över den där stora öppna sträckan mot ingången till ravinen. Om vi undviker den och går upp genom den där klyftan i stället tror jag vi kan komma runt utan att riskera att bli sedda, och då kommer vi fram till klippan där vi var i går. Tyvärr blir det nog lite knogigt. Är du trött?”

”Inte det minsta.”

Han skrattade. ”En poäng till den engelska kvinnan. Kom då. Och huka dig ner. Nu börjar den riktiga smygjakten.”

Simon låg platt utsträckt vid randen av ravinen och tittade ner. Jag satt på huk ett litet stycke bakom honom och iakttog honom i väntan på en signal.

Det verkade som en evighet innan han rörde på sig. Så vred

han på huvudet och lyfte ena handen med en långsam, försiktig rörelse som var varnande nog i sig själv.

Mot min egen vilja kände jag hur mina nerver spändes tills de var som kalla stålvajrar under huden. Försiktigt makade jag mig framåt så att jag kom att ligga bredvid Simon. En av de låga järneksbuskarna skymde sikten för mig. Jag lyfte långsamt huvudet tills jag hade fri sikt. Jag tittade ner i ravinen. Det fanns ingen där.

När jag tittade på honom med ett häpet och undrande uttryck i ansiktet förde han munnen tätt intill mitt öra. ”Dimitrios är här.”

Åter det där ängsliga rycket i hjärtat. Varenda åder i min kropp drogs samman; det var som små skälvande trådar som spändes tills musklerna vägrade att lyda mig. Jag märkte att jag hade hukat mig ner bakom järneken igen och jag höll kinden mot handen i den varma jorden. Handen var kall.

Simon viskade invid mitt öra: ”Han försvann nyss någonstans nedanför oss. Jag såg honom huka sig ner under det där utsprånget i hörnet.” Han gjorde ett lätt kast med huvudet i riktning mot det. ”Var det där du gick och tittade i går?”

Jag nickade. Jag svalde och lyckades säga alldeles lugnt: ”Vad hade han för sig?”

”Jag vet inte. Det verkade som om han bara gick och drev. Väntade på någon eller något. Nigel kanske eller –”

Han tystnade och tycktes pressa sig ännu längre ner mot marken. Jag kröp ihop bredvid honom. Järneken dolde mig och jag kikade ner.

Då såg jag Dimitrios. Han kom ut någonstans ifrån och böjde sig ner när han passerade under strävbågen som tycktes stötta klippan. Han rökte och kisade mot det skarpa solskenet med rynkade ögonbryn. Han gick försiktigt över den steniga ravinbotten mot norra öppningen i väggen. Då och då stannade han och lade huvudet på sned liksom för att lyssna.

Han kom fram till ingången av ravinen. Där stannade han och tittade ner mot Amphissa. En gång vred han på huvudet och tittade åt andra hållet, åt det håll varifrån vi hade kommit, från Delfi. Sedan gick han in i ravinen igen. Han slängde ifrån sig fimpen och tände en ny cigarrett. Jag lade märke till att hans mörka ansikte var svettigt och att det var gulvitt damm på hans kläder. Nu hade han inte den mörka kostymen på sig; han var klädd i urblekta blåbyxor och kakiskjorta med en röd scarf knuten om halsen.

Cigarretten var tänd nu. Han släppte tändstickan och såg sig omkring en stund som om han var tveksam. Han tog några steg inåt ravinen och jag trodde att han skulle gå tillbaka till hörnet där cyklamen var, men han stannade plötsligt, liksom otålig över att behöva vänta, vände tvärt om på klacken och gick snabbt ut ur ravinen, som om han äntligen hade beslutat sig.

Simon sade i mitt öra: ”Han har gått för att möta Nigel eller Danielle, tror du inte det? Vi låter honom få ett par minuter på sig.”

Vi lät honom få fem. Det föreföll vara mycket långa minuter. Det enda som hördes i den varma morgonen var ljudet av våra egna andetag. Solen gassade ner på oss där vi låg på den bara marken. Jag tyckte det var skönt när Simon till slut rörde på sig.

Vi reste oss hastigt och gick nerför den lilla slingriga stigen som ett par bergsgetter. Vi nästan sprang över ravinbotten och hukade oss ner under strävbågen i hörnet.

Där var den, den lysande klargröna fläcken, och drivorna av små blåklockor – de ljuvliga spåren av bergsregnet. Men nu var det annorlunda.

Simon hade stannat. ”Är det här?”

”Ja, men Jag drog häftigt efter andan, pressade mig förbi honom och ställde mig och stirra på klippan.

Cyklamen var borta. Där den hade klamrat sig fast i sin skreva i klippan var nu en svart rämna. Skrevan hade vidgats, spruckit upp, och gapade öppen på grund av att den söndervittrade klippan hade utsatts för tryck. Jag kunde se de färska vita märkena där något bräckjärn hade satt in sin hävstångskraft.

En stenhäll, som hade likadana märken, låg vid våra fötter. Den hade fallit ner alldeles nyligen och pressade ner det friska gräset. I går hade den stått lutad mot klippväggen och för mina flyktiga blickar dolt det som fanns bakom. Nu var det en öppning i klippväggen, ungefär två meter hög och en halv meter bred – en smal rämna som gick i en skarp vinkel upp till en punkt vid toppen. Innanför var mörker. Grottan. Michaels grotta.

Jag var torr i munnen. Med hes röst sade jag: ”I går stod den där stenhällen lutad inåt mot klippan. Det var en mycket smal springa bakom den. Det minns jag nu. Det såg inte alls ut som en ingång till någonting, men det måste ha varit den där.”

Han nickade men han tittade inte på mig eller på grottmynningen. Han såg förbi mig upp på toppen av klippan och på ravinens väggar, som omgav oss på alla sidor.

Inte en rörelse, inte ett ljud.

I gräset låg en hög mulåsnespillning som inte hade funnits där i går. Jag pekade på den utan att säga något och Simon nickade. Han sade dämpat: ”Då hade jag rätt … Vi går in dit. Men vänta här en stund först. Och håll öronen ordentligt öppna. Jag är snart tillbaka.”

Han försvann in i klyftans mörker. Jag väntade. Åter tyckte jag att jag långt borta hörde den där lilla tonen, det spöklika ekot av en panflöjt. Men nu, i denna heta, skrämmande ravin, talade ljudet inte längre om Arkadien och hjordars och herdars vänliga gud. Det framkallade en stickande skräckkänsla i huden.

Så var det borta. Jag hade inbillat mig det igen. Jag stod med händerna hårt knäppta framför mig och tvang mig själv att vänta utan att röra mig.

Simon dök upp i klyftans mörker som en vinkande vålnad. Jag nästan sprang mot honom in i grottans svala mörker.

Efter det skarpa dagsljuset verkade det kolmörkt där inne. Det var som att springa mot en svart sammetsgardin. Jag stannade förblindad. Jag kände Simon lägga armen om mig och leda mig inåt, bort från ljuset, och sedan tände han en ficklampa. Ljuset verkade svagt och trevande efter det flödande solskenet, men vi kunde se i alla fall.

Vi befann oss i en ganska bred passage som sluttade sakta neråt ungefär fem eller sex meter och sedan gjorde en tvär sväng åt vänster. Den ursprungliga ingången måste ha varit bred, men den hade spärrats av en rad stenras så att det nu bara återstod den smala öppning genom vilken vi hade kommit. Själva passagen var rymlig och det luktade friskt och svalt i den.

Simon sade: ”Det sluttar brantare neråt en bit och så är det ännu en sväng neråt till höger och sen kommer själva grottan … Här. En imponerande plats, va?”

Det var det verkligen. Huvudgrottan var stor, en naturlig håla av en mindre katedrals storlek, med ett högt välvt tak som försvann in i mörkret, och skrevor och fördjupningar som slukade det svaga ljuset från ficklampan. Stalaktiter och stalagmiter bildade väldiga, egendomligt formade pelare. Även här låg nerfallna klippstycken. I några av de dunkla absiderna låg klippblock och stora stenar, vilka i det svaga, fladdrande skenet såg ut som de massiva gravvårdar som ligger mellan pelarna i en katedral. Någonstans kunde jag höra det svaga droppandet av vatten. Platsen var imponerande, storslagen till och med, men den var sönderfallen. Det var jord och stenskärvor överallt, och något såg ganska nytt ut, medan annat tydligen hade legat orört i århundraden.

Ficklampsljuset rörde sig, svepte vidare, stannade ...

Simon sade: ”Där.”

Han sade det dämpat, nästan likgiltigt, men jag kände honom vid det laget. Det stack åter till i hjärtat på mig av upphetsning. Ljuset höll kvar någonting i sin matta cirkel som tycktes ha ljusnat, blivit skarpare, koncentrerats ... Det låg en hög stenskärvor vid en pelare till vänster om grottmynningen. Den såg först ut som alla de andra högarna av sönderfallna klippstycken, men sedan såg jag att det bland de sönderbrutna styckena avtecknade sig regelbundnare former – ett kubformigt hörn – den dammiga konturen av en låda ... Och bredvid syntes den matta glansen av metall – ett bräckjärn och en skyffel.

Ficklampan svepte vidare. ”Ser du? De har redan flyttat en del av det. Man ser märkena i dammet där de har släpat det.” Han lät ljuset snabbt glida runt resten av den stora hålan. Ingenting. Under andra omständigheter skulle jag ha farit ut i hänförelse över de spöklika istapparna av sten, valvbågarna, grottans mörka kamrar, men nu var hela mitt intresse, liksom ljuset från ficklampan, koncentrerat på den där stenhögen och vad den innehöll.

Simon stod stilla ett ögonblick med huvudet på sned. Det hördes ingenting utom det svaga ljudet av droppande vatten. Jag följde med när han gick fram och böjde sig över det synliga hörnet av lådan.

Han rörde den inte. Det räckte med ficklampan. ”Där är den statliga stämpeln. Det här är inte guld, Camilla. Det är vapen.”

”Vapen?”

”Mmm. Små användbara kulsprutegevär.” Han rätade på sig och släckte lampan för ett ögonblick. Hans röst lät dämpad och bister i det täta mörkret. ”Det är en utomordentlig marknad för såna här saker på flera platser vid Medelhavet just nu. Jaja, där ser man.”

Jag sade: ”Jag tror inte att Nigel skulle göra det.”

Lampan tändes igen. ”Vid närmare eftertanke tror inte jag det heller. Jag undrar ...” Han gick runt högen och letade längre in i mörkret bakom den stora stalagmiten.

”Simon”, sade jag, ”menar du att det här flögs hit under kriget?”

”Ja. Som jag sa. Guld och vapen i långa banor.”

”Men det var nittonhundrafyrtitvå, inte sant? De här vapnen kan väl inte ha hållit sig så länge?”

Jag hörde honom skratta. ”Du talar som om det var fråga om fisk. Det är klart att de kan 'hålla sig'. De är inpackade i fett. De är så gott som nya fortfarande ... Å .... ”

”Vad är det?” Mot min egen vilja skärpte jag rösten.

”Ammunition. Massor. Jösses, det måste ta ett par dagar att flytta allt det här. Inte underligt ...” Hans röst dog bort. ”Simon, vad är det?”

Han sade fullkomligt tonlöst: ”Guldet.”

Jag skyndade mig framåt så fort att jag snubblade på en del av stalagmiten och nästan föll omkull. ”*Var?*”

”Ta det lugnt. Jaså, har en skatt en sån inverkan på dig? Här är den.” Ficklampan lyste stadigt på högen av sönderfallna klippstycken. Mellan jorden och stenskärvorna syntes hörnen på två små lådor. De var av metall, men hörnen på den ena hade rivits upp och under den dammiga, gapande metallen syntes det klara glittret av guld.

Simon sade: ”Det där är Michaels lilla fynd, Camilla. Det var därför Mick blev mördad. Men jag förstår ändå inte ...” Han tystnade och jag såg att hans ögonbryn rynkades, men efter en stund fortsatte han med sin lugna röst: ”Nå ja, hittills har vi haft rätt. Två lådor minst och det finns kanske fler under stenhögen.”

”De är väldigt små, inte sant?”

”En man skulle i alla fall ha fullt sjå med bara en av dem. Visste du att guld är nästan dubbelt så tungt som bly? De kommer att få ett väldigt jobb med att flytta allt det här.”

Jag sade: ”De?”

Han besvarade min blick. ”Tyvärr hade du nog rätt i fråga om Nigel. Jag tror att han var på väg hit upp i går morse och det är säkert Nigel som har arbetat här medan Dimitrios var i Delfi.”

Jag sade ängsligt: ”Men vi vet fortfarande inte om de arbetar tillsammans. Om Dimitrios kom hit i går kväll eller tidigt i morse och hittade Nigel här och kastade sig över honom precis som han kastade sig över dig –”

Han skakade på huvudet. ”Nej. Tänk efter. Det måste vara två stycken om det. Titta på det här igen; se hur det ligger begravt. Angelos kastade antagligen lite småsten över det för att dölja det, men han kan aldrig ha lagt den här högen av klippstycken över det. Den måste ha fallit ner vid en jordbävning – antagligen samma som täppte till grottan och bröt sönder klippan ovanför oss. Att flytta sånt här är oerhört arbetsamt och Dimitrios har helt enkelt inte haft tid att göra allting ensam.”

”Menar du –?”

”Det måste vara två stycken om det här jobbet, Camilla. Om Nigel hittade grottan hade den i alla fall ännu i går inte öppnats så mycket att de där lådorna kunde bäras ut. Vare sig Nigel visade den för Dimitrios eller Dimitrios hittade den själv, så snart vi hade lämnat ravinen i går, kan karln omöjligt ha hunnit göra allt det här ensam. Kom ihåg att han följde efter oss till Delfi nästan med detsamma; han skulle inte ha hunnit ta fram verktygen från det ställe där han hade gömt dem och flytta bort den där stenhällen. Och han kan inte ha kommit tillbaka hit senare, för han var nere i Delfi igen mitt i natten."

"Men Danielle då?"

"Hon kan inte ha gått hit och tillbaka igen mellan den stund du såg henne på Faidriaderna och den tid hon gick och la sig i går kväll. Dessutom skulle hon aldrig orka göra ett sånt jobb."

Han var tyst en liten stund och sedan fortsatte han: "Och tänk på situationen just nu. Vi vet att Danielle körde norr ut med jeepen. Hon kan inte ha hunnit komma hit upp från Amphissavägen. Dimitrios väntar på någon, men det är inte Danielle. Mulåsnan har varit här och försvunnit igen, inte sant? Vi kan gissa att Dimitrios väntar på den som har gett sig i väg med den fullastade mulåsnan för att möta jeepen. Nigel."

Ficklampan lyste hastigt till över guldet. Han sade: "Kommer du ihåg att Stephanos sa att den gamla stigen leder till ett nerlagt stenbrott nära Amphissavägen? Det verkar kunna vara en lämplig plats för dem att parkera jeepen medan de forslar det här över berget på mulåsnan. De tycks ha börjat med vapnen. Antagligen samlar de ihop bytet någonstans nära vägen och väntar tills de kan få i väg alltihop på en gång; och om de har det minsta vett i skallen låter de guldet ligga kvar här i säkert förvar till sista minuten ... Hörde du något?"

Vi stod alldeles stilla med ficklampan släckt. "Nej", sade jag.

Så fortsatte jag långsamt: "Vet du vad, jag – jag litar inte på Dimitrios."

Jag hörde en svag tillstymmelse till skratt i mörkret. "Var det dagens djupsinniga tanke, lilla Camilla? Du förvånar mig."

Han förvånade mig också, men jag hoppades att min röst inte avslöjade det. Jag sade: "Jag tänkte på Nigel. Även om de arbetar tillsammans nu är det bara för att Nigel hittade skatten först och Dimitrios vill hjälpa till att flytta den. Men när det väl är gjort –" Jag tystnade och fuktade mina torra läppar.

"Jag förstår." Inget spår av munterhet nu. "Nå ja, vi är ju här nu, så den saken ska vi väl kunna klara."

"Ja. Men Simon" – även i mina egna öron lät viskningen matt och bedrövligt osäker – "Simon, vad ska vi göra?" "Vänta. Vad ska vi annars göra? Vi vet inte riktigt hur det ligger till ännu, men det får vi säkert reda på snart."

Han tände lampan igen och ljuset fladdrade runt grottan. "Det finns gott om gömställen här och vi kommer att höra dem i god tid – åtminstone du. Om Nigel kommer upp ensam, så mycket bättre, men om det skulle vara Dimitrios som kommer tillbaka ..."

Han log ner mot mig, men det var någonting i leendet som framkallade motsatsen till förtröstan. Jag sade plötsligt anklagande: "Du *vill* att han ska komma tillbaka."

"Och om jag nu vill det?" Leendet djupnade inför uttrycket i mitt ansikte. "Herregud, Camilla, förstår du då inte? Jag önskar innerligt att han ska komma tillbaka. Det är två räkningar att göra upp med honom, både din och min, och nu tillkommer dessutom det här med den idiotiska Nigel ... Det skulle vara bäst om Dimitrios kom. Förstår du inte det?"

"Jo då, jag förstår."

Hans hand sträcktes ut och rörde flyktigt vid min kind – en beröring som av en fjärilsvinge. "Var inte rädd, lilla vän. Jag tänker inte låta döda mig och lämna dig ensam med vargarna." Han lät höra ett kort skratt. "Jag tänker sannerligen inte slåss hederligt – och vi ska allt bli två om att utnyttja en ficklampa för överrumpling."

Jag sade, utan att darra på rösten, hoppades jag: "Han kan vara beväpnad."

"Det är jag ganska säker på att han inte är. Det fanns inte plats för något vapen i de där blåbyxorna."

"Men han har antagligen skaffat sig en ny kniv." "Antagligen. Och jag har hans. Vi ska bli två om det också."

"Simon!"

Jag hörde honom skratta igen medan han rörde sig bortåt. "Stackars Camilla ... Vänta ett ögonblick bara. Stanna där du är. Jag kommer tillbaka."

Han lyste försiktigt framför sig med ficklampan medan han slank ut ur grottan, och den lilla ljusstrålen tonade bort och försvann runt kröken till den yttre gången. Han var borta kanske två minuter. Jag stannade kvar där jag var med guldet vid mina fötter och ena handen nervöst fingrande på konturerna av grekens ficklampa, som jag hade på mig. Sedan kom irrblosset dansande längs gången igen och Simon stod bredvid mig.

"Inte en skymt av någon av dem, så jag tror vi kan ta och titta närmare på den här skattgömman."

"Vill du ha hjälp?"

"Nej tack. Du kan försöka leta reda på något ställe där vi kan springa och gömma oss när han kommer." Han låg redan på knä bredvid stenhögen och hans händer rörde sig försiktigt över de jordiga ytorna.

Jag lämnade honom och tänkte samtidigt att hans händer rörde sig där i jorden precis som Michaels händer måste ha gjort för fjorton år sedan när han gjorde samma upptäckt. Jag lyste bakåt ett ögonblick med min ficklampa medan jag rörde mig bortåt. Skenet föll på hans hopkrupna kropp, det lugna, intensiva ansiktet, händerna … Michael Lester som fann bevis på förräderi mot de allierade. Av någon anledning ryste jag till. Det sades att vålnader vandrade omkring, inte sant? Och Angelos' vålnad, Angelos som log när han dödade?"Om vålnader är verkliga", hade Niko sagt, "så vandrar han fortfarande på Parnassos …"

Grottan var till och med större än jag hade trott. Jag gick mellan pelare av stalagmiter, som var massiva som Apollons kolonner i Delfi, och kom in i ett förrum som var djupt som ett litet kapell. Där fanns gott om skrymslen. Simon och jag kunde ligga gömda nästan var som helst när Dimitrios kom …

Lampan darrade i min hand. Ljusstrålen gled över väggarna och de nerfallna stenmassor som blockerade förrummet, och den suddades ut helt och hållet bland de mörka vrårna. Men i samma ögonblick som jag vände mig om glimmade ljuset till helt hastigt med en glidande, klar glans. Jag stannade. Ljudet av droppande vatten hördes igen, tydligare nu. Jag gick framåt med ficklampan sökande framför mig. Marken höjde sig en aning och det var en fuktstrimma på den som fångade ljuset. Jag kände att luften blev friskare ovanför den instängda, dammiga lukten i grottan, och det droppande ljudet hördes ännu närmare och tydligare nu; det måste finnas någon källa i grottan – kanske samma källa vars överloppsvatten gav upphov till gräset och blommorna utanför. Jag skyndade mig framåt nu med ficklampsljuset ivrigt sökande över klippformationerna. Där låg den nu bekanta högen av sönderfallna klippstycken mot grottans bakre vägg; där var själva väggen, strimmig av fukt och full av svarta sprickor; en kullfallen stalagmit lutade sig berusat mot en stenhäll som låg in mot väggen ...

Det var något mycket välbekant med den där stenhällen. Det tog bara ett par sekunder för mig att inse varför. Den hade samma form och stod lutad på samma sätt som den stenhäll som i går hade blockerat grottmynningen och i dag låg kullvält i gräset utanför.

Jag gick långsamt närmare, väl vetande vad jag skulle finna. När jag stannade bredvid den kunde jag tydligt höra vattendroppet. Så fick jag åter en kall, stickande känsla i huden längs armarna och ryggen.

Med vattendroppet följde ett annat ljud, ett ljud som jag redan hade hört två gånger den dagen och tvivlat på, liksom jag tvivlade på det nu. Ljudet av en flöjt. En panflöjt ...Den spelade en liten kadens av spröda toner; en till; och ännu en. Tystnad och droppandet av vatten.

Och ljudet hade kommit bakifrån den lutande stenhällen.

Jag böjde mig ner och kikade in bakom den. Jag hade rätt. Där var en öppning, smal, kanske en halv meter bred, men i alla fall en öppning. Och i motsats till den andra grottmynningen var det inte mörkt innanför den. Det ljusnade på andra sidan.

Jag tror jag hade glömt Dimitrios. Jag sade dämpat med en röst som till och med i mina egna öron lät underlig: ”Det går en väg igenom här. Jag ska titta närmare efter.”

Jag vet inte om Simon svarade. Jag pressade mig in genom den smala öppningen, skrapade mig mot klippan, fastnade i den med kläderna men kom till slut igenom. Jag befann mig i en ganska bred gång som förde uppåt i en svag kurva. Marken var jämn. Runt omkring mig ljusnade det mer och mer, och gångens väggar tog allt tydligare form i skenet från ficklampan. Framför mig gjorde gången en skarpare kurva åt höger, och bortom kurvan såg jag att ljuset blev klarare. Vattendroppet hördes tydligt och klart.

Så kom det tillbaka, det där ljudet som jag hade lyssnat efter genom vattendroppet; några små toner, spöklika, lite falska …

Jag gick runt hörnet. Rakt fram syntes ljuset, och gångens valv inramade ett sken som dämpades av böljande grönska. Jag såg en skymt av gräs och de hängande grenarna på ett smalt träd som bröt solljuset vid tunnelns mynning.

Jag nästan sprang resten av vägen. Jag hukade mig ner under valvet och kom plötsligt bländad ut på en liten öppen plats.

Det fanns ingen väg ut. Det var liksom en liten inhägnad, som en ljusbrunn. För många århundranden sedan hade detta varit en cirkelrund grotta som tunneln mynnat ut i, men taket hade fallit ner och givit plats för sol och gräs och vildvin, och källan hade ombesörjt bevattningen, så nu fanns mitt inne i berget denna lilla vrå av klart ljus övertäckt av ett spinkigt träds vajande grönska.

Musiken hade tystnat. De enda ljud som hördes var källans droppande och prasslet av löv.

Men jag hade ingen tanke till övers för Pan och hans musik. Apollon själv var här. Han stod knappt tre meter från mig när jag kom ut ur tunneln. Han var naken och i handen hade han en pilbåge. Han stod och såg över huvudet på mig – stod där precis som han hade stått i tvåtusen år.

Jag hörde Simon komma längs tunneln bakom mig. Jag flyttade mig åt sidan. Han klev hastigt ut ur det mörka valvet och in i det flimrandet ljuset. Han sade: ”Camilla, jag –” Så tystnade han tvärt som om han hade fått ett slag på strupen. Sedan hörde jag honom säga med viskande röst: ”Å, herregud …” Han stannade alldeles bakom mig.

En vindfläkt satte ridån av löv i dallring. Ljus fladdrade och brann av pilbågens guld och spelade längs halsens och ansiktets brons. En bruten guldpil låg i gräset vid statyns fötter.

Efter en evighet hörde jag mig själv säga med darrig röst: ”Det här – det var *det här* Nigel hittade. Han var här. Titta.”

Jag böjde mig ner och tog upp den lilla vattenkruka som låg i den fuktiga mossan vid mina fötter.

XVI

> Apollon visar sig inte för alla, utan bara för den som är god. Den som ser honom är stor; den som ser honom är inte någon liten människa. Vi kommer att se dig, o, fjärrskådare, och vi kommer aldrig att bli små!
>
> KALLIMACHOS: 2.9

"Ja." Simon vände runt krukan i handen. "Det är Nigels. Han hörde kanske vattnet droppa när han ritade av cyklamen utanför och det gjorde att han gick in i grottan och kom in hit – till den här." Vi stirrade båda på statyn. Ansiktet var gudalikt; frånvarande, vist, fridfullt, men ungt och med ett slags entusiasm bakom den släta pannan.

Jag sade andlöst: "Det är samma ansikte som på teckningen, inte sant? Den vackra teckningen som han rev sönder … Jag sa att den såg ut som en staty. Kommer du ihåg hur han ryckte den ifrån oss?"

Simon sade långsamt: "Det var när Danielle var där. Men dessförinnan – minns du att jag sa att det verkade som om han var på vippen att berätta något för mig men tystnade tvärt när Danielle kom in och teg sen?”

”Ja visst. Då kan hon inte ha känt igen den, eller hur? Han upptäckte ju grottan först samma dag och det märktes tydligt att han inte tänkte berätta något för henne!”

”Och det gjorde han sannerligen rätt i”, sade Simon. ”Vapen och guld är en sak för sig; en sån där skattgömma är säkert bara rättmätigt byte för såna skurkar som Dimitrios, och om Nigel trodde att han kunde vinna någonting på lite vapensmuggling är det hans sak. Men *det här* ...” Han sjönk ner på ena knäet i gräset. Ytterst försiktigt lyfte han upp guldpilen. Där den hade legat syntes ett tydligt avtryck längs de vitnade gräsrötterna. Han lade ner den igen. ”Som jag trodde. Ingenting har blivit rört. Ingen kan inbilla mig att Dimitrios skulle ha kunnat hålla tassarna borta från en bit guld.” Han reste sig med en suck av lättnad. ”Nej, pojken har tydligen hållit mun och det finns alldeles tillräckligt där ute i den yttre grottan för att fånga Dimitrios’ intresse helt. Gudskelov för konstnärens samvete. Men ju förr jag får tag i Nigel, dess bättre.”

”Tror du inte att Dimitrios kan komma att snoka omkring som jag gjorde och hitta statyn?”

Han skrattade lågt. ”Det kan jag slå vad om att han inte gör. Han har för det första annat att göra och dessutom, när jag nu tänker efter, skulle han aldrig kunna ta sig in genom öppningen om han så höll på att dö av törst.”

”Antagligen inte. Men hur i all världen kom *han* in hit? Och varför?” Jag tog mig åt huvudet. ”Det är som om jag inte kan tänka klart på någonting just nu. Jag känner mig alldeles omtumlad.”

”Det förvånar mig inte. Inte underligt att Nigel var 'berusad' den kvällen. Han måste ha varit halvt från sina sinnen av upphetsning. Och inte underligt heller att Mick – nå ja, strunt i det nu. Vi får antagligen aldrig exakt reda på hur och varför Apollon kom hit, men vi kan nog gissa oss till det något så när. Du vet att det heliga området i Delfi plundrades gång på gång efter det att man inte längre kunde skydda det och dess enorma rikedomar. Vi vet inte ens vart en bråkdel av de stulna statyerna tog vägen. Det var de som var av metall som togs; först togs guldet förstås; och sen bronsen, som skulle smältas ner till vapen ...Av utseendet att döma är det här en av de värdefullaste och absolut en av de vackraste. Varför skulle inte någon präst eller någon liten skara fanatiker ha beslutat sig för att rädda den, forsla bort den från Delfi och finna någon fristad åt den tills de oroliga tiderna var över?”

”Men – varför här? Och *hur?*”

”Det fanns förr en färdväg åt det här hållet – invånarna omnämner den som 'den gamla stigen', och eftersom det ar i den här trakten vete gudarna hur gammal den kan vara. Vi följde den hit bitvis. Men det måste ändå ha varit ett besvärligt företag. Hade det varit jag skulle jag ha forslat upp statyn i en mulåsnekorg. Avsikten var antagligen att återställa statyn senare när det var trygga förhållanden, eller också – om det här hände under en mycket svår tid – tänkte man kanske upprätta en sorts hemlig helgedom högt uppe på berget. Om de bara hade velat gömma statyn kunde de ju ha grävt ner den, men de har *placerat* den, inte sant? Och med den grekiska instinkten för drama har de placerat den i slutet av en mörk tunnel, mitt i strålande ljus och med hela rekvisitan runt omkring... Märkte du någonting särskilt med grottan, Camilla?”

”Menar du att den är lite lik en katedral – eller ett tempel?”

Han nickade. "Def är ganska vanligt för stora platser med välvda tak och stalakiter och så vidare, men det är inte mindre imponerande för det. De fanatiska präster som räddade den här statyn måste ha känt till grottan sen långt tillbaka. Inte bara den - det fanns den här inre helgedomen också, full av ljus, det perfekta 'lysande citadellet' för guden - och här är han. Titta på den där vinrankan, Camilla, och det där trädet."

Jag tittade fånigt på honom. "Vinrankan? Det är vildvin, inte sant? Och trädet - är det en sorts lagerträd?"

"Ja. Apollons lager", sade Simon lågt.

"Men Simon, efter tvåtusen år -"

"Träd lever länge och när de dör lämnar de skott efter sig. Och vinväxter växer vilt. De här är planterade. Lägg märke till att Apollon står precis under kanten av utsprånget, och vinrankan och det där smala trädet bildar en ridå. Jag vet inte om man *kan* komma till toppen av den här ljusbrunnen och titta ner, men i så fall skulle man inte se någonting ...Och så är det källan. Ja, jag tror att det här var en helig grotta med en helig källa, och vad vore naturligare än att den präst som var så angelägen att rädda sin gud skulle hysa honom här? Och jag är säker på att om vi tittar närmare efter kommer vi att finna att både den inre och den yttre grottan har stängts till av människohänder -"

"Det stämmer. Det la jag märke till. Stenhällen som Dimitrios hade flyttat bort var likadan som den som stod framför den här inre tunneln."

"Och efter Gud vet hur många år öppnade jordbävningarna dörrarna igen - för Angelos. Och Michael."

"*Michael!*" Jag tittade nästan skuldmedvetet på honom. Jag hade glömt Michael. "Ja visst. Brevet. Det lysande citadellet. Å, Simon."

Han log lite och citerade med låg röst: " 'Tala öm för kejsaren att det lysande citadellet har störtat till marken. Apollon har inte längre någon fristad, inte något lagerträd eller någon talande källa. Till och med rösten har upphört att flöda.' Ja, Mick bevisade att det delfiska oraklet hade fel. Det var det han menade med brevet."

Jag sade: "Ja, du förstår, jag sa ingenting då, men det slog mig att din bror inte skulle ha skrivit riktigt som han gjorde om ett gömställe för vapen eller ens guld. Han hade väl bara behövt säga precis som det var?"

"Ja, det slog mig också. Men jag tänkte aldrig något *sånt här*." Hans röst förändrades inte, men plötsligt fick jag ett starkt intryck av intensiv upphetsning hos honom. "Herregud", sade han, "vem kunde väl ha tänkt sig det här?"

Vi stod sida vid sida och stirrade på statyn. Jag tror det var det vackraste jag någonsin hade sett. Skuggorna spelade över kroppens glödande brons; ögonen var riktade mot något avlägset mål bortom och ovanför våra huvuden, precis som ett lejons ögon. De var underligt levande, med noggrant gjorda inläggningar av emalj och någon svart sten, så att de mörka pupillerna tycktes skälva och glöda vid rörelserna av ljus och skugga. Jag visste bara en enda staty till som hade sådana ögon.

Simon gav lågmält ord åt mina tankar: "Körsvennen."

Jag sade: "Tror du det? Tror du att han är av samma hand?"

"Jag vet faktiskt inte ett dugg om det, men det är den associationen jag får."

"Den fick Michael också", sade jag.

Han nickade. "Och Nigel också, som du kanske minns... Det var när vi talade om Körsvennen som Nigel plötsligt tycktes bestämma sig för att berätta det här för mig. Det kan ha varit bara därför att vi talade i största allmänhet om att upptäcka statyer, men jag tror inte det ändå. Jag tycker mig minnas en viss spänning när Körsvennen kom på tal."

"Det är inte bara ögonen", sade jag, "utan hela intrycket av styrka i förening med grace, ett slag genomskinlig klarhet - nej, det är fel ord, det låter för vekt, den här är - ja, vidunderlig. Simon, varför skulle han inte kunna vara inte bara av samma hand utan också en del av samma grupp? Det är ju bara ren gissning, inte sant, att Körsvennen är en del av en segerstaty för någon potentat? Och om det fanns sextusen statyer här skulle man ju tro att det borde ha funnits en motsvarande staty av Apollon någonstans i Apollons egen helgedom. Och varför skulle inte Körsvennen vara just körsvennen och den här - guden själv - 'charens herre'?"

"Ja, varför inte?" sade Simon.

"Vad ler du åt? Jag kan väl inte hjälpa att jag blir uppjagad? Och varför skulle inte jag kunna ha en teori? Jag tycker -"

"Alldeles riktigt. Och *jag* tycker att en teori kan vara så god som en annan. Din är i alla händelser den intressantaste som givs ...Nej, jag log åt någonting helt annat. Dimitrios."

"Å!" Det var som att kastas från solljuset ner i kallt vatten. "Jag - jag hade alldeles glömt bort honom."

"Det skulle jag också vilja göra - nu", sade Simon. Han hade inte tagit blicken från statyn på hela tiden. "Men tyvärr måste vi nog ta itu med det lilla problemet innan vi återvänder till det här."

"Men vad ska vi göra då?" frågade jag lätt hjälplöst.

Han gav statyn en lång blick innan han vände sig bort från den. "Vi lämnar guden här i hans lysande citadell och återvänder till skuggornas land, lilla vän. Vi vet nu vad Michael hittade och vi vet också varför han mördades. Det kapitlet slutar, tror jag, med Angelos' död. Men det finns ett annat och det är det vi måste ta itu med nu. Nigel hittade också det lysande citadellet, och jag måste erkänna att jag inte kan tänka mig att låta Dimitrios och Danielle få del av – den här."

Jag sade nästan ursinnigt: "De ska inte få röra den om jag kan hindra dem."

"Då är det bäst vi går tillbaka till grottan och leker vakthundar. Camilla. …"

"Ja?"

Han stod och såg ner på mig ett ögonblick. Den vaksamma blicken var där igen – och dessutom ett visst uttryck bakom de kyligt lugna ögonen som fick mig att undra vad som skulle komma. Men han sade bara tämligen lamt: "Jag borde inte ha låtit dig följa med."

Jag svarade inte.

Han sade: "Du är rädd, inte sant?"

Jag sade fortfarande ingenting. Jag såg inte på honom. Och jag undrade flyktigt varför jag inte brydde mig om att han visste det. Plötsligt stod han mycket nära mig och hans hand låg under min haka och lyfte varsamt mitt ansikte så att jag mötte hans blick. "Du vet varför jag tog dig med, inte sant?"

"Ja"

"Och jag gjorde rätt."

"Ja. Jag vet."

"Du underskattar dig själv så fruktansvärt, Camilla. Du får helt enkelt inte spela andra fiolen längre. Förstått?"

"Ja."

Han tvekade och sedan sade han ganska bryskt: "Du gjorde en upptäckt i går, minns du? 'Ingen människa är en ö.' Det är sant i mer än ett avseende. Du får inte fortsätta att hata dig själv därför att det är vissa saker som du inte kan göra och inte kan klara av på egen hand. Det kan ingen av oss. Du tycks tro att du borde kunna bemästra vad som helst som dyker upp, i lika hög grad som jag eller någon annan som jag eventuellt skulle kunna göra det. Det är ju orimligt; och det är på tiden att du slutar förakta dig själv för att du inte är något som du aldrig var ämnad att vara. Du är så utmärkt som du är, Camilla; tro mig, det är du."

Jag vågade inte svara, för jag litade inte riktigt på mig själv. Först efter en stund sade jag lätt: "Det enda jag ber gudarna om är att jag en dag ska få se dig också lossryckt ur det där - det där mer-än-tillräckliga lugnet du har och förpassad till samma plan som andra dödliga - som jag! Den dag det händer ska jag själv offra åt Apollon!"

Han log. "Jag ska nog se till att du håller ditt löfte när det blir aktuellt. Men under tiden kan du vara säker på att det inte blir vår vän Dimitrios som kommer att göra det. Jag går tillbaka nu för att se om han är i faggorna - eller Nigel. Vill du kanske hellre stanna kvar här?"

"Nej. Jag följer med dig. Jag - jag vill gärna veta vad som händer."

Hans hand rörde vid min kind som den hade gjort en gång förut, lätt som en fjärilsvinge. "Var inte rädd då, snälla du. Jag ska inte låta Dimitrios komma i närheten av dig."

"All right. Vad ska jag göra?"

"Ingenting ännu. Håll dig bara utom synhåll och gör som jag säger innan jag ens har sagt det."

"Vad kan vara enklare? Ska ske."

"Och nu går vi tillbaka."

Apollon tittade lugnt över våra huvuden när vi vände oss om och lämnade solljuset.

Grottan var fortfarande tom. Vi väntade i skydd av stenhällen och lyssnade, och sedan pressade sig Simon genom öppningen utan att använda ficklampan. Efter ett par minuter hörde jag hans dämpade röst i mörkret. ”Kusten är klar. Du kan komma.”

Jag gled genom den trånga öppningen. Strålen från Simons ficklampa lyste vägen för mig och spelade sedan över den snedställda stenhällen. ”Ser du? Det där är märken efter en mejsel. Du hade rätt. Stenen har kanthuggits för att passa in i öppningen. Och den där sprickan ovanför – det var antagligen där klippan försköts under jordbävningen som öppnade grottan igen för dig och mig – och Michael.”

Jag drog med ett lätt darrigt finger över ett av märkena. ”Tvåtusen år ... Å, Simon, om vi ändå kunde få reda på –” Jag tystnade tvärt.

”Mmm?” Ficklampan lyste fortfarande över de gamla mejselmärkena. Han verkade frånvarande.

Jag lyckades viska någorlunda lugnt: ”Han kommer tillbaka. Jag kan höra honom.”

Ficklampan släcktes hastigt. Ett ögonblicks andlös tystnad. ”Ja. Gå in bakom stenen igen och vänta tills vi ser vad han tänker göra. Jag hoppas vid Gud att det är Nigel.”

I samma ögonblick som de viskade orden slutade kände jag hans hand på min arm. Jag lydde honom, gled in genom den trånga öppningen igen och väntade, tryckt mot klippan på andra sidan stenhällen, medan hjärtat åter bultade ryckvis i bröstet på mig. Jag kände honom bredvid mig, tätt tryckt intill kanten av öppningen.

Stegen kom närmare, tvekade vid ingången till grottan och fortsatte sedan in. Ljuden dämpades genast av jorden och lät ihåligare på grund av ekot i grottan. De följdes av andra ljud: den dova dunsen av en spade som bearbetade stenhögen; klangen när den träffade en större sten och sedan metall; ljuden av flåsande andetag; en undertryckt svordom på grekiska och sedan splittrandet av trä och en duns; ett släpande ljud ...Han hade grävt fram en låda och släpade den närmare grottmynningen för att ha den klar för transport.

Jag kände Simons kropp tätt intill min, spänd som en löpares i startgroparna. Han hade armen om mig och höll mig stilla intill sig. Den var som en stålstång. Jag undrade om han skulle anfalla Dimitrios nu i skydd av mörkret ...

Men han rörde sig inte, vred bara lite på axlarna och huvudet, antagligen för att kunna se runt kanten av stenhällen. Han stod så, alldeles blickstilla, och det verkade som en evighet. Jag kände pulsen slå i hans armbågsveck; den var helt normal; min skuttade i väg ungefär som en defekt motor.

Armen slappnade. Jag kände att han vred på huvudet och hans andedräkt svepte mot min tinning. Så kom det en knappt hörbar viskning: "Han har gått ut igen. Hörde du någon mulåsna?"

"Det tror jag inte."

"Stanna här. Jag kommer tillbaka."

Ett hastigt, manande tryck av armen omkring mig, sedan drogs den bort. En rörelse bredvid mig, skrapandet av kläder mot sten och så var han borta. Klippan kändes kall och fuktig. Den plötsliga kylan kom mig att skaka på axlarna och jag tryckte armarna tätt intill sidorna och väntade, lyssnade. Ekot av min oroliga puls tycktes fylla grottan ...

Jag hörde hans steg i grottan strax innan han kom fram till öppningen igen och slank igenom den. Det var varmare när han var där. Han böjde huvudet och sade tyst: "Han har lämnat lådan alldeles innanför ingången och gått ut igen. Han verkar orolig; jag tror han är rädd för att det har hänt den något som ska komma med mulåsnan, vem det nu är. Det är nog bäst jag följer efter honom."

Han rörde mig inte, så han kände inte hur det ryckte i mitt hjärta. Han hörde mig bara säga "Jaha?" alldeles lugnt.

"Det är mycket möjligt att det har hänt något som har fördröjt Nigel och jag skulle vilja veta vad det är. Och jag vill veta vilken väg de tar. Den där stigen tar slut snart. Jag följer efter Dimitrios och ser vart han tänker ta vägen, och om jag sen får en chans ska jag – tja, ta mig an honom."

"Menar du att du tänker *döda* honom?"

"Nej, för Guds skull. Men jag skulle vilja ha honom oskadliggjord så att vi får tid på oss att ordna upp det här som vi själva vill ...Och nu måste jag gå annars hinner den där banditen smita."

Jag hade inte märkt att min hand hade smugit sig upp till hans skjortbröst. Plötsligt låg hans hand över min, varm och lugnande. Jag sade, och jag kunde inte förhindra att jag darrade på rösten: "Simon, var försiktig."

"Det ska jag vara, det kan du vara säker på. Och var inte orolig, min – var inte orolig. Jag klarar mig utmärkt och det kommet du också att göra. Stanna här bara och håll dig gömd. I den här delen av grottan kan du vara alldeles säker och jag lovar i alla händelser att jag inte ska släppa Dimitirios ur sikte. Blir det bra då?"

"J-ja."

Han lade andra armen runt mina axlar och drog mig helt hastigt intill sig. Det var en tröstande och lugnande gest, ingenting annat ... Men jag tyckte att hans läppar nuddade vid mitt hår.

För andra gången sjönk armen ner från mina axlar och han vände sig bort, snabbt och lätt som en vålnad. Den här gången tände han ficklampan och jag såg hans skugga studsa bakåt, gigantisk, längs klippan när han gled ut genom öppningen. Jag makade mig framåt tills jag kunde se in i grottan. Den lilla ljuscirkeln dansade i väg genom det svagt ekande tomrummet av mörker; pelarna och klippformationerna skickade upp höga skuggor utefter väggarna, och de tornade upp sig och försvann upp i det svarta välvda taket. Simon, som rörde sig snabbt och själv var som en skugga, blev allt mindre i det tomma mörkret och försvann som ett spöke in i den yttre tunneln. En skugga fladdrade till ett ögonblick över klippan, sedan slukades den av kolmörkret.

Jag höll händerna platt tryckta mot insidan av stenhällen. Det värkte i mina ögon av mörkret. Det var kallt igen. Jag måste uppbjuda hela min självbehärskning för att inte rusa ut i grottan och följa efter honom ut i det välsignade solskenet.

Till slut vände jag mig om och trevade mig ganska dyster tillbaka till ljuset och ensamheten i Apollons helgedom.

Hur länge jag väntade där vet jag inte. Först satt jag stilla i ett hörn där solen sken rakt ner utan att hindras av lövverk, och jag stirrade på statyn av guden och försökte befria mina tankar från all oro för vad som försiggick utanför.

Men efter en stund började själva skönheten och stillheten där inne bli för mycket för mig. Jag märkte att jag inte kunde sitta stilla längre, och jag reste mig, tog upp Nigels vattenkruka och gick fram till källan med den. Jag sköljde den noga under det svaga vattenflödet och drack. Så rotade jag omkring i Simons ryggsäck och hittade resten av maten, som jag åt hälften av. Därefter drack jag lite mer vatten. Jag traskade nervöst omkring i den lilla gläntan, granskade statyn närmare, tittade på de sönderbrutna guldbitarna i gräset, men utan att röra dem, fingrade på lövverket och ormbunkarna …

När jag för tredje gången böjde mig ner för att dricka vid källan insåg jag att min fruktan hade givit vika för en sorts otålig irritation. Solen och fridfullheten hade gjort sin verkan alldeles för väl; jag var nu grundligt nervös. Jag kom på mig själv med att ideligen kasta en blick på min armbandsklocka – en automatisk handling som irriterade mina nerver ännu mer, eftersom jag inte hade den blekaste aning om vad klockan var när Simon lämnade mig. Jag strök omkring nära tunnelmynningen och fingrade på ficklampan …

Jag kunde ju i alla fall känna mig alldeles trygg, intalade jag mig själv. Simon var med Dimitrios och jag var inte det minsta rädd för Nigel. Jag ville göra någonting; jag ville veta vad som hände; jag ville vara i närheten av Simon …

Försiktigt gick jag genom tunneln, tillbaka in i mörkret, tvekade i skydd av stenhällen och smet sedan in i huvudgrottan.

Jag använde också ficklampan den här gången. En sista löjlig nervryckning kom mig att låta ljuset svepa runt det välvda mörkret en gång, nästan som om jag väntade mig att finna att Dimitrios trots allt inte hade givit sig i väg. Men det var tomt där. Det fanns verkligen inte någonting att vara rädd för; om han kom tillbaka skulle jag höra honom och ha god tid på mig att hinna sätta mig i säkerhet igen. Dessutom var Simon hack i häl på honom och om Dimitrios återvände kunde jag vara säker på att han hade Simon efter sig.

Ficklampan lyste stadigt nu. Jag gick tyst fram till den andra tunneln och släckte sedan lampan. Jag trevade mig försiktigt fram längs väggen i den kurviga passagen tills jag hade kommit runt den första kurvan och mörkret lättade, så att jag kunde se var jag gick.

Det stod inte någon låda vid ingången. Dimitrios måste ha burit i väg med den. Så mycket bättre, tänkte jag vagt. Det betydde att han tänkte gå direkt ner till jeepen; och eftersom han då inte kunde gå så fort skulle det bli lättare för Simon att följa efter honom.

Jag makade mig fram tills jag kunde titta ut i ravinen.

Här greps jag åter av den där svaga känslan av förvåning när jag såg den ligga där oförändrad; bländande varm, tyst, övergiven …

Det skarpa ljuset träffade mina ögon. Jag kände lukten av jord och mulåsnespillning och någon förtorkad aromatisk växt som pulvriserades under min hand när jag tryckte den mot klippan bredvid mig. Det hördes inte det minsta ljud. Ingenting rörde sig; till och med den varma luften var stilla.

Jag tvekade. Frestelsen att lämna grottan var stark, att fortsätta uppför klippstigen ovanför och söka skydd någonstans högre upp på berget där jag kunde vara fri och samtidigt hålla mig gömd och – vilket var ännu viktigare – se det som eventuellt skulle hända i och omkring ravinen. Men Simon måste veta var han kunde hitta mig och han hade sagt åt mig att stanna där. Jag måste stanna.

Jag gick in i grottan igen.

Jag minns att jag stod där några minuter och såg mig omkring nästan förstrött. Jag försökte föreställa mig platsen sådan den hade varit innan den första jordbävningen skakade ner en del av det som blockerade sidoskeppen och nischerna mellan pelarna. Det var mycket möjligt att det här hade varit en helig grotta. Hit hade Apollon förts av ivriga, vördnadsfulla händer; här hade kanske offer och andra handlingar av tillbedjan ägt rum innan den heliga platsen slutgiltigt täpptes till och doldes och lämnades åt sin tvåtusenåriga tystnad.

Strålen från min ficklampa blev plötsligt mattare, så klarnade den igen. Men varningen sporrade mig till handling. Efter bara en hastig blick bakåt mot ingången och ett par sekunders paus för att lyssna efter fotsteg satte jag i gång att noga utforska grottan.

Jag vet inte riktigt vad jag letade efter. I alla händelser hoppades jag inte medvetet att hitta ytterligare "skatter" - vare sig sådana som Angelos hade gömt eller reliker efter Apollon. Men det dröjde inte länge förrän jag faktiskt stötte på något som såg ut som ännu ett gömställe. I en djup nisch mellan två pelare, alldeles i utkanten av grottan inte långt från högen av lådor, fanns en stenhög - en låg kummel av stenskärvor - som såg ut att nyligen ha blivit rörd.

Jag gick närmare och böjde mig över den och lyste bland de brutna stenbitarna med den nu allt svagare ficklampan.

Det syntes ingenting som tydde på att lådor eller andra föremål låg gömda där, men alldeles vid mina fötter fanns det tydliga avtrycket av en repsulad sko och märken som efter något som hade släpats på marken.

Jag gick närmare och tittade. Ljusstrålen gled över stenhögen, uppfångade någonting och stannade. Lampan ryckte till en gång i min hand, sedan lyste den stadigt och alltför obarmhärtigt avslöjande på det som låg bakom högen av stenar och jord.

Mördaren hade inte brytt sig om att begrava Nigel. Kroppen hade släpats undan och slängts på detta ynkliga gömställe och låg nu stel och obeskrivligt grotesk mellan stenhögen och grottans vägg.

I ögonblicket av förlamning innan ficklampan föll ur min domnade hand och det barmhärtiga mörkret slöt sig omkring mig igen såg jag vad som hade hänt Nigel. Mail hinner se fruktansvärt mycket under en kort sekunds intensiva skräck och chock: den bild som ens hjärna inregistrerar då är fullständig, den är materialet till otaliga kommande, långa mardrömmar. Ingenting undgår en: varenda bestialisk detalj etsar sig in i minnet och kommer tillbaka, dyker oupphörligen upp igen.

Han hade varit bunden. Repet var borta nu – mördaren behövde det utan tvivel – men pojkens handleder var sönderskavda. Han hade bundits och torterats. Med den där enda blicken såg jag att den slitna gröna skjortan hade rivits loss från den magra axeln och att det på överarmen satt en rad märken, groteska mot den flagnande huden, vilkas skrämmande symmetri kunde betyda bara en sak. Han hade med berått mod blivit bränd fyra eller fem gånger. Jag såg också andra saker som just då inte sade mig något men som jag efteråt har sett och känt igen ett tjogtal gånger i mardrömslika upprepningar av den där korta sekundens fasa. Jag tänker inte beskriva dem. Låt det vara nog sagt att Nigel hade dött under plågor. Hans ögon var öppna. Jag minns att de glänste i ljuset från ficklampan. Och hans tänder var sammanbitna i ett grin över något som kunde ha varit ett stycke hud … Dimitrios' såriga tumme … den vidriga mördarhanden som hade glidit nerför min arm i går där uppe på Faidriaderna.

Det var i det ögonblicket som ficklampan föll ur min hand och mörkret sänkte sig. Jag vet inte vad som hände sedan. I ena sekunden den där bilden i ficklampsljuset, levande, hemsk, fullständig, och i nästa sekund mörkret och den kalla klippan; den tryckte hårt mot mig, rev i mina kläder, kom mina springande fötter att snubbla; så föll jag mjukt med ett jämrande ljud …

Jag låg vid Apollons fötter i den fuktiga mossan. Jag var våt i håret och om händerna och på klänningslivet. Någonting gjorde illa min högra hand, som pressades djupt ner i gräset. Det var den avbrutna ändan av guldpilen. Jag satt och tittade på den en lång stund utan att ens se den.

Dimitrios, tänkte jag dumt, förvirrat; Dimitrios … Han hade

mördat Nigel i går. Medan vi var i ravinen i det klara solskenet befann sig Nigel i grottan med sin mördare, bunden och misshandlad och – nej, det kunde inte vara så; vi skulle ha hört honom, för han hade inte haft munkavle på sig. Han var död innan vi kom dit, och sedan hade Dimitrios gått ner till Delfi för att leta igenom hans rum ...

Jag stirrade ner på den vackert formade guldbiten i min hand och försökte tänka ... Men det enda som kom för mig var att Nigel, den stackars förvirrade, ivrige unge Nigel, som var en bra konstnär, hade mördats av Dimitrios ...

Dimitrios! Den här gången kom tanken allt annat än förvirrat; den stack till i min hjärna lika skarpt som den spetsiga guldpilen stack mig i handflatan. Jag var på fötter igen och pilen virvlade ner i gräset, glittrande, glömd. Dimitrios, som Simon och jag nonchalant hade avfärdat som någon man lätt kunde "klara av" – Dimitrios var där ute på bergssluttningen och Simon var efter honom och väntade bara på en chans att anfalla honom, omedveten om att greken var en mördare, lika usel och hänsynslös som hans kusin Angelos någonsin hade varit ...

Jag hade tillfälligt glömt bort den stackars Nigel. Jag sprang tillbaka in i tunneln utan en tanke på vad som låg där i grottan.

Mörkret kom emot mig som ett snärjande nät. När jag hade rundat den första kröken i tunneln måste jag tvärstanna och sedan långsamt treva mig framåt, och mina darrande händer gled över den kalla klippan.

Jag kom fram till stenhällen. Jag pressade in min kropp i den smala öppningen och sträckte på halsen för att kika in i grottan. Men jag kunde inte se någonting alls; mörkret sjöd fortfarande mot mina vidöppna ögon med skiftande former av oräkneliga, fräsande färger. Utan ficldampan och bländad så här efter den snabba förflyttningen från ljus till mörker skulle jag vara hjälplös där ute i grottan. Jag slöt ögonen och väntade på att det myllrande mörkret skulle klarna. Stenhällen kändes kall och fuktig under mina utspärrade händer.

Då hörde jag honom.

Jag trodde först att det var ljudet av mina bultande pulsar som höll mig fastnaglad vid klippan, men så märkte jag att det var det tysta trampet av repsulade skor på marken.

Jag stannade kvar som fastfrusen vid klippan och öppnade ögonen.

Nu kunde jag se. Ljus rörde sig i grottan, en kraftig ljusstråle. Det var inte Simon - Simons ficklampa hade liksom min börjat ta slut - och i alla händelser var det inte Simons steg. Men där Dimitrios var måste ju också Simon vara. Och att döma av grekens sätt att röra sig - med lugna, säkra steg - var han fortfarande omedveten om Simons närvaro.

I samma ögonblick söm jag tänkte den tanken hörde jag ett svagt ljud utanför grottan. Min blick flög ängsligt till greken. Han befann sig bakom ljuset och jag kunde inte se honom, men den sökande ficklampan tvekade inte ett ögonblick. Han hade inte hört något. Ljudet kom tillbaka och nu hörde jag vad det var: klirret av metall. Dimitrios hade tagit mulåsnan med sig.

Greken försvann ur mitt trånga synfält. Jag väntade tills jag hörde det välbekanta skrapande ljudet och slamret av stenar som föll ner och stön och flåsningar av ansträngning. Då makade jag mig långsamt närmare kanten av stenhällen och kikade runt den, en centimeter i taget.

Han hade lagt ficklampan i en liten nisch ovanför sig så att strålen lyste ner på stenhögen. Hans grova, kraftiga kropp stod böjd över den. Han stod med ryggen vänd mot mig; han hade tagit av sig jackan och lagt den bredvid sig, och jag såg hur hans svällande muskler spelade under den blå skjortan när han tog i en av de halvt begravda lådorna. Sedan släpade han ut den, rätade på sig och höll den i famnen. Först då insåg jag hur fruktansvärt stark han måste vara. Han bar lådan långsamt bort mot grottmynningen och försvann ur sikte in i tunneln. Jag hörde honom släppa ner den där. Sedan hörde jag honom komma tillbaka. Med samma lugna, säkra steg kom han ut ur tunnelmynningen och in i ljuskäglan, som lyste upp grottan.

För andra gången på denna korta stund kände jag ett chockartat ryck i hjärtat.

Det var inte Dimitrios. Det var någon jag aldrig hade sett förut.

Men nästan i samma ögonblick som jag kände denna chock och förvirring visste jag att jag hade fel. Jag hade sett honom förut och mer än en gång. Nu kände jag igen honom, nu när jag i det underligt upplysta mörkret konfronterades med det där tunga huvudet, de täta mörka lockarna som var kompakta som på en tjur och krullade sig nerför de svartmuskiga käkbenen mot de leende, tjocka läpparna. Detta var Phormishuvudet på Nigels teckning; detta var en klassisk statys ansikte, med de breda, tjocka kindknotorna och det spänt uppåtdragna halvmåneleendet. Dessutom var detta det ansikte som jag, utan att lägga det närmare på minnet, hade sett böjt över motorn på jeepen utanför Dimitrios' hus. Och det måste trots allt ha varit *det här* ansiktet som Danielle hade känt igen bland Nigels teckningar (och inte Apollons, som hon med all säkerhet aldrig hade sett) …

Men innan jag hann fullfölja den tankegången blixtrade två andra minnen till som gnistor i min ängslans torra fnöske … Nigels ord till Danielle: ”Det är en karl som jag såg på Parnassos i dag ... " och Simons röst i mörkret när den översatte något för mig som Stephanos hade sagt till honom: "Han kunde döda och le medan han gjorde det. Alltid det där leendet ..."

Angelos. Angelos själv. Och Gud visste var Dimitrios fanns någonstans. Och Simon var med honom.

Angelos återvände till stenhögen. Ficklampsljuset gled över den tjocka huden, som glänste av svett. Leendet satt oföränderligt på hans läppar. Han hade utan tvivel lett när han och Dimitrios tillsammans dödade Nigel. Han skulle utan tvivel le när Simon, efter att ha oskadliggjort Dimitrios, intet ont anande kom upp till grottan för att leta reda på mig ...

Angelos rätade på sin grova kropp och stod stilla ett tag, som om han lyssnade. Han vred på huvudet. Det hördes ljud utanför, inte metalliska den här gången, utan ljud av någon som skyndade sig mot grottan.

Jag minns att jag med ett slags domnat lugn tänkte att om jag skrek skulle det varna Simon - men det skulle varna Angelos också. Han väntade på Dimitrios och han kunde inte ana att Simon och jag var där. Han hade inte gjort någon rörelse för att släcka ficklampan. Men å andra sidan, om Simon hade klarat av Dimitrios skulle inte heller Simon vara på sin vakt ...

Stegen kom närmare; nu var de i tunneln. Angelos förde handen till fickan. Jag tog ett djupt andetag.

Stapplande och flämtande rusade Danielle in i grottan.

XVII

Då det finns rättvisa i himlen
och eld i Guds hand
måste räkenskapen göras upp till slut.

SOFOKLES: Elektra

Mannen slappnade av, men hans mörka röst lät arg. ”Vad tusan gör du här?”

Hon hade stannat vid utkanten av ljuskäglan. Hon såg på en gång yngre och mycket sötare ut än förut. Hon var klädd i den turkosfärgade blusen och scharlakansröda bomullskjolen, och brådskan hade givit färg åt hennes ansikte och gjort henne lite andfådd, vilket kom henne att verka normalare och mindre cyniskt självsäker. Hon hade inte tittat på Angelos. Hennes blick var fastnaglad vid det som återstod av ”skatten”.

”Jaså, där är det!” Liksom han talade hon franska.

”Just det.” Han betraktade henne vresigt. ”Jag sa ju i går kväll att vi hade hittat det, inte sant? Så varför i helsike gjorde du inte som jag sa och höll dig undan tills jag hämtade dig?"

Hon gick långsamt framåt medan han talade med blicken alltjämt fäst på det som låg vid hans fötter. Nu tittade hon upp under sina långa ögonfransar och log det där utmanande gamängleendet. "Jag ville själv se vad som hände. Var inte arg – det var ingen som såg mig gå hit."

"Såg du Dimitrios på vägen hit?"

Hon skakade på huvudet. Hon stod böjd över högen och petade med ena foten på den trasiga lådan, i vilken det glimmade av guld. Jag såg hennes bröst höjas och sänkas i snabbare takt liksom av upphetsning. Han sade skarpt: "Inte en skymt av honom?"

"Nej."

Han svor till och slog nästan ursinnigt med spaden bland stenarna. "Var tusan kan han hålla hus då? Jag gick övre vägen – den är kortare, om man bara hittar – och om inte du heller såg honom –"

"Jag kom också övre vägen." Åter den där leende blicken under de vackra ögonfransarna. "Hur tror du jag kunde hitta hit? Jag väntade där jag trodde att du skulle passera och sen följde jag efter dig."

Han lät höra en grymtning. "Klyftigt, va? Då betyder det att han har gått ner andra vägen för att titta efter mig. Sabla idiot; han är ju vimsig som en gammal fjolla och till lika stor nytta ungefär. Och du – du borde ha hållit dig borta tills jag hämtade dig. Jag sa ju att jag inte ville ha dig här uppe." Hon skrattade. "Jag litade kanske inte på dig, Angelos. Du skulle kanske inte ha kommit och hämtat mig."

Han gav till ett kort skratt. "Kanske inte det."

"Nå ja, jag ville se *det här*", sade hon nästan barnsligt, "och dessutom ville jag inte gå och driva där nere hela dan. Den där jädrans jeepen är ju rena dynamiten."

"Varför det? Den är ju inte lastad ännu."

"Nej, men-"

"Parkerade du den där jag sa?"

"Det är klart att jag gjorde. Angelos, varför måste du göra det här på dan? Du är tokig."

"Jag vet vad jag gör. Det är så gott som inget månsken nu och det är livsfarligt att gå med en mulåsna en svart natt i den här trakten och jag vågar inte använda ljus. Det kommer ingen till det här området mellan grottan och det ställe där jag gömmer lådorna, och vi kan forsla alltihop därifrån till jeepen på ett par timmar när det har blivit mörkt." Han tillade med lätt bister ironi: "Förutsatt naturligtvis att du gör som du blir tillsagd och att min kallblodiga kusin kommer tillbaka i tid och hjälper mig en aning med grovgörat!"

Hon skrattade. Hon hade hämtat andan nu och samtidigt återfått sin egen speciella, hesa röst. Så rätade hon på sig och gav honom en av sina glittrande, beslöjade blickar. "Tja, jag kan ju hjälpa till i stället. Nu skickar du väl inte tillbaka mig? Tycker du inte, Angelos *mou*, att du åtminstone kunde låtsas vara lite glad över att se mig?"

Hon gick tätt intill honom medan hon talade, och han drog henne till sig och kysste henne på ett sätt som var på samma gång formellt och vällustigt. Jag såg henne pressa sin smala kropp mot honom och hennes händer gled upp och rufsade omkring bland de tjocka lockarna i hans nacke.

Jag drog mig bakåt i den smala öppningen och slöt ögonen ett ögonblick, liksom överväldigad av denna nya upptäckt. *Angelos* hennes älskare. *Angelos*. Genom stormen av rädsla och förvirring virvlade alla fakta och samlade sig till ett helt annat mönster.

Det var Angelos, inte Dimitrios, som hade bekantat sig med Danielle under de där långa eftermiddagarna i Itéa; och det fullt medvetet, inte bara för att fördriva den tråkiga väntetiden, utan därför att hon disponerade jeepen, för om de köpte eller hyrde något annat transportmedel skulle det säkert dra med sig förfrågningar så småningom och ge upphov till just det skvaller som kusinerna absolut måste undvika.

Och av allt att döma var det Angelos, inte Dimitrios, som bröt sig in i ateljén kvällen före. Jag mindes nu fullt tydligt att handen som hade sträckt sig bakåt efter ficklampan inte hade haft en sårig tumme. Och jag kom ihåg Danielles lilla leende när jag så snabbt hade identifierat hennes älskare som Dimitrios ...

Angelos sköt henne ifrån sig, inte särskilt varsamt. ”Du vet så jäkla väl att du borde ha hållit dig undan. I de spel jag spelar finns det inte plats för någon med småbarnsnerver.”

Hon tände en cigarrett och sade nästan snäsigt: ”Det var inte nerver; det var nyfikenhet bara, och jag har rätt att få veta vad som händer. Småbarnsnerver – ha! – efter allt vad jag har gjort för dig! Du skulle aldrig ha kunnat få jeepen utan mig och jag skaffade dig verktygen och mulåsnan på måndagsnatten, eller hur? Och jag har spionerat på Simon, engelsmannen, och den där eländiga flickan som han har i släptåg – och det enda du gör är att komma inklivande i går kväll helt oförhappandes, stanna hos mig en halvtimme och inte berätta ett sabla dugg annat än att det är i dag det ska ske och att jag ska köra jeepen till stenbrottet och sen är det inte mer med det! Du kunde ha satt mig i en helsikes knipa i går kväll, men du sa aldrig ett ord till mig!”

”Vad menar du?” Han arbetade igen, höll på att baxa upp ett

massivt klippstycke som tyngde ner ett par lådor. Jord och småsten lossnade och rasslade ner på marken. Han tycktes knappt lyssna på henne.

Hon sade skarpt: ”Du vet mycket väl vad jag menar. När du kom till mig i går kväll sa du att du inte hade sett Nigel och –”

”Nigel?”

”Den engelska konstnären. Jag berättade det ju för dig. Han var full på måndagsnatten och antydde en massa om att han skulle bli rik och berömd. När de andra hade gått gav jag honom ett par glas ouzo till och tog honom med mig på en promenad … Sa jag inte det kanske?” Hon iakttog mannen genom rökslöjan från cigarretten och hennes ton var utmanande. Han varken tittade upp eller tog någon notis om henne.

Hon slog askan av cigarretten med en mycket retlig rörelise. ”Nå? Det var ju tydligt att han hade hittat någonting här uppe på berget. Du sa i går att du tänkte vänta på honom och ta reda på vad det var och var –”

”Än sen då? Det behövde vi ju inte, eller hur? Dina engelska vänner kom och visade oss vägen.”

”Visade de dig grottan också?”

Han skrattade kort. ”Knappast. Om de hade hittat grottan i går skulle vi inte ha kunnat komma i närheten av den nu – det skulle ha stått tredubbla led av soldater kring ingången!”

Hon rörde otåligt på sig. ”Det var inte så jag menade. Det är klart att de inte hittade den, annars skulle de inte ha gett sig i väg till Levádeia i dag i lugn och ro. Men du hittade den ganska snart, va? Dimitrios sa till mig där nere på Faidriaderna att du hade hittat stället och att du höll på och jobbade här medan han gick ner för att ordna några sista detaljer.”

Han hade lagt ifrån sig bräckjärnet och använde spaden för att kasta undan en del småsten. Det ekade dovt av spadtagen. Han tittade inte upp. Han sade: ”När Stephanos visade dem platsen där jag bröt nacken av Michael visste jag var grottan fanns. Allting var förändrat, men jag visste att den där öppningen måste leda in till grottan. Jag kunde inte komma in så smal som den var, men när jag hade skickat i väg Dimitrios började jag bearbeta den och fick upp den helt.”

”Jag vet. Det sa du i går kväll.” Hon lät inte som vanligt cigarretten hänga ner från underläppen medan hon talade. Hon rökte med små ryckiga rörelser som skvallrade om hårt spända nerver. Så sade hon, och hon fick det att låta som en anklagelse: ”*Men du sa aldrig något om Nigel.*”

Han rätade upp ryggen, höll huvudet framåtböjt som en tjur och betraktade henne med en blick som var både skräckinjagande och vaksam. Det stela halvmåneleendet på de tjocka läpparna var även på sitt sätt skrämmande. Han sade bryskt: ”Vad ska allt det här betyda? Varför i helsike skulle jag säga något om Nigel?”

Hon blåste ut en lång rökslinga och sade sedan tonlöst: ”När du lämnade mig i går gick du till Nigels rum. Varför det?”

”Det är väl inte så svårt att förstå. Du berättade ju att han hade gjort en teckning av mig som var lik som ett fotografi. Jag ville förstöra den.”

”Men han hade ju försvunnit – packat och gett sig i väg. Det visste du. Det sa jag. Jag hade själv varit inne på kvällen för att försöka hitta teckningen och alla hans saker var borta. Han hade tagit den med sig.”

”Nej då”, sade Angelos, ”det hade han inte.”

”Vad menar du? Du träffade honom ju aldrig. Hur kan du veta vad han hade på sig?”

Hon tystnade. Jag såg hennes ögon vidgas när hennes blick

mötte hans. Läpparna gled isär så att cigarretten föll till marken och låg där och pyrde. Det brydde hon sig inte om. Hon stirrade på honom. Han stod alldeles stilla, lutad mot spaden, och iakttog henne. Jag kunde se svett i det tunga ansiktet och på de håriga händerna.

Han sade dämpat: ”Än sen?”

Hennes röst var nu helt fri från de där medvetet tillgjorda övertonerna. Det lät tunn och gäll som en liten flickas. ”Träffade du honom? I går? Så han talade alltså om för dig var grottan fanns?”

”Ja, vi träffade honom. Men han talade inte om någonting för oss. I det fallet talade jag sanning.”

”Men – men – varför sa du då att du inte hade träffat honom?”

De tjocka läpparna drogs ut i ett bredare leende. ”Du vet varför. Inte sant?”

Det blev en lång paus. Jag såg hur hennes tunga stack ut, snabbt som en ödlas, och hastigt for över de röda läpparna. ”Du – dödade honom? Nigel?”

Inget svar. Han rörde sig inte. Jag såg hennes halsmuskler vibrera som om hon svalde. Hennes ansikte återspeglade varken fasa eller sorg; det var fullkomligt uttryckslöst, munnen var halvöppen och de stora ögonen fixerade mannen. Men hon andades fortare. ”Jag – jag förstår. Du sa ingenting till mig.”

Hans röst var mild, nästan road. ”Nej, jag sa ingenting till dig. Jag ville inte skrämma bort dig.”

”Men – jag förstår ändå inte. Kände han inte till grottan? Hade jag inte rätt?”

”Han kände till den; det kan du vara förvissad om. Men han sa ingenting till oss. Vi försökte, men han ville inte klämma fram med ett enda förnuftigt ord.”

Hon svalde igen. Hon hade inte tagit blicken från honom. Bortsett från ögonen och de krampaktigt arbetande halsmusklerna kunde hon ha varit en vaxdocka. ”Var du – var du tvungen att döda honom?”

Han ryckte på sina grova axlar. ”Tvungen och tvungen. Den lilla jädrans pjatten dog för oss bara. Tyvärr.” Hans huvud sjönk ner. Leendet tycktes bli bredare. ”Nå? Rädd? Tänker du skrika och springa din väg?”

Då rörde hon på sig. Hon gick tätt intill honom igen och hennes händer smög sig upp till hans skjortbröst. ”Ser jag ut som om jag ville springa min väg, Angelos *mou?* Skulle du ha velat ha mig med dig om jag hade varit en sån där med småbarnsnerver?” Händerna gled uppför hans axlar och fortsatte runt till hans nacke. Hon tryckte sig ännu närmare honom. ”Jag vet allt om dig, Angelos Dragoumis … Inbilla dig inte något annat. Det berättas fortfarande en hel del om dig här i Delfi …”

Han skakades av ett skratt. ”Du förvånar mig.”

Hon drog hans huvud mot sig och sade mot hans mun: ”Gör jag? Förvånar det dig att få höra att det är därför jag är här? Att det är därför jag tycker om dig?”

Han kysste henne, länge den här gången, och sköt henne sedan ifrån sig med sina fria hand. ”Nej. Varför skulle jag göra det? Jag har träffat såna kvinnor som du förut.” Han höll fortfarande spaden i andra handen och nu återvände han till sitt arbete. Med en lätt trumpen blick på den breda ryggen sade Danielle: ”Var är han?”

”Alldeles i närheten.”

Jag såg hennes ögonvitor som hastigast när hon kastade en snabb blick över axeln in mot de mörka vrårna. Så ryckte hon på axlarna och letade i fickan efter en ny cigarrett. "Då kan du ju lika gärna tala om vad som hände."

"All right. Men gå undan lite och stå inte i vägen här. Så ja. Jo ... Vi väntade på pojken vid Delfistigen, men han kom inte den vägen. Han måste ha gett sig i väg tidigt och tagit någon annan väg, för vi fick inte syn på honom förrän han hade passerat oss och var nästan uppe på de här klipporna. Vi gick så nära vi kunde utan att han såg oss, men när vi hade tagit oss upp genom den där klyftan som ligger öster ut härifrån hade han försvunnit. Vi gick upp ovanför klipporna och skildes åt och väntade på honom. Efter en stund såg vi honom helt lugnt komma ut från ravinen här. Så vi gick ner och tog fast honom."

"Varför måste ni göra det? Det engelska paret skulle ju komma. När du väl hade sett platsen där Michael dog –"

"En fågel i handen", sade Angelos och jag såg att det stela leendet blev bredare igen. "Det kunde ju mycket väl hända att Stephanos hade glömt exakt var det var, och det var ju alldeles tydligt att din konstnärsvän just hade kommit ut från något gömställe. Dessutom hade han gjort den där teckningen av mig. Han hade sett mig."

Hon tände en ny cigarrett. Tändsticksslågan var inte helt stadig. Hennes ögon såg stora och glänsande ut ovanför den. "Vad gjorde ni?"

Han lät likgiltig. "Vi försökte först skrämma honom till att tala men han ville inte säga något. Allvarligt talat började vi tro att du hade tagit fel och att han inte alls hade hittat något, men så började han babbla något om en grotta och något som var ovärderligt och sa att han verkligen inte tänkte låta oss få tag i det. Då satte vi i gång på allvar ..." Han rätade på sig och tog fram en cigarrett.

Han stack den mellan läpparna och lutade sig fram för att tända den på hennes.

Jag kommer att se det där leendet i mina drömmar, tänkte jag ...

”Men han fick ändå inte ur sig ett enda förnuftigt ord”, sade Angelos. ”Babblade om vatten och några blommor...” Föraktet i den gutturala franskan kom orden att låta obscena. ”Jag kan engelska ganska bra men jag förstod inte alla orden. Till slut var det någonting om guld, det är jag nästan säker på, men just som vi hade kommit så långt dog han för oss. Gud ska vet att vi knappt hade börjat ens. Det verkade som om han hade visset hjärta.”

”Vad hände sen?”

”Vi hade knappt slutat med honom förrän vi såg Stephanos och pojken från Arákhōva komma upp med det engelska paret. Vi slängde liket bakom några stenar och väntade och höll utkik medan gubben förde dem till ravinen och visade dem platsen. Den är alldeles förändrad; jag skulle ha kunnat leta efter den i tusen år. Så fort de hade gått gick jag ner i ravinen och började se mig omkring. Det var hur enkelt som helst. Din Nigel hjälpte oss i alla fall med sitt galna pladder; det fanns bara ett ställe där det växte gräs och blommor, och det var just där ungefär jag väntade mig att grottan skulle ligga, om nu Stephanos hade hittat rätt. Vi såg snart var ingången var. Att komma in dit var nästa krux, men nu när vi hade fått den där döda pojken på halsen måste vi förstås se till att det inte blev några efterforskningar förrän vi hade kommit i väg och sopat igen alla spår. Så jag fortsatte med jobbet ensam och skickade ner Dimitrios för att träffa dig, som det var avtalat. Jag sa åt honom att inte säga något till dig om Nigel utan bara smyga sig in i ateljén och ta bort allting ur hans rum så att det skulle se ut som om han hade packat och gett sig i väg.

Det gjorde han. Pojkens grejor ligger bak i jeepen under säckarna. Dimitrios tog med sig en stor mapp med teckningar, men den idioten hade för bråttom för att kolla dem och såg aldrig att teckningen av mig inte var med ... Det spelar kanske ingen roll, men det är en sån där detalj som ibland kan betyda en sabla massa. Jag tyckte i alla fall det var bäst att ta det säkra för det osäkra. Jag är officiellt död och jag tänker vid Gud fortsätta med att vara det och det ska inte bli några rykten om mig!"

"Hittade du den?"

"Nej. Jag hann inte. Det låg en massa papper och ayfall i en stor burk på golvet i hans rum. Den där fähunden Dimitrios hade inte brytt sig om att titta efter där. Men om det är där teckningarna är kommer ingen att lägga märke till dem. Det verkar bara som om han har packat och stuckit i väg."

"Ja. Simon och den där flickan tror att han har gett sig ut på en tripp över bergen - med mulåsnan."

"Verkligen?" Han lät road. "Då är den saken ur världen, inte sant?"

Nu hade han fått bort stenarna som låg över lådorna. Han böjde sig ner för att lirka loss en låda. Hon stod tyst en stund och iakttog de kraftiga musklernas spel. Så sade hon igen: "Var är han?"

"Vem?"

"Herregud, Nigel förstås! Lämnade ni honom bara där ute åt gamarna?"

"Förmodligen inte. De skulle ha avslöjat oss fortare än något annat. Han är här."

För första gången såg jag henne påverkad av ett kraftigt känsloutbrott. Det var som om en fjäder spändes. "Här?"

Han gjorde ett kast med huvudet åt sidan. "Där borta." Han

fick äntligen loss lådan, rätade på sig och bar den ut ur grottan. Ficklampan lyste fortfarande starkt uppe från nischen i väggen. Danielle stod stilla en stund och stirrade mot det mörka hörn där Nigels kropp låg, sedan gick hon några steg framåt, till synes med en viss ansträngning, tog ner ficklampan från nischen och gick bort till stenhögen som dolde den patetiska kroppen. Ljuset sken ner på det som barmhärtigt nog doldes för mina blickar.

Det var i det ögonblicket som jag kom ihåg min egen ficklampa, som jag hade tappat nära Nigels kropp. Om hon såg den ... om den skulle råka återspegla ljuset från hennes ficklampa ...

Angelos kom tillbaka. Han sade irriterat: ”Fortfarande inte en skymt av honom. Det verkar som om han har tagit en av de små lådorna med sig och gått nedre vägen. Annars skulle vi ha sett honom.” Han tittade upp och såg var hon stod. Hon hade fortfarande ryggen vänd mot honom. Det tunga ansiktet iakttog henne utan att ändra en min, men det var någonting i blicken som kom mitt blod att stelna. ”Nå?”

Hon vände sig häftigt om. ”Tänker du låta honom ligga där?”

”Var annars? Köra honom i jeepen till viken vid Galaxeidion?”

Hon låtsades inte om ironin. ”Tänker du inte begrava honom?”

”Herregud, flicka lilla, det har jag verkligen inte tid med. Jag har nog att göra med att skyffla bort halva Parnassos från de här lådorna. Du kan kasta lite jord över honom om du vill, men det spelar knappast någon roll. Fast då har du alltid något att göra medan jag lastar.”

Hon gick hastigt tillbaka till mitten av grottan. ”Jag stannar inte här.”

Han skrattade. ”Som du vill. Jag trodde inte du var så överkänslig av dig, *ma poule?*”

”Det är jag inte heller”, sade hon retligt, ”men begriper du inte att vi inte kan lämna honom här även om vi täcker över honom? Det märks ju redan tydligt att någon har hållit på här, och den som kommer hit upp måste ju se med detsamma –”

”Varför skulle det komma någon hit?”

Hon tvekade och mönstrade honom. ”Engelsmannen, Simon –”

”Vad är det med honom? Du sa ju själv att han hade gett sig i väg till Levádeia.”

”Jag vet, men – tja, jag tänker fortfarande på det som hände i teatern på måndagskvällen.”

I teatern på måndagskvällen … Jag lutade mig bakåt mot klippan och genom diset av spänning och fruktan försökte jag erinra mig … Ljudet som jag hade hört när jag satt där, det svaga klirret – det hade trots allt varit Danielle som gick med den stulna mulåsnan för att möta de båda männen. Och Simon och jag hade pratat där nere i teatern … Det var säkert inte bara talet ur ”Elektra” som den underbara akustiken hade fört vidare upp till Danielle, som befann sig ovanför oss i mörkret. Och Danielle förstod engelska … Vad hade vi sagt? *Vad i Herrans namn hade vi sagt?*

Vad det än var framgick det i alla fall att hon redan hade rapporterat det för honom. Han skrattade. ”Jaså det. Det är ingen nyhet. Det är klart att han vet att Michael blev mördad. Trodde du Stephanos inte skulle tala om det för honom? Vad har det för betydelse? Ingen vet *varför?*”

”Men om han misstänker att du fortfarande lever –”

”Han?” Den sträva rösten uttryckte ingenting annat än roat förakt. ”Hur skulle han för resten kunna göra det? Nigel är död och ingen kommer att känna igen den där teckningen av mig nu.”

”Det var ju guldet också”, sade Danielle.

Mörkret kokade omkring mig. Jag hörde Simons röst igen, lika tydligt som om han stod bredvid mig: ”Det är inte över … inte förrän jag har hittat det som Michael hittade … guldet.”

”Guld, guld, guld – du ser det visst överallt, va, *ma poule?*” Han skrattade igen. Av någon anledning tycktes han bli på bättre humör. ”Du *såg* inte att det var guld, eller hur? Hon tog upp något och du såg det blänka och sen gjorde din fantasi resten.”

”Jag lovar att det var guld. Jag såg henne stirra på det.”

Mörkret lättade långsamt. Mot det såg jag en bild – inte den som de talade om, utan en senare: Simon på väg bort från mittpunkten strax innan han började tala … Hon hade inte hört något. Tack vare ett gudarnas barmhärtiga ingripande hade hon inte hört något.

Angelos hade vänt sig bort och höll på att dra loss en ny låda ur högen. ”Så där. Det är ungefär så mycket som den där stackars eländiga mulåsnan orkar bära på en gång … Strunta i de där dumheterna ett slag och ge mig ett handtag i stället. Han hittade inget guld i går, det är ett som är säkert. Han har ingen anledning att komma tillbaka hit. Han har varit här en gång och sett det han ville se. Varför skulle han komma tillbaka? För att lägga ner en bukett till Michaels minne?” Han gav till ett obehagligt skratt igen. ”Ja jäklar, jag önskar nästan att han skulle göra det! Jag har ju faktiskt en del otalt med honom.”

Hon sade med en viss harm: ”Och med henne. Hon slog dig.”

”Jaså, gjorde hon det?” sade han glatt. ”Jag tror i alla fall vi väntar tills Dimitrios kommer. Det kan inte dröja mycket längre.” Han gjorde en paus och såg sig omkring i grottan. ”Det är underligt att vara här igen – och det ser precis likadant ut. Precis likadant. De där pelarna och klippstycket som ser ut som ett lejonhuvud och vattnet som droppar någonstans. Jag har aldrig hittat källan ... Kan du höra det?"

Hon sade otåligt: "Men Nigel. Du måste göra något åt liket. Förstår du inte –"

"Du har kanske rätt." Hans röst lät nästan frånvarande. Det var uppenbart att Nigel för länge sedan hade upphört att betyda något. "Vi kan kanske rentav ha större nytta av honom nu än när han levde ... *Han* kan följa med jeepen över stupet. Ja, nu hör jag vattnet igen. Det är där borta någonstans ..."

Han hade börjat röra på sig men Danielles röst hejdade honom. Det var en ton i den som jag inte hade hört förut. "Jeepen? Över stupet? Jag visste inte att du hade planerat att göra det."

"Du vet inte allt som jag har planerat att göra, min sköna dam", sade han. Han vände sig mot henne igen medan han talade och jag kunde inte se hans ansikte. Jag såg hennes. Det såg plötsligt magrare ut, insjunket, som en skrämd barnunges. Han sade: "Vad är det nu då? Vi måste ju göra oss av med jeepen på något sätt, inte sant? Om pojken hittas i havet med jeepen är det problemet ur världen också."

Hon sade nästan viskande: "Det är ju min. Alla vet att jag körde hit den från Aten."

"Än sen då? Alla kommer att tro att du var med i den också och sen är det inte mer med det."

Alltjämt stod hon stilla och stirrade upp på honom. Hon såg mycket barnslig ut i den turkosfärgade blusen och den röda klockkjolen. Han gick fram mot henne tills hon var tvungen att böja huvudet bakåt för att kunna se honom in i ögonen. Han sade i en ton av otålighet och även något annat: "Vad är det nu? Är du rädd?"

"Nej. Nej. Men jag undrade –"

”Vad då?”

Hon talade fortfarande så där snabbt och viskande. ”Vad skulle du ha gjort med jeepen om du ... om du inte hade haft Nigel att skicka med över stupet?”

Han sade långsamt: ”Detsamma naturligtvis. Folk skulle ha trott att du var i den och hade –”

Han tystnade tvärt. Så hörde jag honom skratta. Hans stora hand höjdes långsamt och strök ner över hennes nakna arm. Den såg mycket mörk ut mot hennes ljusa hy. Det var svarta hår på översidan av den. ”Oj, oj, oj ... Min stackars lilla sötnos, trodde du verkligen att jag skulle kunna göra en sån sak mot dig?”

Hon rörde sig inte. Den magra armen hängde slappt ner. Huvudet var bakåtlutat och de stora ögonen såg forskande in i hans ansikte. Hon sade med den där matta rösten: ”Du sa: ’*Han* kan följa med jeepen över stupet ...’ Som om du hade tänkt att det skulle vara någon annan. Som om –”

Han hade lagt ena armen om henne nu och dragit henne tätt intill sig. Hon gav viljelöst efter. Hans röst blev grötig. ”Och du trodde att jag menade dig? *Dig?* Min lilla Danielle ...” ”Vem annars då?”

Han svarade inte, men jag såg hennes ögon smalna och sedan spärras upp igen. Hon viskade: ”*Dimitrios?*”

Hans hand lade sig hastigt över hennes mun och hans kropp skakade liksom av skratt. ”Tyst, din lilla dumbom, tyst! I Grekland har till och med bergen öron.”

”Men, Angelos *mou* –”

”Än sen? Jag tyckte du sa att du kände mig, flicka lilla? Förstår du inte? Jag måste ha hans hjälp och hans båt, men när gjorde han sig förtjänt av hälften av bytet? Allt det här är mitt och jag har väntat på det i fjorton år och nu har jag fått det. Tror du jag tänker dela det – med någon?"

"Men – jag då?"

Han drog hennes fogliga kropp närmare intill sig. Han skrattade igen, långt nere i strupen. "Det är inte att dela. Du och jag, *ma poule*, räknas som en ..."Hans fria hand gled uppför hennes hals, under hakan, och sedan tvang han hennes huvud uppåt så att hennes mun mötte hans. "Och jag behöver fortfarande *dig*. Måste jag fortfarande övertyga dig om det?" Hans mun slöt sig lystet över hennes och jag såg henne stelna ett hastigt ögonblick, som om hon tänkte göra motstånd, men så slappnade hon av och hennes armar smög sig upp runt hans hals. Jag hörde honom skratta mot hennes mun och så sade han hest: "Där borta. Fort."

Jag slöt ögonen och vände bort huvudet så att min kind, liksom händerna, tryckte mot den svala klippan. Den luktade friskt, som regn. Jag minns att jag under vänstra handen hade en stenknopp, till formen lik en snäcka ...

Jag vill inte skriva om det som hände sedan, men för att låta mig själv vederfaras rättvisa tror jag att jag måste göra det. Just när jag slöt ögonen höll mannen på att kyssa henne och jag såg att hans hand hade börjat fumla med hennes kläder. Hon klamrade sig fast vid honom, hennes kropp smalt ihop med hans och hennes händer drog häftigt ner hans huvud mot hennes kyssar. När jag sedan inte kunde titta längre hörde jag honom tala, små andlösa meningar som jag inte kunde uppfatta – inte försökte uppfatta – på en blandning av grekiska och hans gutturala, flytande franska. Jag hörde honom sparka undan en sten när han drog ner henne på marken nära stenhögen ... nära Nigels lik ...

Jag hörde bara ett enda ljud från henne och det var en liten suck, ett kvidande av vällust. Jag kan svära på att det var av vällust.

Jag darrade i kroppen och svettades och var het som om den svala klippan hade varit en ugn. Den snäckformiga stenknoppen under min vänstra hand hade brutits loss. Jag höll en bit av den mellan mina krökta fingrar och den skar in i köttet.

Jag vet inte hur länge det dröjde innan jag blev medveten om att det var tyst i grottan, bortsett från några tunga andetag.

Så hörde jag honom resa sig upp. Han andades tungt och jämnt. Han sade ingenting och jag hörde honom inte röra på sig. Det kom inget ljud från Danielle.

Jag öppnade ögonen igen och möttes av det bleknande ficklampsljuset. Han stod bredvid stenhögen och log ner mot Danielle. Hon låg där alldeles stilla och tittade upp på honom. Jag såg hennes ögon blänka. Svetten i hans ansikte kom de breda, köttiga kinderna att glänsa som pimpsten. Han stod orörlig och log ner mot flickan som låg vid hans fötter och stirrade tillbaka på honom med den bjärta kjolen tillknycklad och utbredd över marken.

Jag tänkte helt vansinnigt och ologiskt: Så dyster hon ser ut. Sedan plötsligt: Hon ser död ut.

Efter en liten stund böjde sig Angelos ner, tog tag i axlarna på henne och släpade henne tvärsöver grottan och kastade henne bland stenarna bredvid Nigel.

Och det var på det sättet Danielle Lascaux mördades knappt tjugo meter från mig och jag lyfte inte ett finger för att hjälpa henne.

XVIII

Gå medan tid är,
det är mitt råd …

SOFOKLES: *Filoktetes*

Genom en försynens skickelse undvek jag att svimma, annars skulle jag ha fallit rakt ut i skenet från ficklampan. Men den smala öppningen höll min kropp uppe, och min hjärna (antagligen förlamad av de upprepade chockerna) tycktes endast mycket långsamt inregistrera vad som hade hänt.

Det var som om någon sorts osynlig censor hade sänkt ner en gastygsridå mellan mig och scenen i grottan, så att det uppstod ett slags avståndseffekt och mördaren utförde sin hemska gärning långt borta från mig, som en sagofigur som rör sig över en belyst scen. Jag var osynlig, ohörbar, maktlös, drömmaren av en dröm. I och med att det blev ljust skulle förnuftet komma och mardrömmarna försvinna.

Jag iakttog honom, alltjämt i den där underliga dvalan av lugn.

Om han hade vänt sig åt mitt håll tror jag knappt att jag skulle ha haft förstånd att dra mig tillbaka, men det gjorde han inte. Han släppte ner Danielles kropp på marken bredvid Nigels och stod en stund och tittade ner på dem medan han torkade av händerna mot varandra. Jag undrade ett ögonblick om han trots allt tänkte kasta jord över liken, men så slog det mig att Danielles fåfänga gnista av instinkt hade varit riktig; hans plan på att göra sig av med Nigel samtidigt med jeepen hade dykt upp lite för lämpligt. Det var Danielle som hade kommit med jeepen; det var Danielle som skulle hittas i vraket av den ... Det hade varit hans plan hela tiden. Nu insåg jag det alldeles klart. Jag trodde inte ett ögonblick att han hade tänkt döda sin kusin Dimitrios – men även i så fall hade han absolut aldrig haft för avsikt att dela någonting med Danielle. Det hon hade att erbjuda kunde bara alltför lätt fås var som helst. Och lika säkert var det att han inte hade velat döda henne här. Han måste ha tänkt bespara sig besväret att transportera hennes kropp genom att döda henne när arbetet var klart, men hennes ängsliga frågor hade varit obehagligt nära att träffa prick. Bäst att döda henne med detsamma och ta risken att forsla ner den extra bördan när det hade blivit mörkt.

Nu hade han vänt tillbaka till pelaren där ficklampan låg. Jag iakttog honom, alltjämt som om han var en aktör i en pjäs – en dålig aktör; hans ansikte uttryckte ingenting, inte fasa, inte ängslan eller ens intresse. Han sträckte upp handen, tog ficklampan och släckte den. Mörkret föll som ett lock över en kvävande kista. Han tycktes lyssna. Jag kunde höra hans jämna andhämtning och rasslet av jord under flickans kropp. Det kom inget ljud utifrån.

Han tände lampan igen och gick ut ur grottan. Betslet klirrade när mulåsnan rörde på sig, men han hade tydligen inte släppt lös den. Jag hörde honom gå bortåt med tysta fotsteg som inte åtföljdes av djurets hårdare tramp. Han måste ha bestämt sig för att rekognoscera i ravinen innan han vågade leda ut mulåsnan …

Fotstegen dog sakta bort. Jag kunde inte längre höra dem. Jag väntade, spänt lyssnande. Ingenting hördes utom ett svagt rassel av jord i grottan och det otåliga skrapandet av hovar utanför. Han måste ha lämnat ravinen – kanske för att titta efter Dimitrios.

En sak var säker: Angelos utgick ifrån att Simon inte hade någon anledning att ytterligare intressera sig för ravinen. Han kände sig lika säker för upptäckt på denna avlägsna sträcka av Parnassos som han skulle ha gjort på månens berg.

Och Simon? Simon också …

Jag var ute ur öppningen och rusade genom den mörka grottan. Det fanns inget ljus, men jag kan inte minnas att jag behövde något. Min kropp handlade av sig själv, som en sömngångares, och som en sömngångares måste den instinktivt ha väjt undan för alla hinder. Även min hjärna … Jag hade ingen medveten plan, inte ens någon redig tanke, men någonstans i det undermedvetna visste jag att jag måste ta mig ut ur den där grottan, till Simon … Det var någonting med att Dimitrios skulle komma tillbaka, och Simon … något med att varna Simon för att det inte alls var en enda liten förslagen tjuv att ge sig i kast med utan två män som var mördare … något viktigt att säga till Simon … Och viktigare än allting annat var att jag måste komma ut ur mörkret, ut ur denna kvävande bur av sten och in i det välsignade ljuset …

Solskenet slog ner på mig som en skinande yxa. Jag förde ena handen till ögonen och ryggade tillbaka som inför ett slag. Jag var bländad och simmade i ett hav av ljus. Min andra hand, som jag trevade med framför mig, kom åt något varmt och mjukt som rörde sig. Jag drog mig hastigt undan med en liten flämtning av fasa, och i samma ögonblick förstod jag att det var mulåsnan, som stod bunden i det trånga hörnet utanför grottan. Den stod med mulen djupt nere i gräset och gav sig knappt tid att rulla med ett vitt öga bakåt mot mig förrän den återupptog sitt ivriga betande. Den varma ammoniaklukten från dess kropp gav mig ett hastigt men föga trösterikt minne av Niko. Jag trängde mig förbi den, hukade mig ner och rusade besinningslöst under strävbågen och ut i ravinen.

Det syntes inte en skymt av Angelos. Jag vände mig om och sprang bort mot klippstigen.

Hettan på botten av ravinen var nästan fysiskt förnimbar. Jag kände svetten tränga fram på min kropp så snart jag hade lämnat skuggan. Luften tyngde ner mig medan jag sprang. Mina lungor arbetade hårt för att andas in den och strävt damm brände i strupen på mig. Ravinen var en brunn av hetta, i vilken ingenting rörde sig utom jag, och jag pressade mig fram genom den i blindo med panikens piska över mig …

Jag kom fram till foten av klippan. Jag tror jag insåg att Angelos måste ha gått ut genom ingången på andra sidan och inte uppför klippan om han givit sig i väg för att möta kusinen. Men detta var inte heller någon medveten tanke hos mig. Jag visste bara att jag måste ta mig upp, bort från de heta stenväggarna, upp på de öppna sträckorna ovanför klippan.

Eftermiddagssolen sken rakt på klippan där stigen gick. Det skarpa ljuset från den vita kalkstenen splittrades mot ögonen. Jag skyndade mig uppför den lilla branta, slingriga getstigen och kände marken bränna under skosulorna som het metall. När jag tog med handen mot klippväggen var det som om den svedde huden.

Jag gick så fort jag vågade och försökte undvika att åstadkomma något ljud. Jorden rasslade som sand under mina fötter.

En liten sten rullade och föll ner till foten av klippan med en smäll som ett pistolskott. Mina andetag var ljudliga som snyftningar i den stilla luften.

Jag var knappt halvvägs uppe när jag hörde honom komma tillbaka.

Jag tvärstannade, som fastnaglad vid den nakna klippan, tryckt intill den som en ödla på en kal sten. Klippan brände genom min tunna klänning. Han skulle få syn på mig så snart han kom fram till öppningen. Jag kunde omöjligt hinna upp till toppen. Om det fanns någonstans där jag kunde gömma mig …

Det fanns inget gömställe. En kal sicksackstig; ett par branta trappsteg i själva berggrunden, öppna för solen; en avsats med en låg tova av bruna buskar …

Utan att bry mig om ifall jag gjorde något oväsen nu kravlade jag mig över trappstegen, drog mig bort från stigen och upp på avsatsen och slängde mig ner bakom det torftiga skydd som de vissnade buskarna utgjorde.

Där stod en liten järnek, skinande grön, bland en anhopning av lågt buskage, som var som en härva av rostigt ståltrådsnät och kändes taggigt. När jag släpade mig närmare och tryckte mig mot det smulades det sönder under mina desperata händer. Jag minns att det tycktes vara en fullt naturlig del av mardrömmen att barriären mellan mig och en mördare skulle smulas sönder när jag rörde vid den.

Jag drog mig tillbaka från de döda buskarna och pressade mig djupt ner i jordlagret på avsatsen, som om jag i likhet med en mullvad kunde gräva mig ner i marken för att söka skydd. Jag lade kinden mot den varma jorden och låg stilla. Ovanför mig åstadkom ett utsprång en smal skugga, men där jag låg var avsatsen utsatt för solen. Jag kunde känna dess obarmhärtiga press på ryggen och handen, men jag brydde mig knappt om det. Genom det ståltrådsliknande buskaget iakttog jag ravinen nedanför mig.

Angelos dök upp i öppningen och gick hastigt nerför stenrampen och tvärsöver ravinen. Han tittade inte upp utan satte kurs rakt mot grottan och försvann ur sikte i hörnet.

Jag väntade, djupt nedtryckt mot den brännande jorden. Han dök inte upp igen och jag hörde ingenting. Jag undrade om han skulle lasta mulåsnan nu eller om jag skulle hinna nå toppen av klippan och gömma mig där innan han visade sig igen.

Jag gjorde mig just klar att gå vidare när jag såg honom igen. Han kom ut i solskenet och han rörde sig mycket försiktigt nu och såg sig omkring. Han hade tagit med sig jackan ut och höll den varsamt över ena armen. I andra handen höll han något som blänkte i solen. Det var ficklampan som jag hade tappat bredvid Nigels kropp. Angelos' egen ficklampa.

De svarta välvda ögonbrynen var rynkade över ögonen. De tjocka läpparna var utdragna i det där leendet. Han stannade mitt i ravinen och vred runt ficklampan i handen.

Jag låg stilla. Den osynliga mulåsnan rörde otåligt på sig och det klirrade av metall.

Angelos lyfte huvudet och kastade en lång blick runt ravinen. Den for över. klippan, snuddade vid mig, passerade. Sedan lyftes de massiva axlarna i en lätt ryckning och han stack ner lampan i ena fickan på jackan. Jag såg honom stoppa ner handen i den andra fickan och ta upp en pistol. Han vägde den ett ögonblick tankfullt i handen och sedan vände han tillbaka mot grottan.

Jag tog spjärn med händerna mot marken. Han hade känt igen ficklampan, det var inget tvivel om det. Han var på väg tillbaka till grottan för att leta efter den som hade tappat den. Och den här gången tänkte jag inte dröja tills han kom ut igen. Jag ville verkligen inte vänta här för att sopas bort från klippan av den där pistolen som en ödla från en vägg.

Jag kände hur mina muskler spändes som vibrerande stålvajrar. Han rörde sig försiktigt över ravinbotten. Snart skulle han vara utom synhåll.

Någonting föll ner på min hand och jag kände en häftig, stickande smärta som nästan fick mig att skrika till. En liten sten. Sedan en skur av jord och småsten, lösryckt från någon plats ovanför mig, och den rasslade nerför klippan som en svärm av små skott.

Angelos tvärstannade, vände sig om och stirrade uppåt rakt mot mig.

Jag rörde mig inte. Jag trodde inte att han kunde se mig ur den vinkeln. Men jag greps av en ännu vildare panik när jag hörde ljuden som närmade sig toppen av klippan. Dimitrios, ännu oskadd, med Simon efter sig? Eller Simon som kom för att tala om för mig att "gårdagskvällens marodör" hade behandlats efter förtjänst? Allt hopp om att Dimitrios eventuellt kunde ha tvingats berätta för Simon om Angelos försvann nu när jag hörde detta oförsiktiga närmande.

Jag såg Angelos stelna till, sedan försvann han snabbt ur sikte bakom ett klipputsprång.

Ljuden kom närmare. Jag vände på huvudet tills jag genom att vrida runt ögonen i sina hålor kunde se toppen av klippan. Om det var Simon måste jag skrika ... min mun öppnade sig redan för skriket och jag slickade dammet från mina torra läppar. Så rörde sig plötsligt någonting mot himlen vid randen av klippan och jag såg vad det var.

En get. Ännu en. Tre stora svarta getter, gulögda, med flaxiga öron, fridfullt blickande ner på de vissna buskarna ... De vek åt sidan vid randen av klippan och rörde sig långsamt framåt ovanför mig, avtecknade mot den halvgenomskinliga mörkblå himlen. När de passerade tyckte jag att jag åter hörde de avlägsna, ljuva tonerna från en herdeflöjt. Det svalt pastorala ljudet föll genom hettan som dropparna från Apollons källa.

Lättnaden var svindlande. Klippan skimrade i det bländande ljuset. Jag blundade och tryckte ner huvudet bredvid de dammiga buskarna. Någonting luktade sött och aromatiskt – upp ur dammet och jorden virvlade något mångskiftande minne av engelska trädgårdar, av bin bland timjan …

Jag vet inte hur länge det dröjde innan jag blev medveten om att denna eftermiddag var alldeles tom på ljud.

När jag tittade till igen hade Angelos åter dykt upp och stod där han hade stått förut, mitt i ravinen. Han stod alldeles stilla och stirrade upp, inte på mig utan på klippranden ovanför mig där getterna hade stått. Jag följde långsamt hans blick. Jag kände fläkten från den heta klippan mot min kind.

Getterna var fortfarande kvar. De stod också alldeles stilla, sida vid sida, vid randen av klippan. De tittade neråt, med öronen framåtriktade och ögonen spänt uppmärksamma och nyfikna … sex gula satyrögon som stirrade stint ner på mig där jag låg ett tiotal meter nedanför dem.

Angelos lät sin jacka falla ner på en sten bredvid sig och började gå mot foten av klippan.

I samma ögonblick som han rörde på sig hörde jag bullret av jord och småsten när getterna flydde sin väg. Det var som ett eko av de hastiga, vibrerande rörelserna i mitt eget hjärta. Men jag rörde mig inte. Jag vet inte om det var någon instinkt som kom mig att ligga nedtryckt alldeles stilla som ett jagat djur eller om den ström av fruktan som böljade fram och tillbaka i mitt blod faktiskt hade berövat mig rörelseförmågan. I alla händelser låg jag platt under den korta, avgörande stund då greken korsade ravinen och gick uppför getstigen mot mig. Och sedan verkade det som om han var nästan inpå mig och det var för sent att fly. Jag kom ihåg pistolen, och jag låg där utan att andas, pressad platt intill den varma jorden.

Jag hade ett visst skydd neråt och utsprånget ovanför dolde mig antagligen i viss mån. Stigen sluttade brant förbi kanten av avsatsen där jag låg. Det var tänkbart – det var det väl? – att han skulle skynda sig förbi den och aldrig titta bakåt och se mig liggande där bakom det söndervittrande buskaget? Min klänning var av ljus bomull och var dessutom nu randig av jord. Han skulle kanske inte se mig mot den skinande klippan och den röda, stenbeströdda jorden. Det kunde väl tänkas att han inte skulle se mig?

Han var alldeles nedanför mig nu. Han stannade. Hans huvud befann sig bara någon meter nedanför avsatsen. Jag kunde inte – vågade inte – titta, men jag hörde att de klättrande stegen tystnade och sedan kom ljudet av hans andetag tätt nedanför mig. Han tittade upp. Min egen andedräkt virvlade knappt upp dammet under min mun.

Efter nästa krök på stigen skulle han komma uppåt och förbi avsatsen där jag låg. Han stod kvar några sekunder där han var och sedan hörde jag de dämpade fotstegen fortsätta. Men de kom inte uppför stigen. De förflyttade sig försiktigt åt vänster nedanför avsatsen.

Genom den ömkliga barriären av vissna buskar kunde jag med knapp nöd se hjässan på honom. Han höll huvudet bortåtvänt nu och jag visste att han måste ha lämnat stigen. Jag hörde lösa stenar glida och rassla nerför klippan och det prasslade av vissna växter som han trampade på. Han gick mycket försiktigt och stannade efter nästan varje steg.

Jag måste veta vad han gjorde. Jag flyttade huvudet en aning så att jag såg honom bättre.

Det fanns en mindre avsats nedanför min med några enstaka växter och ett virrvarr av lösa stenskärvor. Jag hade lagt märke till den i det där korta ögonblicket då jag i vild desperation såg mig om efter ett gömställe. Ingenting större än ett barn kunde ha gömt sig där. Men han letade där med pistolen i handen, snokade metodiskt som en hund.

Sedan gick han därifrån och återvände tyst till stigen. Han stannade där ett ögonblick igen, och för en kort sekund undrade jag dumt nog om han skulle låta nöja sig med det och gå ner i ravinen igen, kanske i tron att getterna hade stått och tittat på en orm ... Men han vände sig beslutsamt om och började gå uppför den branta delen av stigen som skulle föra honom upp till mig.

Jag tror inte ens att jag var rädd; inte nu. Det var som om rädslan hade drivits upp till en sådan höjdpunkt att den tog död på sig själv, liksom ett ljus som hastigt flammar upp strax innan det slocknar. Jag befann mig åter på den där svagt upplysta, avlägsna teatern av overklighet. Detta hände inte mig.

Jag kan inte tänka mig att någon människa innerst inne verkligen tror att hon kommer att dö. Många filosofiska verk har skrivits enbart på grundval av denna tro. Och jag är säker på att inga människor någonsin tror att något så hemskt som mord kan drabba dem. Något kommer att förhindra det. Det kan inte hända. Andra kanske men inte dem. Inte *mig*.

Jag låg nästan avslappnad på den varma marken, prisgiven åt ödet och slumpen, och Angelos gick snabbt uppför stigen mot mig. Nu skulle han när som helst komma fram till randen av avsatsen. Antingen skulle han se mig med detsamma eller också gå åt sidan och leta igenom buskaget tills han drev ut mig från mitt gömställe, dödsförskräckt och smutsig av jord. Han var där nu. Han kunde inte undgå att se mig …

Jag har läst någonstans att när en människa är jagad och måste fly för sitt liv är en av de värsta faror hon får utstå den desperata driften att ge tappt och få det hela överstökat. Jag hade aldrig trott det. Jag hade trott att fruktan skulle driva henne tills hon stupade som en jagad hare. Men det är faktiskt inte så. Det kan ha varit det att något inom mig stegrade sig mot att låta mannen hitta mig där hopkrupen vid sina fötter, smutsig och rädd; det kan också helt enkelt ha varit den jagades hemska blinda instinkt. Men impulsen kom och jag försökte inte motstå den.

Jag reste mig upp och började borsta av mig smutsen och jorden.

Jag såg inte på honom. Han tvärstannade när jag rörde på mig. Han stod precis där avsatsen vek av från stigen. För att komma bort från den måste jag passera honom.

Jag gick rakt genom buskaget och över stenarna, som om jag gick i sömnen. Jag mötte inte hans blick utan tittade bara var jag satte fotterna på den oländiga marken. Han flyttade sig lite åt sidan och jag passerade honom. Jag gick långsamt nerför stigen igen till botten av ravinen. Han följde efter tätt bakom mig.

När jag kom ner på släta marken snubblade jag och var nära att falla. Hans hand tog tag i min arm bakifrån och jag kände det som om armen drog ihop sig vid beröringen. Jag stannade.

Hans grepp hårdnade och med ett ryck vände han mig runt så att jag stod ansikte mot ansikte med honom. Om han hade fortsatt att hålla i mig tror jag att jag skulle skrikit, men han släppte mig och jag höll mig tyst. Jag visste att om jag försökte skrika skulle jag bli dödad med detsamma. Men jag tog ett par steg bakåt från honom tills en stor sten nuddade vid mina knäveck. Helt oavsiktligt satte jag mig ner; jag kunde inte ha hållit mig upprätt. Jag tryckte båda händerna platt mot den heta stenen, som om jag kunde suga kraft ur den, och tittade på Angelos.

Han stod kanske en och en halv meter från mig med benen lite isär, ena handen nonchalant nerstucken innanför livremmen och den andra armen slappt hängande utmed sidan med pistolen löst dinglande. Han höll huvudet lite framåtböjt, som en tjur som gör sig beredd att anfalla. Det tunga ansiktet var skräckinjagande med det spända, krökta leendet, de symmetriskt välvda svarta ögonbrynen och de grymma ögonen, som tycktes vara massiva, ogenomskinligt svarta, utan pupiller och utan något ljus inifrån. De tjocka näsborrarna buktade utåt och han andades snabbt. Tjurlockarna i pannan var fuktiga och kompakta av svett.

Han hade naturligtvis känt igen mig. Jag märkte det när hans stirrande blick långsamt överfor mig. Han måste ha sett mig tydligt i skenet från ficklampan i går natt.

Han sade: "Jaså, det är min lilla väninna från ateljén, va?" Han talade samma snabba, gutturala franska som med Danielle.

Jag försökte säga något men det kom inget ljud. När jag harklade mig såg jag leendet djupna. Så fick jag tillbaka rösten. "Jag hoppas att jag gjorde er illa", sade jag.

"Den räkningen", sade Angelos mycket gemytligt, "ska snart vara helt uppgjord." Mina händer tryckte hårt mot den varma stenen. Jag sade ingenting. Han sade plötsligt: "Var är engelsmannen?"

"Jag vet inte."

Han gjorde en liten rörelse mot mig och jag ryggade bakåt på stenen. Hans uttryck förändrades inte men det gjorde hans röst. "Var inte dum. Ni kom inte hit ensam. Var är han?"

Jag sade hest: "Jag – vi satt där uppe på klippan och vi såg en man gå omkring här ... den där Dimitrios. Han är guide ... jag vet inte om ni känner honom. Simon ... min vän ... gick för att tala med honom. Han – han tyckte det var han som var i ateljén i går natt och jag tror – jag tror han ville ta reda på vad han hade letat efter."

Det var så nära sanningen att jag hoppades han skulle låta nöja sig med det vad Simon anbelangade. Men det skulle inte hjälpa mig. Ingenting skulle hjälpa mig.

"Och ni har varit där uppe på klippan hela tiden?"

"Jag – nej. Jag gick uppåt bergen en bit och sen tänkte jag att Simon kanske hade kommit tillbaka, så jag –"

"Och ni har inte varit inne i grottan?"

"Grottan?" sade jag.

"Det var vad jag sa. Grottan."

Solen var kall. Stenen var kall. Antagligen hade jag ända tills nu närt ett fåfängt hopp trots allt, men nu visste jag att det var meningslöst. Naturligtvis skulle jag dö. Vad jag än hade sett eller inte sett – mulåsnan, grottan, skatten, Nigel, Danielle – skulle det inte hjälpa mig det minsta att spela oskyldig. Ingenting av detta hade någon betydelse bredvid det nakna faktum att jag nu hade sett Angelos.

Han hade tagit ett par steg bort till sin jacka, som låg över en sten. Han stack ner handen i fickan och tog fram ficklampan. "Ni lämnade kvar den här, inte sant?"

"Ja."

En glimt av förvåning i de svarta ögonen visade att han hade väntat sig att jag skulle förneka det. Jag sade tonlöst: "Jag tappade den när jag såg Nigels lik. Och jag var i grottan nyss när ni dödade Danielle."

Ficklampsmetallen blixtrade till när han gjorde en liten plötslig rörelse. Jag hade åtminstone väckt hans intresse. Om jag kunde få honom att fortsätta att tala ... om jag kunde hålla mig levande bara några minuter till ... kanske skulle det då hända ett mirakel och jag skulle slippa dö. Mördare var inbilska, inte sant? De talade visst om sina mord? Men å andra sidan var mord något så självklart för Angelos att det tydligen knappast intresserade honom att begå ett, ännu mindre att diskutera det ... Men han var sadist också; det skulle kanske bereda honom nöje att tala för att skrämma mig innan han dödade mig ...

Jag grep hårt om stenen och sade hest: "Varför torterade ni Nigel? Var det verkligen er avsikt att döda Danielle?"

Det tjänade ingenting till. Han lade ner ficklampan ovanpå jackan och kastade en hastig blick runt klippväggarna. Sedan lade han varsamt ner pistolen bredvid ficklampan och vände sig mot mig.

Då lyckades jag äntligen röra på mig, men när jag sköt ifrån med händerna så att jag kom upp från den varma stenen kom jag också ett steg närmare honom. I samma ögonblick som jag snurrade runt för att springa min väg tog han tag i mig bakifrån och drog mig tillbaka lika lätt som om jag hade varit en trasdocka. Antagligen kämpade jag emot; jag minns ingenting utom den blinda paniken och trycket av hans händer och den fräna lukten av svett och den kusliga jämstyrka som höll mig lika lekande lätt som en manshand håller en fångad fjäril. Han lade ena handen hårt över min mun, så att mina läppar klämdes mot tänderna, men handflatan var hal av svett; den gled och jag ryckte undan huvudet och lyckades samtidigt sparka honom hårt på skenbenet.

Jag fick betala dyrt för det tillfälliga övertaget, för när jag vred mig i fåfängt försök att komma loss kastade han sig framåt för att dra mig intill sig igen och tysta mig, varvid han trampade på en lös sten som rullade under hans fot och vi föll båda till marken.

Om jag hade hamnat under honom skulle jag antagligen ha skadat mig ganska svårt, kanske svimmat, för han var mycket tung; men när han snavade föll han ner på sidan och drog mig med sig i fallet. Inte ens då lossnade det brutala greppet och i samma ögonblick som vi slog mot marken rörde han sig som en blixt, slängde sig över min kropp med en snabb hävning och tryckte mig ner mot marken.

Så ändrade han sitt grepp. Jag låg på rygg med vänstra armen uppåtvriden under mig och den var nära att brytas under den dubbla tyngden av våra kroppar. Min högra handled låg i hans grepp, fasthållen mot marken. Hans fria hand flög upp till min hals. Den tunga kroppen höll mig nere; jag kunde inte röra mig, men utom mig av skräck nu skrek jag och försökte förgäves vrida på mig under honom och slängde av och an med huvudet för att försöka undkomma handen som gled och trevade på min hals efter det rätta greppet. Jag skrek igen. Han svor på grekiska och slog mig hårt över munnen, och när mitt huvud trycktes bakåt mot marken fick handen äntligen grepp om min hals, flyttade sig en aning, hårdnade …

Jag levde fortfarande. Flera år hade förflutit och det kokande, kvalfulla mörkret hade lättat och jag levde fortfarande. Jag låg alltjämt på rygg på den heta marken och ovanför mig välvde sig himlen i en stor blixtrande, pulserande kupol av blått. Angelos' tunga kropp låg fortfarande över mig. Jag kunde känna hävningarna av hans tunga andhämtning; svettlukten var frän; hans hand låg fuktig och illaluktande över min mun; den andra handen var alltjämt på min hals, men den låg löst där och nu lyftes den upp.

Han drog sig inte undan. Han låg alldeles stilla med stela muskler och tittade upp och bort från mig mot ingången till ravinen. Så gled hans hand bort från mitt ansikte och ner på den jordiga klippmarken bredvid mitt huvud, klar att skjuta honom upp i stående ställning. Jag minns att handen låg över mitt utslagna hår och det gjorde ont när han ryckte till i det med hela sin tyngd. Smärtan var som en sporre. Den väckte mig till medvetande igen. Jag slutade blinka upp mot himlens vibrerande blå och lyckades röra på huvudet en aning för att se vart Angelos tittade.

Han stirrade rakt mot solen. Först kunde jag inte se något i det bländande ljuset i ravinens mynning. Så fick jag syn på honom.

Jag visste med detsamma vem det var trots att han bara var en skugga mot ljusskenet. Men ändå kände jag en skarp, kall rysning längs ryggraden när jag märkte ett hastigt ryck i hjärtat på Angelos och hörde honom säga med grötig röst: ”Michael?”

XIX

Jag har kommit,
direkt från reningen av Apollon …
för att låta dessa blodbesudlade två få
umgälla sin blodsskuld.

EURIPIDES: Elektra

Uppvaknande, chock, igenkännande – det måste ha tagit några sekunder bara men det verkade som en evighet.

I ena ögonblicket avtecknade sig Simon helt flyktigt i silhuett mot det skarpa ljuset och i nästa ögonblick hade Angelos svingat sig upp från min kropp och kommit på fötter, lätt som en dansör. Han måste ha glömt att han hade lagt ifrån sig pistolen, för jag minns att hans hand liksom automatiskt flög upp till höften när Simon kom rusande nerför rampen med hastigheten hos en backhoppare och stannade inte fem meter från honom i en virvel av damm och små stenpartiklar.

Angelos stod alldeles ovanför mig med handen alltjämt på höften och iakttog honom.

Simon stod orörlig där han hade stannat. Jag kunde inte se hans ansiktsuttryck men jag kunde se Angelos', och fruktan spred sig in i mitt blod igen lika plågsamt som värme efter frostskador. Jag rörde på mig och försökte säga något för att tala om för Simon vem och vad mannen var, men min strupe var svullen och öm, och jag blev yr av det bländande ljuset, som virvlade omkring mig när jag rörde mig, och jag kunde inte få fram ett ljud. Angelos måste ha märkt att jag rörde på mig vid hans fötter, men han tog ingen notis om det. Simon hade inte heller kastat någon blick på mig. De två männen iakttog varandra, vaksamma och avvaktande som två hundar som kretsar omkring varandra före slagsmålet.

Jag väntade att Simon skulle rusa på honom som han hade gjort i Nigels rum. Då lade jag inte märke till hur häftigt han andades och hur han ansträngde sig att få hjärta och lungor under kontroll efter språngmarschen uppför den branta stigen i riktning mot mina skräckslagna skrik. Jag insåg inte heller att han fortfarande trodde att greken kunde vara beväpnad – och jag låg där och kunde nås av både kniv och pistol innan Simon skulle hinna fram ... Ingenting av detta var jag i stånd att fatta. Jag visste bara att Simon inte rörde sig, och jag minns att jag med en liten kall, kväljande känsla undrade om han var rädd. Så tog han två steg framåt mycket långsamt, och nu då han inte längre befann sig mellan mig och solen såg jag hans ansikte. Den otäcka känslan försvann och jag var inte längre rädd. Samtidigt med rädslan försvann också spänningen ur min kropp och jag kände att jag slappnade av och började darra. Det började värka i min kropp efter grekens brutala grepp. Jag vände mig om på sidan och försökte dra mig lite längre bort från honom. Jag skulle inte ha kunnat resa mig upp, men jag släpade mig ett stycke bort och satte mig nerhukad, darrande och alltjämt andfådd, mot den stora sten på vilken jag hade suttit förut.

Han brydde sig inte om mig. Han var tills vidare färdig med mig och hade slängt mig åt sidan och nu skulle han ta itu med Simon. Jag kunde expedieras efteråt.

Simon sade godmodigt: ”Jag antar att ni är Angelos?” Han andades fortfarande onormalt fort men rösten var behärskad.

”Det stämmer. Och ni är Michaels lillebror?”

”Det stämmer.”

Greken sade i en ton mittemellan tillfredsställelse och förakt: ”Ni är välkommen.”

Simons läppar blev tunnare. ”Det tvivlar jag på. Jag tror att ni och jag har träffats förut.”

”I går kväll.”

”Ja.” Simon tittade på honom några sekunder under tystnad. Sedan blev hans röst dov och tonlös. Jag visste vad det betydde, för jag kände honom nu, och mitt hjärta spändes och började bulta vilt. Han tillade: ”Jag önskar jag hade vetat lite mer – i går natt.”

Jag vred mödosamt på huvudet och lyckades säga: ”Han har dödat Nigel … och Danielle.” Det dröjde några sekunder innan det gick upp för mig att jag inte alls hade frambragt något ljud.

”Ni mördade min bror Michael.” Simon hade inte ens kastat en blick på mig. Han andades lugnt nu och ansiktet var fullkomligt uttryckslöst, så när som på den där ljusa, vaksamma blicken. Jag kände igen den och visste vad den innebar. Just så måste Michael ha sett ut när han stod ansikte mot ansikte med Angelos för så många år sedan. Just så måste himlen ha strålat ner över ravinen och de där oberörda klipporna återkastat dess förblindande hetta. Tiden hade vridits bakåt. Angelos mötte Michael igen och den här gången var oddsen till Michaels favör.

Det verkade som om Angelos inte ansåg det. Han skrattade. "Ja, jag dödade Michael. Och jag ska döda hans lillebror också. I ert land får ni inte lära er att bli riktiga karlar. Det är annorlunda här."

Mycket långsamt rörde sig Simon ett steg framåt nu; så ett till.

"Hur dödade ni min bror, Angelos?"

"Jag bröt nacken av honom." Till min förvåning märkte jag att greken drog sig tillbaka. Han hade sänkt huvudet på sitt karakteristiska sätt. Jag kunde se hur de matta svarta ögonen drog ihop sig inför ljuset. Jag såg honom blinka hastigt ett par gånger och han rörde på huvudet som en tjur som irriteras av sina horn. Sedan tog han långsamt ett steg bakåt och lite åt sidan ...

Jag trodde ett ögonblick att han försökte manövrera så att han skulle slippa ha Simon mellan sig och solen och jag undrade flyktigt varför han hade låtit motståndaren vinna tid så där, när det plötsligt gick upp för mig, som en blixt en svart natt, vad han höll på att göra. Jag kom ihåg pistolen som låg gömd för Simon någonstans i vecken på Angelos' jacka.

På något sätt lyckades jag förflytta mig. Det kändes som att lyfta en madrass fullproppad med lera när jag lyfte min kropp från den uppbökade marken, men jag lyckades rulla runt, sparkade mig fram utmed marken med en krampaktig, slingrande rörelse som en fisk och grep efter den nedhängande jackärmen samtidigt som Angelos tog ett plötsligt, snabbt steg åt sidan och böjde sig ner efter pistolen.

Jag fick tag i ärmen. Jag ryckte i den så mycket jag orkade. Den fastnade på en bit av stenen, gick sönder och lossnade med ett ryck. Ficklampan susade i väg som en raket och slog mot en sten vid mitt huvud. Pistolen flög i en vid båge, träffade en stenhög tre meter borta och gled utom synhåll. Den slog faktiskt till grekens hand när han böjde sig ner för att ta den. Med en svordom snodde han runt och sparkade till mig och föll sedan tungt rakt över stenen när Simon träffade honom som en ånghammare.

Simon fullföljde attacken. I samma ögonblick som greken föll över stenen lyckades han med underarmen precis parera det efterföljande slaget från sidan mot halsen och samtidigt få in en otäck motstöt med armbågen som träffade Simon i magen. Jag såg att smärtan exploderade genom honom som en kreverande granat, och samtidigt som han ryggade tillbaka utnyttjade greken stenen som en språngbräda och sköt ut från den med hela sin tyngd bakom utfallet. Simons huvud slungades bakåt av ett slag som nästan tycktes bryta nacken av honom och han föll, men i fallet lyckades han kroka fast ena benet runt Angelos' knä och med utnyttjande av mannens eget rörelsemoment fick han honom att ramla också. Innan greken nådde marken hade Simon rullat åt sidan och var över honom. Jag såg greken måtta en spark med ena foten, missa och rikta ett kort hugg med sidan av handen mot Simons hals; Simon träffade honom med ett slag och sedan rullade de båda runt, tätt sammanslingrade, i dammet som virvlade upp omkring dem.

Jag hade släpat mig upp på fötter och höll mig fast i stenen bredvid mig. Han kunde inte klara sig; han kunde inte rimligtvis klara sig … han var yngre och han kunde slåss, men Angelos var grövre och hade alla de där hänsynslösa åren bakom sig … Om jag kunde hjälpa till … om jag bara kunde hjälpa till …

Yr i huvudet böjde jag mig ner, sträckte mig efter ett skrovligt klippstycke och lyfte upp det i händer som darrade som asplöv.

Jag kunde slå till honom som jag hade gjort i går natt ... om jag bara kunde hitta ett vapen – kanske ficklampan –

Pistolen.

Jag släppte klippstycket och skyndade mig med små snyftande andetag fram till stenhögen där pistolen hade försvunnit. Det var väl här den hade slagit ner och glidit utom synhåll? Inte en skymt. Här då? Nej. Här ... å, gode Gud *här* ...

En vit repa på kalkstenen visade var den hade glidit fram ... Jag stack ner en darrande hand mellan de tätt sammanpackade stenarna. De skrapade loss huden och det gjorde ont men jag tänkte knappt på det. Jag stack ner armen så långt jag kunde. Mina utsträckta fingrar rörde vid något svalt och glatt – metall. Jag kunde inte nå föremålet; mina fingertoppar bara gled över det. Jag kände hur mina läppar darrade när tårarna stänkte salt på dem. Så tryckte jag mig hårt mot stenarna och stack armen ännu längre in i den smalnande rännan. Stenarna raspade obarmhärtigt över huden och jag kände blod rinna över handleden. Fingrarna gled längre in, krökte sig, grep tag. Jag höll om pistolen. Jag försökte dra ut den. Men nu när jag hade handen krökt om kolven kunde jag inte få ut den mellan stenarna. Jag ryckte i den, hjälplöst, meningslöst, och det gjorde så ont i handen att jag skrek till av smärta, men jag kunde inte få ut pistolen ...

Jag öppnade handen och släppte pistolen. Så lade jag mig på knä vid stenhögen och började bearbeta den med de där hjälplösa, darrande fingrarna i försök att få undan det tunga hindret. Bakom mig hörde jag dunsarna och de hasande ljuden av de båda männens kroppar på marken, de fruktansvärda, skärande andetagen och ett plötsligt, skarpt utrop av smärta. Jag tyckte det kom från Simon.

En sten gav vika under mina händer och jag kastade undan

den och slet i nästa. Och nästa. Och sedan en hög av torr jord och kantiga småstenar.

Så såg jag det blåsvarta blänket från pistolen.

Jag sköt den sista stenen åt sidan och stack in handen. Pistolpipan låg riktad mot mig. Jag grep om den och drog ut vapnet. Inte ens ett ögonblick tänkte jag på faran av att hålla det på det sättet. Jag drog bara ut det mellan de skrovliga stenarna och vände på det i mina skälvande händer. Jag minns särskilt att jag blev förvånad över att det var så tungt ...

Det var första gången i mitt liv som jag höll i en pistol. Men det var naturligtvis mycket enkelt. Man bara siktade och rörde vid avtryckaren; det visste jag. Förutsatt att jag kunde, komma tillräckligt nära ... och om männen bara drog sig ifrån varandra ett ögonblick så att jag kunde se genom det där kvävande dammet ... Man bara siktade med vapnet och rörde vid avtryckaren och Angelos skulle vara död, förpassad ur livet på en kort sekund. Det föll mig inte in att detta på ett sätt kunde vara en oriktig eller ödesdiger handling. Jag tog ett par stapplande steg i riktning mot de kämpande kropparna på marken ...

Underligt nog var det svårt att gå. Marken var ostadig och mina fötter sögs ner i jorden och pistolen var för tung och himlen var alldeles för klar, men ändå kunde jag inte se ordentligt ...

De sammanslingrade kropparna på marken hävde sig när den som låg underst gjorde en till synes gigantisk kraftansträngning. Båda två var övertäckta med damm och jord; jag kunde inte se vem det var som låg raklång med ena armen förvriden och fastlåst bakom ryggen ... eller vem det var som låg grensle över honom och nu ändrade sitt grepp, spände sig liksom i en sista förtvivlad kraftansträngning. Om de bara kunde skilja på sig ... om jag bara kunde se vem som var Angelos ...

Så såg jag hur huvudet på den som låg under pressades bakåt. Röd jord låg i tjocka kokor i de svarta lockarna. Det breda, grymma ansiktet var också rött av jord, en arkaisk, grimaserande mask utskuren i röd sandsten. Det var Angelos som låg på rygg och andades stötvis mellan de grinande läpparna och med allt svagare och svagare rörelser försökte kasta av sig Simon.

Jag stod där med pistolen hängande i handen, nu helt blottad på min fasta föresats, och stirrade som i en dröm på de två männen som hävde sig och andades som en enda kropp på marken vid mina fötter.

Med ens visste jag att Simon behövde varken mig eller pistolen. Jag vände mig åt sidan och satte mig på stenen. Mycket trött lutade jag mig bakåt mot den varma klippan och blundade.

Efter en stund var det tyst.

Angelos låg stilla med ansiktet mot marken och lemmarna utsträckta. Han låg intill det lilla röset, det som stod på den plats där Michael hade blivit mördad. Simon reste sig mycket långsamt. Han stod ett ögonblick och tittade ner. Hans ansikte var smutsigt av jord och blod och fårat av trötthet. Jag såg hur hans muskler slappnade av trötthet medan han stod där. Med översidan av handen torkade han bort blodet från ansiktet. Han var blodig om händerna också.

Så vände han sig om och tittade på mig för första gången. Han gjorde en ansats som för att tala och sedan såg jag honom sticka ut tungan för att fukta de jordiga läpparna. Jag besvarade hastigt frågan i hans blick.

”Det är inget fel med mig, Simon. Han – han skadade mig inte.” Rösten hade kommit tillbaka, hes och darrig. Men det fanns ingenting att säga. Jag viskade bara: ”Det finns ett rep som är fäst i mulåsnan. Nere vid grottan.”

”Rep?” Hans röst var inte heller sig lik. Han kom långsamt mot mig. ”Till vad då?”

”Honom förstås. Om han skulle kvickna till –”

”Kära Camilla”, sade Simon. Och sedan, när han såg uttrycket i mitt ansikte, i ett slags vrede: ”Vad väntade du dig annars att jag skulle göra?”

”Jag vet inte. Det är klart att du måste döda honom. Det är bara – naturligtvis måste du det.”

Hans mun förvreds. Det var inte precis något leende, men just då var det ingenting hos honom som var sig likt. Det var en främling som stod framför mig i det skarpa solskenet och han hade en främlings röst, och något som jag mindes hade funnits i hans ansikte var nu borta. Han stod där tyst och såg ner på sina händer. Jag kommer fortfarande ihåg blodet på dem.

Den kväljande känslan hade försvunnit och världen stadgades. Jag sade hastigt, nästan desperat, driven av en plötslig skamkänsla: ”Simon. Förlåt mig. Jag – jag kan visst inte tänka klart ännu. Naturligtvis måste du göra det. Det var bara det … att uppleva det på så nära håll. Men du har rätt. Det kommer en stund då man måste … acceptera … en sån här sak. Det var avskyvärt av mig.”

Då log han, och en skymt av äkta munterhet lyste igenom tröttheten. ”Inte direkt. Men – vad tänkte du egentligen göra med den där?”

”Med vad då?” Jag följde riktningen av hans blick och stirrade dumt ner på pistolen i min hand.

Han lutade sig framåt och tog den försiktigt ifrån mig. De

blodbefläckade fingrarna undvek mina. De darrade lite. Han lade varsamt pistolen åt sidan. "Den ligger nog säkrast där."

Tystnad. Han stod över mig och tittade ner, alltjämt med den där främlingsblicken.

"Camilla."

Då mötte jag den.

"Om du inte hade fått bort den där tingesten", sade han, "skulle jag ha varit död nu."

"Jag också. Men du kom."

"Kära vän, naturligtvis. Men om han hade fått tag i pistolen ..." En liten paus, så obetydlig att det tycktes som om det han sade inte kunde ha någon betydelse. "Skulle du ha skjutit honom, Camilla?"

Helt plötsligt darrade jag obehärskat. Jag sade nästan häftigt: "Ja. Ja, det skulle jag. Jag var på väg att göra det men då ... då dödade du honom själv ..."

Så började jag gråta hjälplöst. Jag sträckte ut båda händerna i blindo och fattade om hans, blodiga som de var.

Han satt bredvid mig på stenen med armen om mig. Jag minns inte vad han sade; jag tror att han mest satt och svor för sig själv, och det verkade så olikt honom att jag måste anstränga mig hårt för att undertrycka de små skrattparoxysmer som skakade mig mellan snyftningarna.

Jag lyckades säga: "Förlåt mig. Det är inget farligt. Jag är inte hysterisk. Det är – det är bara någon sorts reaktion."

Han sade med plötslig häftighet, och det var desto mer upprörande som det var första gången jag hörde det från honom: "Gud i himlen, jag kommer inte att förlåta mig själv i brådrasket att jag drog dig in i det här! Om jag hade haft någon aning –"

”Du drog mig inte in i det. Jag bad att få vara med, så eftersom jag hade gett mig i leken fick jag också tåla den, inte sant? Det var inte ditt fel att det blev som det blev. Man gör bara det man måste göra och eftersom du trots allt kände det på det sättet i fråga om Michael gjorde du det. Det är inte mer med det.”

”I fråga om Michael?”

”Ja. Du sa att tragedin var över, men det är ju klart att när du väl fick veta att Angelos fortfarande levde –”

”Flicka lilla”, sade Simon, ”du inbillar dig väl inte att jag dödade honom för Micks skull, va?”

Jag tittade upp på honom, lätt bedövad. ”Inte? Men du sa till Angelos –”

”Jag talade det språk som han förstod. Det här är trots allt fortfarande Orestes' land.” Han tittade ner på den upprivna jorden mellan sina fötter. ”Nå ja, jag medger att det delvis var för Michaels skull – när jag väl var här och stod ansikte mot ansikte med honom. Jag kände mig mordisk redan när jag visste att han fortfarande levde, till och med innan Dimitrios berättade resten för mig.”

”Dimitrios? Ja visst. Berättade han något för dig?”

”Han lät sig ganska snart övertalas att göra det. Niko dök upp och hjälpte mig.” En paus. ”Han berättade vad de två hade gjort med Nigel.”

”Då vet du ...” Jag drog en suck, till tre fjärdedelar av lättnad. Jag kom ihåg den där blicken i Simons ögon och den lugna målmedvetenhet med vilken han hade dödat Angelos. Jag darrade lite. ”Jag förstår.”

”Och så var det du också”, fortsatte han.

Jag sade ingenting. Min blick var riktad mot två – nej, tre prickar som långsamt kretsade omkring i den klara luften högt ovanför ravinen. Simon satt orörlig bredvid mig och tittade på den upptrampade jorden. Han såg plötsligt outsägligt trött ut. Om det inte hade varit för beviset som låg utsträckt på marken skulle man nästan ha trott att det var han, inte Angelos, som hade blivit besegrad. *Varje människas död försvagar mig* … Jag tänkte på Nigel, som låg groteskt slängd bakom högen av jord och sten, och jag förstod.

Tystnaden drog ut. Någonstans uppe på berget tyckte jag mig höra någonting, rasslet av stenar, ett andfått rop. Simon rörde sig inte. Jag sade: ”Berätta om Angelos. Hur kom han in i det här? Varför väntade han ända tills nu med att komma tillbaka?”

”Han har varit här förut. Vi gissade rätt i fråga om att det letades efter guldet – ljusen och rösterna och Dimitrios' frågor – men vi gissade fel på vem det var som letade. Det var inte Dimitrios själv. Han visste ursprungligen ingenting om skattgömman. När Angelos lämnade Grekland och for till Jugoslavien i slutet av 1944 var det hans mening att komma tillbaka så snart han kunde. Men han begick mord – politiskt mord den här gången – i det nya landet och burades in 'på livstid'. Han släpptes för två år sen och återvände i hemlighet för att uppsöka sin kusin. Han invigde honom i hemligheten eftersom han måste ha någonstans att gömma sig och även någon som hjälpte honom. De letade efter stället – precis som vi gissade – men lyckades inte hitta det. Dimitrios gjorde sitt bästa för att pumpa Stephanos, och de måste bägge två ha letat igenom jordbävningsområdet som galningar hela våren och sommaren, men så gav de upp tills vidare och Angelos for till Italien. Jag antar att han hade tänkt komma tillbaka i våras så snart snön hade smält, men vid det laget hade jag skrivit till Stephanos och det gick rykten om att jag skulle komma till Delfi. Han beslöt sig för att vänta och låta oss visa honom platsen. Det var allt."

Han kastade en blick på mig. "Och vad var det som hände dig? Varför i all världen lämnade du grottan? Inte kunde han väl hitta dig där inne i helgedomen?"

"Nej." Jag berättade då allt som hade hänt sedan han lämnade mig för att följa efter Dimitrios. Jag märkte att jag kunde berätta det alldeles lugnt nu, med samma underliga, kyliga objektivitet som jag hade känt där inne i grottan, som om det var ett skådespel; som om allt detta hade hänt, inte mig utan personer i någon berättelse jag hade läst. Men jag minns att jag tyckte det var skönt att känna solvärmen och Simons arm runt mina axlar.

Han hörde på under tystnad och han satt alltjämt tyst några minuter efter det att jag hade slutat. Sedan sade han: "Det verkar som om jag har en hel del annat som jag måste förlåta mig själv, utom det att jag har dragit in dig i – det här." För första gången gick hans blick tillbaka till röset där liket låg. Hans ögon var som jag mindes dem från första gången: livfulla och hårda och kyliga. "Inte så lite", sade han. "Mick, Nigel, stackars lilla dumma Danielle. Och så du förstås ... Det skulle nästan kräva en Orestes, inte sant?" Han andades in djupt. "Nej, jag tror knappast att furierna, de goda, kommer att hemsöka mig för det som har hänt i dag, Camilla."

"Nej, det tror inte jag heller."

Det hördes ett rop från ingången till ravinen. Med ett smatter av stenar rusade Niko in i ravinen och störtade fram mot oss.

"Vackra miss!" skrek han. "*Kyrie* Simon! Ingen fara! Jag är här!"

Han bromsade upp framför oss. Hans häpna blick skärskådade

oss båda – min trasiga och smutsiga klänning, blåmärkena, mina sönderskavda handleder och händer, och Simon, full av blod och jord och märken efter striden. ”Heliga Guds moder, då *var* han alltså här? Angelos var här? Kom han undan? Han –”

Han tystnade tvärt när han fick syn på kroppen bredvid röset. Han svalde häftigt och kastade en hastig blick på Simon. Han såg på mig som om han tänkte säga något, men så slöt han munnen igen hårt och gick sedan – till synes motvilligt – bort till den plats där Angelos låg. Det hördes långsammare fotsteg bortifrån ingången och Stephanos dök upp. Han stannade där ett ögonblick, precis som Simon hade gjort, sedan gick han långsamt nerför rampen mot oss. Simon reste sig stelt. Den gamle mannen stannade tätt intill mig. Hans blick var också riktad på Angelos. Så såg han på Simon. Han sade ingenting utan nickade bara långsamt. Sedan log han. Jag tror han hade tänkt säga någonting till mig då, men nu hade Niko rätat på sig och kom springande tillbaka. En störtflod av grekiska ord vällde mot Simon, som svarade och sedan tycktes berätta vad som hade hänt. Jag uppfattade namnet ”Michael” flera gånger och sedan ”engelsmannen” och ”den franska flickan” och ordet ”*speleos*”, som jag antog betydde ”grotta”. Men jag kände mig plötsligt för trött för att höra på. Jag lutade mig bakåt in i en skuggstrimma och väntade medan de tre männen pratade tvärsöver mig. Efter en stund sade Simon något till Stephanos och de två lämnade mig och gick mot grottan.

Niko tvekade. ”Är ni skadad, vackra miss?” frågade han ängsligt. ”Den där – den där bulgaren – gjorde han er illa?”

Att kalla någon en bulgar är det värsta skymford en grek kan tänka sig; och då har han ändå ett stort ordförråd att ta av. ”Inte så farligt”, sade jag. ”Jag är bara lite uppskakad.” Jag log mot honom. ”Ni skulle ha varit här.”

”Jag önskar jag hade varit det!” Nikos sidoblick på stenröset var kanske inte så entusiastisk som hans röst, men det skulle tydligen mer än mord till för att dämpa honom. Han vände blicken mot mig och den strålade av beundran. ”Jag skulle allt ha gett honom, jag, och inte för Panos' skull, min farfars kusin, utan för er, vackra miss. Fast *Kyrie* Simon”, tillade han ädelmodigt, ”skötte sig mycket bra, inte sant?”

”För att vara engelsman”, sade jag avvärjande.

”Just det, för att vara engelsman.” Han fångade min blick och log ogenerat. ”Jag hjälpte honom förstås med Dimitrios Dragoumis”, tillade han. ”Jag, Niko.”

”Han talade om det för mig. Vad gjorde ni med honom?”

De svarta ögonen spärrades upp. Han såg uppskakad ut. ”*Det* kan jag inte tala om för er. Ni är en dam och – å, jag förstår.” Det förödande leendet blixtrade till. ”Efteråt, menar ni? Jag tar honom ner till vägen men inte till Delfi, för jag vill gå tillbaka och hjälpa *Kyrie* Simon, förstår ni. Där står en lastbil och jag förklarar allt för männen och de tar honom med sig till Delfi till polisen. Polisen kommer. Jag ska möta dem snart och visa dem vägen hit. Det är allt.”

”Det är allt.” Jag sade det mycket trött. Det tycktes vara ett lämpligt slut på dagen.

Solen utanför skuggstrimman verkade vara vitglödande. Niko hade på sig en klart stålblå skjorta med scharlakansröda rutmönster. Effekten var bländande. Han tycktes skimra i konturerna.

Jag hörde honom säga glatt: ”Ni är trött. Ni vill inte tala. Och de två andra behöver mig, ja? Jag går.”

När jag slöt ögonen och lutade mig bakåt hörde jag honom galoppera tvärsöver ravinen på sitt speciella, våldsamma sätt.

Det verkade dröja länge innan de tre männen kom ut ur grottan igen och ut i solskenet.

Niko kom först och ledde mulåsnan. Han såg spak ut nu och lite blek. Han gick inte fram till mig igen, utan svingade sig upp på mulåsnan, fick den med en spark att motvilligt sätta sig i rörelse och vinkade åt mig medan han klapprade ut ur ravinen.

Stephanos och Simon stod och pratade några minuter till. Stephanos såg dyster ut. Jag såg honom nicka åt något som Simon sade, sedan pekade han upp mot himlens strålande valv där de där svarta prickarna fortfarande kretsade runt. Sedan vände han sig om och traskade långsamt fram till en skuggig plats nära liket. Där satte han sig och slog sig till ro, liksom för att vänta, och lutade sig framåt med huvudet mot händerna, som han höll knäppta över staven. Han slöt ögonen. Han såg plötsligt mycket gammal ut - med det där homeriska huvudet och de slutna ögonen lika gammal som tiden själv.

Det var en bild som jag aldrig skulle glömma, denna tragedins lugna slutvinjett. Där var den lysande himlens blå valv; där den människa som furierna hade infångat och dödat just på den plats där han själv hade utgjutit blod; där den gamle mannen, skäggig som Zeus själv, som satt och nickade i skuggan. Uppe på klipporna stod de svarta getterna och stirrade.

Någonstans ifrån, inte långt bortifrån nu, kom de där små tonerna igen; herdeflöjten vars ljud hade trängt ner genom ljusbrunnen och lett mig till den heliga källans Apollon. Vid ljudet lyfte getterna på huvudena, vände sig om och lunkade i väg, svarta mot himlen, som en attisk fris i långsam procession.

Simons skugga föll över mig.

"Niko har gett sig av för att visa polisen vägen hit. Han ville eskortera dig till Delfi, men jag sa att du måste ta igen dig lite först. Du och jag har en sak kvar att göra, inte sant?"

Jag hörde knappt frågan. Jag sade ängsligt: "Polisen?"

"Var inte orolig. Det är ingen fara för mig. Bortsett från allt annat – och Gud ska veta att han hade en hel del på sitt samvete – försökte han döda dig." Han log. "Följer du med nu? Stephanos tycks sova, så han kommer inte att undra vart vi har tagit vägen."

"Sa du ingenting till honom och Niko om helgedomen?"

"Nej. Frågan vad som ska göras med vapnen och guldet har vi gudskelov ingenting att göra med nu, men den andra frågan får vi själva bestämma. Vet du svaret?"

Jag såg frågande på honom, kanske lite tvivlande.

Så nickade han och jag sade långsamt: "Jag tror det."

Han log och sträckte ner ena handen mot mig.

Tysta gick vi in i grottan. Simons ficklampa var nästan utbrunnen, men den visade i alla fall vägen. Den var inte så stark att den trängde för långt in bland skuggorna. Han stannade strax innanför den yttre passagen och jag såg honom ta ett steg åt sidan och böja sig över något som låg nära stenhögen där lådorna hade varit. Han rätade på sig med ett av Angelos' bräckjärn i handen. Jag tittade inte längre in utan följde det barmhärtigt svaga ljuset genom de pelarförsedda valven tills stenhällen spärrade vägen.

Ljuset dröjde vid de gamla mejselmärkena på stenen. "Jo då", sade Simon dämpat. "Det kan inte vara så svårt att baxa in den. Den behöver bara komma in en åtta, tio centimeter, så täpper den säkert till ingången ... Jag lämnar kvar bräckjärnet här så länge."

Han lade ner det och vi gick in genom öppningen för sista gången och uppför den svängda tunneln som ledde till det lysande citadellet.

Han hade stått där orubblig och utan att skifta ansiktsuttryck i mer än tvåtusen år; nu verkade det som ett mirakel att han under den senaste timmen hade kunnat stå kvar oberörd, oförändrad. Solen hade sjunkit längre ner mot väster och ljuset föll snedare genom lövverket; det var det enda.

Vi lade oss på knä vid hans fötter och drack. Jag kupade händerna under källan och stänkte vatten över ansiktet och halsen och höll sedan handlederna under den iskalla rännilen. Det sved intensivt på de ställen där huden var avskavd, en skarp, läkande sveda som tycktes signalera min kropps återkomst från någon sorts chockens förlamade gränsland som jag hade förirrat mig in i. Jag lutade mig bakåt och viftade bort de kalla dropparna från händerna.

Då upptäckte jag att märket på vänstra handens ringfinger hade försvunnit. Det fanns inte ett spår kvar av den ljusa rand där Philips ring hade suttit.

Jag satt och tittade på mina händer.

Simon lutade sig framåt och lade någonting på stensockeln vid statyns fötter. Det glimmade av guld.

Han märkte min blick och log lite skevt. ”Guld åt Apollon. Jag bad honom föra Angelos tillbaka och det gjorde han, även om det skedde på det där förbaskat tveeggade delfiska sättet som man alltid glömmer att räkna med. Nu är det i alla fall gjort. Det var ett löfte. Minns du?”

”Jag minns.”

”Och om jag inte minns fel avlade du också ett löfte just här.”

”Det gjorde jag. Men jag blir tvungen att dela det där myntet med dig, Simon. Jag har ingenting här som jag kan ge.”

”Då delar vi lika”, sade han. Det var allt; den där oberörda, milda rösten, som hade samma tonfall; jag vände mig hastigt om och tittade upp på honom. De livfulla grå ögonen såg in i mina ett ögonblick, så vände jag mig från honom nästan i blindo och tog upp Nigels lilla vattenkruka. ”Ska vi inte lämna kvar den här också?”

Någonting blänkte till långt nere i gräset bredvid kanten av sockeln. Jag förde de långa stråna åt sidan och tog upp föremålet. Det var ännu ett guldmynt.

”Simon, titta!”

”Vad är det? En talent? Kom inte och säg att Apollon har ordnat med en vädur i snåret för –” Han tystnade plötsligt när jag sträckte ut handen mot honom.

Jag sade: ”Det är ett guldmynt. Det betyder att Nigel hittade både guldet och statyn. Han måste ha lämnat kvar myntet här.”

”Måste han?”

”Tja, vem annars –?” Så såg jag hans ansikte och hejdade mig.

Han nickade. ”Ja. Naturligtvis. Michael lämnade också en offergåva.”

Han tog varsamt ifrån mig myntet och lade det bredvid vattenkrukan vid gudens fötter.

Printed in the USA
CPSIA information can be obtained
at www.ICGtesting.com
LVHW050744200823
755724LV00025B/250

9 788726 040432